跨文化统合视域下
教师互惠学习研究

石 娟 著

科 学 出 版 社
北 京

内 容 简 介

在“人类命运共同体”的世界秩序运行中，作为优秀文化的主要传播者——教师在国际教育交流的文化碰撞中有着怎样的文化立场？教师如何通过互惠学习提升跨文化意识与国际理解能力？这一系列的问题是对全球化语境下教师面临发展困境的拷问，也是跨文化统合视域下对教师专业发展的文化关切与追问。

基于以上考虑，本书选取有国际跨文化学习经历的职前教师与在职教师为研究对象，以教师的文化立场与专业发展态度为逻辑起点，采取理论研究与实证研究相结合的研究范式，综合运用文献研究法、深度访谈法、文本分析法及参与观察法等多种研究方法，考察研究对象在本国与异国学习、交流的经验、感悟，剖析跨文化统合视域下教师互惠学习的动力、学习内容、学习机制及学习影响等方面问题，从而描述跨文化统合视域下教师互惠学习的真实样态。

本书适合从事教育学、文化学等相关研究的高校及研究院所的教师与学生及有国际学习经历的相关专业人员阅读。

图书在版编目(CIP)数据

跨文化统合视域下教师互惠学习研究 / 石娟著. — 北京：科学出版社，2019.12

ISBN 978-7-03-063526-6

Ⅰ.①跨… Ⅱ.①石… Ⅲ.①师资培养-文化交流-研究-中国、加拿大 Ⅳ.①G451.2

中国版本图书馆 CIP 数据核字（2019）第 264945 号

责任编辑：华宗琪 朱小刚 / 责任校对：彭 映

责任印制：罗 科 / 封面设计：墨创文化

科学出版社 出版

北京东黄城根北街16 号

邮政编码：100717

http://www.sciencep.com

四川煤田地质制图印刷厂印刷

科学出版社发行 各地新华书店经销

*

2019 年 12 月第 一 版 开本：B5（720×1000）

2019 年 12 月第一次印刷 印张：12

字数：240 000

定价：129.00 元

（如有印装质量问题，我社负责调换）

序

“教师乃是良好的全民教育不可或缺的：他们在培养子孙后代迎接新的全球挑战和机遇的思想和态度方面起着关键作用”①，关注教师专业发展在任何时代都不为过，教师学习是促进专业发展的有效途径。在习近平总书记倡导构建人类命运共同体，促进全球治理体系变革的时代背景下，赋予教师学习以新的意义和内涵。教师学习应由封闭走向开放，国际交流学习为教师这一开放学习提供了机会和平台。那么，教师包括职前教师应以何种姿态展开跨文化的国际交流学习呢？这本书能为我们带来些许启发。“三人行，必有我师焉”“独学而无友，则孤陋而寡闻”“相观而善谓之摩”，说明学习从来都不是封闭的、单向的活动，学习是主体间通过相互交流、协商对话，实现互惠双赢的目的。在“地球村”的今天，学习愈来愈走向开放与互动，教师由封闭的学习态势逐渐转向开放多元的学习样态。不管教师是否参与国际交流学习，其都在进行着某种形式的互惠学习。

该书作者石娟是我的博士研究生，作为我的研究团队成员之一，博士在读期间就参加中国与加拿大教师互惠学习项目研究，作者和参与国际交换学习的职前教师、姊妹校的在职教师构建了良好的关系，为研究深入开展奠定了坚实的人力基础。“互惠学习”(reciprocal learning)意味着基于善意交换的赠予关系②，教师与他人在相互学习中互促共进，相互分享，共同提高。如果将教师互惠学习的场域拓宽，互惠学习并不会因此而发生实质性的变化，但是，教师互惠学习的内涵与外延将发生诸多变化，以跨文化统合视域审视教师互惠学习或许会有不一样的收获。跨文化统合视域为研究教师互惠学习提供了全新的视角，在更加广阔的背景以开放的研究视角考察教师与他人学习交往中的文化态度与立场、所承担的文化角色、表现出的文化品性与文化彰显及构建共同的文化基础。基于此，跨文化统合视域下教师互惠学习的内涵主要表现为合作性、平等性、共享性与创新性。

该书以总—分—总的结构将理论研究与质性研究相结合，借助情境交互理论、社会建构主义理论、互惠理论对教师互惠学习进行理论探源，在现有成人工作场学习理论模型的基础上从教师互惠学习动力、学习内容、学习互动模式及学习影响等四个维度构建跨文化统合视域下教师互惠学习的理论模型；以研究对象之“眼”，综合运用文献研究法、深度访谈法、文本分析法和参与观察法等质性

① 2014 世界教师日：投资未来、投资教师！［EB/OL］. http：//unesdoc.unesco.org. 2014-10-5.

② 佐藤学. 2004.学习的快乐——走向对话［M］. 钟启泉译. 北京：教育科学出版社：19.

研究的相关方法逐一对四个维度展开系统研究，基于此，提出跨文化统合视域下教师互惠学习的实现路径。

教师互惠学习是思维创新的过程，这一过程是内外合一的两方面。对外而言，教师与他人通过合作、共享交流获得新知、增长见识、锻炼能力等；对内而言，教师不断地进行着自我建构活动，这一建构进一步推动教师在交互活动中共享更多经验，以类似于“头脑风暴”的模式促进教师创新式学习，推动教师间的共同建构与创造性活动。内外合一的活动是相互联系的同一过程，相辅相成，相互推动，对内的意义建构促进对外的合作共享活动更加密切与实质，对外的合作共享活动进一步促动对内意义建构迈向更深的层次。学习本身就是在继承基础上所开展的创新活动，知识中的生成性与不确定性鼓励学习者富有创造性的学习，而教师互惠学习需要充分考虑知识中的生成性与不确定性，避免封闭式训练与呆板僵化的规范，鼓励创造、合作与共享，在开放的文化情境中激发教师创新性思维，促进教师专业素质提升。

跨文化统合视域下教师互惠学习不仅强调教师丰富知识、提升能力，更在于使教师形成理性的文化观，树立平等交往的意识，尊重彼此的文化传统，这不仅源于取长补短的实际需要，也是对人类追求共同的生命意义、存在本质、价值观念及教育理想的积极回应，更是教师国际理解与文化自信的重要体现。从这一层面来看，跨文化统合视域下教师互惠学习与培养学生社会责任、国家认同与国际理解的核心素养有着内在的一致性。

期待本书的出版能为国际化背景下提升教师的跨文化意识与国际理解能力、培养学生核心素养、深化学校体制改革的教育图景上增添一抹亮色。

刘义兵
于西南大学
2019 年 10 月

前　言

在“人类命运共同体”的世界秩序运行中，国际交流日渐频繁与开放，教师学习逐渐打破封闭、孤立的状态，向国际性的开放、共享迈进。这一过程，教师应以平等的文化态度相互合作与对话，彼此欣赏与学习，共同分享与收获，在求同存异中达成文化共识、形成共同的知识基础。要达成这一美好愿景，各国教师需要在更加宏大的跨文化情境中互惠学习，彼此平等沟通对话，理性看待他国(或地区、他人)的优势与不足，并主动发现与欣赏本国(或地区、自我)的优势与不足，寻求值得探讨的共同知识，养成合理的跨文化意识与国际理解能力，促进彼此共长共进。

基于以上考虑，本书以参与国际教育交流学习的职前教师与在职教师为研究对象，考察其在本国与异国学习、交流的经验、感悟，在跨文化统合视域下考量教师互惠学习的真实样态。

本书以教师的文化立场与专业发展态度为逻辑起点，以心理学、社会学、文化学等多元理论为基础，以理论研究与实证研究相结合的研究范式，综合运用文献研究法、深度访谈法、文本分析法及参与观察法等多种研究方法，以总一分一总的结构从三大部分对跨文化统合视域下教师互惠学习进行本体探讨与实证阐释。

在书稿完成之际，心中难免感慨，发自内心地感谢众位师友亲朋的全心指导与帮助。感谢我尊敬的硕导石鸥教授，石老师是开启我学术之路的引路人，石老师治学严谨、博学多思，对我的严格要求与耐心指导使我得以较快地“入门”。在著作编写过程，也经常受到石老师的指导与启迪，让我获益匪浅。感谢敬爱的博导刘义兵教授，使我了解到国际前沿的教育理念与做法，极大地开阔了我的视域。特意感谢西南大学陈时见教授，陈教授在百忙之中为我提供莫大指导与帮助，在此表示真挚的谢意！

感谢加拿大温莎大学许世静教授、张佐臣教授、Jonathan Bayley 教授等人对本书所的宝贵意见与精心指导，使我了解到更加真实的加拿大，获取了更多的第一手研究数据！感谢参与访谈及赠予我研究文本的中国和加拿大的职前教师与在职教师，限于研究伦理，在此，无法明确列举诸位的大名，但你们对著作的完成具有不可估量的重要作用，没有你们，论述将显得苍白而无力，在此向你们道声诚挚的感谢！

本书出版获得西华师范大学出版基金资助，感谢西华师范大学教师教育学院及相关部门的领导、同事对我开展此项研究的肯定与支持，感谢诸多好友对本书提出的修改意见与建议，感谢我的家人给予我强有力的支持，使我能够迎难而上，顺利完成写作。在本书编写过程中，参考了许多同行专家的文献资料，在此对他们表示诚挚的谢意！

“始生之物，其形必丑”。本书如果能为国际化背景下教师学习提供些许帮助与启示，我将倍感荣幸！虽然在本书完成过程中，得到了诸多知名专家的教导与帮助，但仍可能存在不足之处，敬请广大同行专家批评指正。

石　娟

2019 年 8 月

目　　录

和平、发展、公平、正义、民主、自由，是全人类的共同价值，也是联合国的崇高目标……当今世界，各国相互依存，休戚与共。我们要继承和弘扬联合国宪章的宗旨和原则，构建以合作共赢为核心的新型国际关系，打造人类命运共同体。[1]

——习近平

第一章　跨文化统合视域下教师互惠学习的价值寻求

一、教师互惠学习的意义

信息化、全球化将人类带向一个新的世界，“在这个新的世界里，最普遍的、重要的和危险的冲突不是社会阶级之间、富人和穷人之间，或其他以经济来划分的集团之间的冲突，而是属于不同文化实体的人民之间的冲突”[2]。在国际文化交流愈加频繁的时代，如何处理这种冲突是每个国家亟待考虑的现实问题。国际交流的加强使身处其中的人们在互动态势上逐渐由原来单向的静态文化交流迈向更加多元化的动态文化互动，文化的多元化是开放世界的重要特质，跨文化则是人们多元文化交互的重要形式。而“在中国这样一个古往今来从未放弃过文化自觉的国度里，如今的社会转型显然更是将我们，或是作为个人或是作为国家推到了新一轮的文化选择面前”[3]。作为优秀文化的主要传播者——教师在国际教育交流的文化碰撞中有着怎样的文化立场，应该以何种姿态学习外来文化，又该如何将本国的优秀文化传统传播出去？教师如何通过互惠学习提升跨文化意识与国际理解能力？这一系列的问题是对全球化语境下教师面临发展困境的拷问，也是跨文化统合视域下对教师专业发展的文化关切与追问。

（一）全球化背景下教师合作文化构建的时代诉求

加拿大学者安迪·哈格里夫斯(Andy Hargreaves)深入剖析了常见的个人主义文化、派别主义文化、自然合作文化与人为合作文化四种教师文化类型，在此基础上提出教师合作文化，实现教师文化由自闭、孤立、保守向开放、合作、变革转型[4]。教师文化转型是对社会转型的现实回应，现代社会是开放与多元并存的社会，教师间静止的、相互隔离的状态应该发生转向，倡导教师间的良性、双向合作、共享与互惠互利。教师合作文化的核心是积极的互依性，教师间在心理上相互依赖、关系融洽、共担责任、共享资源，共同寻求问题的解决，实现教师互惠多赢的美好局面[5]。在全球化的时代进程中，积极的合作文化作为一种组织文化建构的“信仰”，影响着学校文化氛围构建的指向与教师互惠学习的态势。

首先，学校需要教师合作的和谐文化氛围。教师学习具有极大的情境性，就教师工作的最基本场所——学校而言，学校的学习情境直接影响教师合作文化的构建，并影响着教师互惠学习的成效。教师合作文化是构建和谐的学校文化氛围的重要组成，是校长领导力的直观表征。积极的合作文化有利于激发教师互惠学习的动力与热情，反之亦然。校长应致力于营造积极的合作文化，使学校成为师生主体开展“境脉学习”的空间，“境”是对师生主体学习创造条件的学习情境与氛围，“脉”是身处学校情境中的师生主体对学习内容的系统优化及自我认知结构的建构与完善。因此，“境脉学习”是师生主体在学校学习情境中诸要素的有机整合、平等对话及有效达成，是在平等的对话实境中进行的“真学习”[6]，从而实现个体与集体有效对话中的智慧提升，最大程度地促进个体成长与发展的互惠共赢。在这一“境脉学习”中，教师与教师、教师与学生、教师与家长等主体间相互沟通、有效对话、共享资源，积极有效地解决相关的实践问题。在这一过程中，学校应鼓励每一位教师参与到学校的集体工作中，通过正式与非正式的合作，进行多主体间的多边互动与沟通，使教师将共同的专业努力融入相互信任、彼此支持的人际关系网络中，以实现学习资源共享与发展目标达成[7]。从学校层面为教师提供融洽的合作文化氛围，促进教师开展多主体间的互动与分享，为教师开展学校范围内的互惠学习提供组织保障与平台，激发教师主动学习的自觉性与主动性。

其次，合作文化要求教师学习外在与内在的统一。随着全球国际交流的深入推进，将主体置于更加宏大的学习场境中，这一场境中有着丰富的学习资源与多元化的文化形态，若要适应多元化的文化并从中获取有益的学习资源，就要求学习主体转变以往的学习姿态，由被动的封闭学习转向积极主动的开放学习。在国际化的趋势下，教师合作文化受到各国的推崇。在合作中赋予作为主体的教师更多的角色，教师不仅是传统的知识传授者，也是合作文化的开拓者、共建者和维护者。在其中，教师与其他主体建立起多边的合作伙伴关系，彼此积极沟通、对话、合作与共享。教师与其他主体在认知风格、思维方式及知识结构等方面均存在较大差异，这些差异是宝贵的教师教育资源，是教师合作得以开展的桥梁与契机，教师主体间应对此进行开放性交流，实现资源共享，优势互补，促进彼此专业成长[8]。但同时，基于一定学习情境的学习活动总是以某种形式，涵盖了学习者同社会情境、同他者、同自我三个基轴的对话[9]，教师在与外界社会情境及他者进行合作与共享的同时，也与自我进行着建构式反思，这一建构式反思需要教师调动学习的主体性与能动性，积极主动地向外界汲取对自我发展有益的学习资源，而不应由外界强行给予。可见，在合作文化中教师学习是“给予”与“汲取”相结合的同一过程。其中，“给予”是教师与外界沟通、合作与共享的过程；“汲取”是教师与自我对话、建构与反思的过程。两者相辅相成，内外相济，促进教师合作文化建设，达成互惠共赢。教师互惠学习是“台前”合作沟通与“幕后”自我反思构建相统一的过程；换言之，教师互惠学习在于营造外在与内在相统一的合作文化。

最后，教师跨文化互惠学习更需构建一种合作文化。在生命哲学家威廉·狄尔泰看来，生命不是孤立的主体性，而是涵盖了自我与世界共同关系的整体性[10]。由此看来，人总是与外部社会情境、他人进行着社会性交互，体现出人作为生命体的社会性特征。作为一切社会关系总和的具有社会性的人，是在与社会合作中获得知识经验，与他人分享交流中寻求生命的意义价值。每个人的思维方式及对知识建构方式的不同，为彼此合作沟通达成共同理解奠定了基础。教师互惠学习是一种寻求互动的意义学习，国际教育交流为教师互惠学习提供了更加宽广的跨文化场域。在教师教育改革的国际推进中，世界各国教师教育改革实践均有其可取之处与优秀经验，值得彼此间以平等的姿态相互学习与借鉴，在尊重与理解中达成相互欣赏与求同存异。

本书以加拿大社会科学与人文科学研究委员会(Social Sciences and Humanities Research Council of Canada，SSHRC)重大资助合作项目“加拿大与中国教师教育和学校教育互惠学习①“(Reciprocal Learning in Teacher Education and School Education between Canada and China)为依托，聚焦于加拿大与中国职前教师与在职教师互惠学习的真实样态，通过职前教师跨文化互惠学习、在职教师姊妹校交流、两国教师教育研究专家指导等多种途径在相互理解与尊重中建立交流与合作的长效机制，形成互惠学习共同体，推进中加两国教师教育领域长期的互惠互鉴与共同发展。进而，在全球视野下建构两国教师教育的共同经验与知识基础，欣赏与弘扬彼此的优秀经验。自 2010 年中国 X 大学与加拿大 W 大学互换职前教师进行互惠学习及 2013 年起两国间多所中小学建立姊妹校以来，教师们的互惠学习动力源自什么？他们在两国间的互惠交流中学习到了什么内容？是如何习得这些内容的？跨文化互惠学习对其专业发展产生了哪些影响？对这一系列问题的回答需要从研究对象之“眼”进行深入论证，了解在项目推进过程中他们的所言、所感、所思。借助访谈数据、反思日志、参与观察等质性数据进行诠释与论证；同时，对这些问题的回答也是全球化背景下教师互惠学习中所应表现出的文

① 该项目由温莎大学许世静教授和多伦多大学迈克尔·康纳利(M. Connelly)教授负责。旨在探索不同国家、地区的学校教育、教师发展、数学教育等领域的基本经验，通过互惠学习促进两国在以上领域的共生发展。项目团队成员主要包括多伦多大学、温莎大学、东北师范大学、华东师范大学、西南大学等高校的研究人员及温莎、重庆、上海等地姊妹校的中小学及幼儿园教师。在这个项目中，加拿大 W 大学与中国 X 大学每年互派 20 名左右职前教师进行为期 3 个月的跨文化互惠学习。

化品性，教师应该对彼此的历史文化、教育传统等以欣赏的眼光相互学习与借鉴、尊重与理解、包容与共享，实现两国教师教育的和而不同与求同存异，这是全球化对教师专业发展提出的时代需求，也是培养具有国际理解力与跨文化意识的下一代所必需的素养。教师不仅与同质性文化场域中的主体进行合作与分享，也与异质性文化场域中的主体进行对话与共享，在真诚合作、平等交流中理解彼此的文化差异，理性地欣赏对方的文化优势，在求同存异中达成文化共识，实现彼此间的共长、共进、共赢。跨文化多场域的教师互惠学习要求教师积极主动地与其他学习主体共同构建多层次、多维度的友好合作关系，形成贯穿于宏观到微观的积极合作文化，这种合作文化反过来又以多种形式助推教师互惠学习的顺利开展。

(二)时代变革中教师角色身份实现转变的必然趋势

我们处于一个什么样的时代？人类社会已由工业时代进入信息时代，信息技术力量不断推动人类创造新的世界，全球化、信息化、知识经济等正以不可阻挡之势在全球范围掀起一场影响人类所有层面的深刻变革。世界各处的文化不再是单维、静态的平面文化，而是相互冲突、对抗与交融的多元、动态的立体文化。在多元动态的立体文化碰撞中，教师不再是传统的教师角色，其开始适应时代变革的趋势，实现自我角色身份的转变，由单纯的教育者转变为肩负文化使命的文化工作者，树立跨文化意识与国际理解精神，这是时代赋予教师职业的深刻内涵。

第一，全球化背景下教师多重身份要求其树立文化自信意识。《国家中长期教育改革和发展规划纲要(2010—2020 年)》指出“开展多层次、宽领域的教育交流与合作，提高我国教育国际化水平。借鉴国际上先进的教育理念和教育经验，促进我国教育改革发展，提升我国教育的国际地位、影响力和竞争力。适应国家经济社会对外开放的要求，培养大批具有国际视野、通晓国际规则、能够参与国际事务和国际竞争的国际化人才；加强中小学、职业学校对外交流与合作。加强国际理解教育，推动跨文化交流，增进学生对不同国家、不同文化的认识和理解”[11]。在教育国际化推动下，教师活动场域逐渐突破国界，越来越多的教师有机会“走出去”学习或进修。在此过程中，教师具有多重身份。第一重身份从个体层面出发，教师是学习的主体，是有自我实现需求的个体。教师在跨文化学习中获得经验与知识，实现新知识与原有知识的整合，架构自己更合理的知识结构。第二重身份从学校层面出发，教师是学校的代表，教师除获得达成自我实现所需要的知识与技能之外，必将带着学校的烙印进行学习；同时，必在无形之中将所在学校的文化传达出去。第三重身份从地区乃至国家层面出发，教师的一言一行无不反映出该国家、该地区的文化风貌与价值观念，当学习目的国文化与本国文化反差较大，给教师带来强烈的文化冲突与矛盾时，教师需要在文化自觉中坚持文化理性，以平等的姿态合作共享。这一重身份的教师使命最高与任务最重，他们需要统整本土文化与目的国文化、传统文化与现代文化间的异同，在其中找到发展契合点，求同存异，以规避文化不适感，并将本土优秀文化传播出去，实现文化互惠交流。在时代变革的全球化进程中，教师活动场域随之扩大，使其具备多重身份特征，更加凸显了教师作为文化工作者的角色地位，这就要求教师必须以跨文化视域统领其学习中出现的文化矛盾与冲击，树立文化自信意识，在积极向外学习优秀经验的同时，认识本国优秀传统文化的独特魅力，并将之向外传播，使各国教师在相互合作中达成文化理解，走向文化自觉与专业自省。

第二，学习型社会的知识经济要求教师具备文化建构能力。20 世纪六七十年代以后，学习型社会逐渐在世界各国由学术理念走向教育实践，全民学习、终身学习成为主权国家和国际组织的政治议题和公共政策的优先安排[12]。组织方式的灵活性、互动机制的开放共享性、学习过程的全员性与终身性及发展愿景的一致性等是学习型社会的重要特征。知识经济社会中，知识经济时代使信息呈几何级数增长，知识的广延性使得教学内容不再局限于特定的教科书，而延展至人类历史进程中所积累的丰富的优秀文化成果，学生获得信息的途径不再拘泥于教师的课堂教学。全球化、信息化正在悄然变革着教师的教学形式与教学内容，使教学充满生机与活力。然而，面对浩如烟海的信息，其中有外来文化的价值与信念、有本土文化的风俗与礼仪、有现代文化的流行与风尚、也有传统文化的保守与谨慎，教师该如何选择适合学生发展实际的内容、如何引导学生养成合理的价值判断与信息素养、如何在坚守中创新与勃发等一系列问题是对教师专业发展提出的考验，也是教师在专业发展过程中遭遇的文化困境与现实尴尬。

全球化的学习型社会中，教师承担着多重专业角色，不仅是知识传授者，也是学习者，更是文化建构者。知识传授者使教师能将人类优秀文明成果传承给下一代，起到文化传承的作用；学习者使教师在教育教学实践中养成勤于学习、善于交流的习惯，促进自我内在习得与提升；文化建构者是教师在校际交流甚至在全球化的国际教育交流中，认识彼此的优势与不足，并根据本校或本国文化实际，进行课程内容开发等，积极地将优秀传统文化展现出来，供他人学习与借鉴。因此，在全球化的学习型社会中，教师若要突破专业发展过程中的文化困境，就需承担知识传授者、学习者与文化建构者等多重专业角色，具备文化建构能力，教师在相互学习、沟通与合作中欣赏彼此的文明成果，并理性地看待各自的不足，达成文化互惠、共享与融合，共同促进彼此的成长与发展。

(三)跨文化境遇下教师专业自觉的现实需要

随着全球化向纵深发展，国际交流的频度与深度日益增强，教育领域的国际交流更以前所未有的频率展开，引发学习方式的历史性变革，对身在其中的教师与学生的发展产生深远影响。在这一时代背景下，对教师专业发展提出了更高的要求，教师在专业渐进成熟的过程中，不仅需要逐步完善专业知识结构、提高专业能力水平，更需要提升自我的专业品性以逐步实现专业自我。可见，教师专业发展不仅仅是工具性层面的知识与技能的获得，更是涉及价值实现层面的文化素养的养成。专业品性是教师专业发展到较成熟阶段的专业境界，专业自觉是其内核表征。在传统文化与现代文化、中国文化与西方文化的多元文化交织下的国际教育交流中，教师的跨文化互惠学习应树立高度的专业自觉，以平等的姿态与他国教师对话沟通，看到他国文化优势的同时理性认识本国的文化优势，在求同存异中构建彼此共同的知识基础，合作共赢，互惠共生。这样看来，教师的专业自觉在跨文化的宏大层面彰显为文化自觉，使教师在理性认识彼此优势与不足的基础上促进自我专业发展。

首先，跨文化境遇要求教师具备文化自觉的专业素养。所谓自觉就是指人们从其习惯和想当然的生存状态中走出来，形成一种自知、自主、自决和主动的精神状态并不断强化，包括对这种状态的持续体验和反省，以及在此基础上形成的决断和毅然决然的行动[13]。一般而言，教师的专业自觉主要指教师对专业活动的认同、接受并能够积极主动地参与教育活动、创造性地开展教育活动的过程[14]。这种定义是一种宽泛意义上的列举式论证，列举项并未能完全穷尽所有项目，只是列举了教师专业发展中常见的专业自觉形态。通常而言，教师是文化活动的产物，从这一角度看的话，教师的专业自觉更是一种文化自觉，或者是教师专业自觉是一种教育文化坚守[15]。从这一层面而言，教师专业自觉隶属于文化自觉。我国著名社会学家、人类学家费孝通先生认为，“文化自觉”这个概念可以以小见大，从人口较少的民族可以看到中华民族以至全人类的共同问题。其意义在于生活在一定文化中的人对其文化有“自知之明”，明白它的来历、形成的过程，所具有的特色和它的发展的趋向，自知之明是为了加强对文化转型的自主能力，取得决定适应新环境、新时代文化选择的自主地位[16]。当教师身处跨文化情境进行学习时，教师需要保持清醒的文化自觉意识，在向外学习的过程中理性地审视自身的不足与优势，并努力将自身的优势展示出来，实现教师间的互惠学习，教师这种有意识的相互学习过程可以理解为专业自觉。有着专业自觉的教师能保持高度的理性水平，使自己的学习态势不再是单向的被动接受，而是在相互交流沟通中主动学习与进取，实现彼此的互惠共赢。

其次，跨文化境遇要求教师通过互惠学习进行专业自省。在人类命运共同体的“地球村”中，文化的多元性与多样性使文化间相互趋同又彼此对抗，不同文化的人怎样才能和平地在小小的地球上相处，协力发展，必须在 21 世纪文化交融的多元时代考虑当前与今后的教育[17]。因此，跨文化境遇下的文化对抗与文化趋同要求人们参与世界事务时的姿态发生转变，欣赏而非诋毁、共享而非独享、尊重而非蔑视、合作而非隔离、开放而非封闭成为现今国际交流的重要法则。作为肩负国家教育使命的教师更应该在跨文化教育交流中以平等的姿态相互理解与尊重、彼此包容与共存，欣赏彼此的文化优势，理性看待自我的文化传统，培养学生的跨文化意识与国际理解能力，促进世界公民间的和平共处、互利共赢。教师学习更应走出封闭单一的窠臼，使教师学习在合作共享中呈现出多元开放的互动态势，这种学习是促进彼此互惠共长的学习。跨文化境遇下教师互惠学习要求教师与外界文化情境进行合作互动的同时，与自我对话，进行实践反思与知识管理，要求教师具备主动的专业自省能力，进而使教师在互惠学习的组织中积极开展团队自省。教师团队自省(Teacher Team Reflexivity)是在教师合作文化中教师间就教学实践问题、自我专业发展等方面的疑问与困惑通过真诚合作、深度对话进行公开反思与充分交流，实现知识共享的一种活动形式[18]。跨文化境遇下教师互惠学习是开展教师团队自省的有效方式，不仅有利于教师团队建设与工作实效性提升，更易于在知识共享网络中促进教师的专业自省，养成专业自觉，促进教师共进共长，达成共同的知识基础与专业共识。

二、核心概念界定

本书以跨文化统合视域为研究视角考察在国际教育交流的宏大背景下教师互惠学习的真实样态，因此，“跨文化统合视域”“互惠”“互惠学习”及“教师互惠学习”成为本书的核心概念，对这几个概念的梳理与界定，是开启研究的钥匙。

(一)跨文化统合视域

两种不同形态的文化发生作用便产生了跨文化，跨文化(Cross-Culture)所指的并不是单纯地相遇在一起的不同文化，而是不同文化相遇时发生的交互作用，是文化间相遇时发生意义重组的交互作用过程，因而译成“文化间际”更能体现其所指的不同文化间交互作用之内在过程的本义[19]。可见，跨文化是不同文化形态的交互作用，其间存在着相互影响、冲突与融合。当将跨文化视为文化形态时，强调诸如交际、学习等能力的习得与提升；当将跨文化置于一定的文化境遇时，则是将跨文化视为一种研究视域来剖析某一问题，强调文化差异对所处文化境遇中的人们的价值导向、心理倾向及行为方式等方面的影响。

将跨文化视为一种研究视域，现有研究主要从语言学、宗教学、文学、影视传媒及民族学等学科展开深入研究，但并未对跨文化视域进行明确的界定。跨文化视域从文化差异比较的视角入手，论述一方对另一方的影响，表现出一定的研究立场与倾向性。目前，跨文化视域下主要有文化普遍主义、文化相对主义与文化多元主义三种立场，三种不同的立场因持有不同的文化观与价值观，导致在跨文化交流与学习中出现不可避免的文化倾向性。

文化普遍主义是西方主流的文化传统，它肇始于对科学方法论的探讨。确切意义上的文化普遍主义是由以泰勒为首的人类文化学的古典进化论学派提出的，他于 19 世纪中叶指出：全人类的社会文化都是由简单到复杂、由低级到高级而不断进化发展的，文化的差异是由进化的阶段不同造成的，但文化发展的总趋势是相同的，这种同一性来源于人类各民族心理如观念、幻想、习俗和欲望等方面的惊人相似性。文化普遍主义指文化差异较大的两国之间进行交流的过程中，优势文化一方倾向于向弱势一方传播自己的文化，并认为自己的文化具有先天的优势，只有向优势文化学习才能实现文化大同。在教师专业发展中，文化绝对主义体现为教师一味地向异国学习，而无视自身的优势，并没有意识将自我优秀的文化传播出去。

文化相对主义是在启蒙运动时期作为文化绝对主义的对立面出现的，其代表人物之一——赫斯科维茨(M.J.Herskovits)论述了文化相对主义主要的观点：①任何民族的文化都不能脱离一定民族的时间与空间，否则便失去了意义；②文化不可以被用以进行比较研究，因为每一种文化都是独立生成、无法重复的，文化有其价值，但无一种普适度量衡来做比较；③在文化的变迁过程中，文化发展的延续性会被打乱，因而不可能找到文化发展的所谓“规律性”；④文化的变化，只有量的增减，没有质的变化，即使有，也只存在于不同文化传统之间或不同文化区域之间，而不存在于文化发展的历史的连续过程中[20]。文化相对主义主要指不存在绝对差异性的文化，每种文化均有其独特性，文化需要保持更好的个性而不存在共性文化，也无须沟通与交流。在教师专业发展中，文化相对主义体现为教师看到了他人文化的特色，也看到了自身的特色，并认为各自最好将各自的特色保持下去。由于文化的不可重复性、比较性与传承性，使文化在相对主义这里具有极大的独特性，这在一定程度上也是其弊端所在，由于缺乏文化间的共性，而无法促使文化间的有效沟通与交流。

文化多元主义是针对西方国家出现的多元文化的社会现实而出现的，伴随着后现代哲学思潮的产生而逐渐兴起，由美国犹太籍哲学教授霍勒斯·卡伦(Horace Kallen)于 1924 年提出并首次使用。文化多元的思想已经渗透到各个领域，强调对不同文化和传统的尊重和包容，反对一元性，鼓励多样性。文化多元主义与多元文化相比更多的是一种社会思潮或理论，影响着社会文化倾向性与价值选择。文化互惠是文化多元主义的一种表征形式，主要指不同的文化差异无法回避，但不同文化价值观之间有相互值得学习的地方，不同文化在相互学习中可形成一种休戚与共、互利共生的良好局面。

文化普遍主义、文化相对主义与文化多元主义是在某一文化情境中看待问题的文化立场与价值倾向。由此可见，跨文化视域主要指将不同文化作为背景性的文化情境，采取某种文化立场与价值倾向分析某一研究问题时所持有的研究视角。在本书中，跨文化统合视域主要指将加拿大社会文化情境与中国社会文化情境进行统整与综合，并以此作为背景性的社会文化情境，采取文化互惠的立场与价值倾向看待与分析中加两国教师相互学习与共同发展时所持有的研究视角。

(二)互惠

“互惠”(Reciprocity)较早地运用于人类学、社会学等研究领域。美国人类学家博厄斯(Franz Boas)于 1897 创始了礼物交换作为人类文明中最早的互惠形式。之后，1922 年英国功能学派创始人马林诺夫斯基(Bronislaw Malinowski)对与礼物交换相关的馈赠、酬劳及商业交易进行了更为细致的分类，他被认为是礼物交换研究最有影响力的代表者。1925 年，法国社会学家莫斯在马林诺夫斯基等人类学家的启迪下将礼物看成是一种社会的整体现象，并将其放到物质、道德和宗教的层面进行研究[21]，这里的“互惠”更多的是以礼物为媒介的“礼尚往来”。之后，美国社会学家阿尔文·古德纳(Alvin W.Gouldner)认为互惠是构筑给予帮助和回报义务的道德规范，能起到稳固社会体系的作用，并适用于所有的社会文化。[22]通俗而言，互惠是一种帮助他人与得到他人回报的道德交换，强调以量化的方式分析互惠行为。美国当代人类学家马歇尔·萨林斯(Marshall Sahlins)从回报的平等性(Equivalence)、即时性(Immediacy)和利益性(Interest)三方面对互惠进行阐释，将互惠分为概化互惠、均衡互惠和负化互惠三种类型。概化互惠是不及时价值、不明确报偿时间的交换，家庭内父母抚育子女就属于这种互惠；均衡互惠是要求价值相当、报偿时间明确的交换，有明晰的回报期望，发生于社会距离中等范围的群体中；负化互惠指为自己的利益而要占别人便宜的交换，常发生于社会距离更大的人(如陌生人、敌人、竞争者等)之间，物质利益是唯一的交易动机[23]。这一划分得到了学界的认可。有学者(Molm)认为，互惠是一种结构化的现象，不仅是一种规范或过程，也包含了多种交换形式，根据社会交换过程中所具有的网络结构特点，将互惠分为线性的直接互惠与链式的间接互惠两种类型，互惠的不同方式决定社会交换的不同类型[24]。

“互惠”的内涵具有一定的文化特定性。华人学者(Bian & Ang)认为“关系”是各方互惠的表现，特别是在华人社会中，若一方接受了对方的帮助或恩惠，那么接受方就一定要通过特定的时机回报给予的一方，以此来维系彼此的相互信任和“关系”[25]。我国学者认为，互惠行为是人们对友善或非友善行为的一种行为反应，一种行为越被视为友好或不友好，则它越有可能被回报或者惩罚[26]。有学者从中国传统儒家文化的“投我以桃，报之以李”论证互惠的社会价值观基础，儒家所提倡的这种互惠包含着物质和精神上的结合，体现出交换各方愿意以情感来构建一种良好的长期关系。这种互惠体现出个体之间精神上的相互给予，体现在相互尊重、关爱和理解等一系列的社会交换，认为“受人滴水之恩，必当涌泉相报”是互惠性社会规范的典型表现[27]。

从中外学者对“互惠”的界定可以看出，互惠是一种基于物质或精神交换而形成的社会关系，这种关系因互惠交换的形式与对人对己的利益性等方面的不同而呈现出积极互惠规范与负面互惠规范，同时指向不同的社会价值取向与文化价值导向，呈现出不同的公平偏好种类。由此可见，当交往的一方友好地给予另一方帮助，并对回报的平等性、即时性与利益性期望较低时，主体间形成的交换关系是一种积极互惠；反之则是负性或消极互惠。

本书所强调的“互惠”主要是一种积极正向的交换关系，体现在相互尊重、关爱和理解等一系列的社会交换，不仅有物质上的互惠交换，更关注认知、精神、情感等心理层面的互惠交换，使彼此间在平等合作中实现共同成长。本书中，互惠既是一种理念，为主体平等合作营造良好的文化价值氛围；也是一种形式，主体间在相互尊重、理解、合作与共享中开展活动；也是一种结果，通过主体间的合作共享，实现彼此间的互利共赢。

（三）互惠学习

我国古代的“三人行，必有我师焉”“独学而无友，则孤陋而寡闻”“相观而善之谓摩”及西方的产婆术等论述均表达出朴素的互惠学习思想，强调学习双方的平等合作。杜威认为，每种活着的动物在清醒的时候，总是与其所处的环境不断发生交互作用。交互作用是一种给予和取得的过程，它作用于周围的事物，又从周围事物那里收回某些印象和刺激，这种交互的过程便组成了经验的框架[28]。英国教育心理学家安·布朗(Ann L.Brown)等人于 1986 年提出交互教学策略，具体包括预测(Predicting)、质疑(Questioning)、澄清(Clarifying)和总结(Summarizing)四步，强调通过师生间、学生间的集体努力，寻求文本的意义，促进个体共同发展[29]，主体间交互活动体现出互惠学习的精神。日本著名教育学家佐藤学认为，既然 21 世纪的社会是多种多样的人彼此尊重差异共同生存的社会，那么，就应当寻求相互学习的关系：毫无保留地提供自己的见解，并谦虚地听取他人的见解。由此观之，当代教育学逐渐以“互惠学习”(Reciprocal Learning)的概念追求与表达“相互学习”的理念。“互惠学习”这一概念意味着善意交换的赠予关系。他指出彼此贡献见解，求得互惠与善意的学习便是互惠学习[30]。全球化的时代背景赋予互惠学习更多的内涵，呈现出多种模式。有学者(M. Connelly&Shijing Xu)将互惠学习总结为作为比较教育的互惠学习模式、比较成就或价值模式、作为比较教育学的互惠学习模式与作为合作伙伴关系的互惠学习四种模式。前三种互惠学习模式是一种单向性的学习，以学习强势文化为主导，第四种互惠学习模式从国际教育平等合作的视角，认为互惠学习应尊重与理解来自不同体制、学校、班级乃至个体的差异性。中加两国间就学校教育、教师教育、学科教育等领域的问题进行文化叙事史的合作探究，在相互欣赏中实现彼此进步与发展①。

我国学者认为，互惠学习是师生双方在平等、民主、自由的氛围中相互合作与共享、彼此关心与关切，共同探究知识，实现知识的继承与创造的学习样式。“互惠学习”能够促进师生正确认识自我，促进教师转变教学方式，从而转变学生的学习方式，逐步形成自主、合作、探究的学习方式；能够促使师生在教学过程中改善认知策略，促进反省性思维；能够通过表达、交流与共享，个性化地表达自己对课程的理解方式，形成课堂中的“彼此切磋的学习共同体”；能够在坦诚的交流中不断化知识为智慧，化智慧为德性，从而不断完善自己的人格，真正实现主体性的建构与发展[31][32]。另有研究认为，互惠学习是学习者之间彼此相互吸取对方优势以改善自身不足或提升自己能力，强调双方在互动合作过程中，受益于对方的行为而使自身有积极的发展，是一种双向学习。合作是互惠的初级阶段，有合作但是可能只是表面的交往，当合作真正地惠及双方时，才可称之为互惠[33]。从众多的释义中可知，互惠学习主要取“积极互惠”之意，这与本书观点不谋而合。已有研究对互惠学习的界定中，主要强调师生间平等交往、相互给予，促进彼此共同成长，平等、交往与给予成为互惠学习的关键词。可以看出，学习是在平等的相互交往、合作中的“给予”与“汲取”的交互过程。

互惠学习是近年来研究跨文化的基本理念，旨在使来自不同文化国度的人们对不同文化尤其是对跨国文化采取平等、友好、包容、尊重的态度，而不带有先入为主的偏见。在本书中，“互惠学习”的空间扩展至跨国间的相互学习，由于各国文化传统、教育体制的差异性，跨文化背景赋予互惠学习更多的新内涵。互惠学习主要指学习主体在相互尊重彼此文化差异的基础上平等合作，共同对话、共享经验，实现对问题的创新性解决。其中，合作交互是互惠学习的基础前提，基于一种社会关系的积极互惠总以合作为前提；平等尊重是互惠学习的首要原则与保障，使彼此在求同存异中平等交往；共享性是互惠学习的主线，学习主体在平等合作中相互“交换”彼此的见解、经验、知识等才能促进互惠学习良性地持续开展；创新性是互惠学习的升华，学习主体在平等合作共享中进行思想碰撞，创新思想。

① 该观点是多伦多大学 M. Connelly 教授与温莎大学 Shijing Xu 教授于 2nd Annual Conference Reciprocal Learning & Symbiotic Relationships in School Development 大会上发表题为 *Reciprocal Learning：Comparative Models and the Partnership Project* 的主题发言，2015-05-09。

(四)教师互惠学习

教师学习一直是备受关注的研究领域，目前相关研究未对教师互惠学习进行明确的界定，但从已有的相关研究中能搜寻到教师互惠学习的思想。我国有学者基于跨时空、跨文化的教育合作与交流中，在更大范围内促进学习主体与学习情境的双向互动，建构生成，实现学习文化与教育系统的创新发展进入螺旋式上升的良性循环[34]。有学者针对教师学习的现状，提出应该摆脱教师形式化的合作方式，重视教师之间的协商与沟通，构建起互惠式的“教师学习社群”，在这一社群中教师基于平等的对话，无阻碍无保留地协作讨论，以充分发挥教师自身的教育潜能，形成教育合力，提高教师整体的专业素养，以互惠交往实现互惠学习[35]。

国际教育交流日渐频繁的时代背景赋予教师学习新的内涵，教师的学习不再是单向封闭的，而是双向开放的，强调教师与其他主体在平等对话、合作与共享中共同进步与发展。本书将“教师互惠学习”置于跨文化统合视域中，主要指国际间教师主体与其他主体对彼此文化传统、教育体制尊重与理解的前提下，就彼此关心的教育问题及教师发展等相关议题进行相互合作与平等探讨，相互学习，共同分享智慧，实现共生共进的学习活动。

本书中的教师互惠学习遵循对“互惠”的界定，强调的是一种积极互惠，且教师互惠学习既是一种学习理念，为教师主体间平等合作营造良性的组织文化；也是一种学习形式，强调主体间的相互尊重、理解、合作与共享；也是一种学习结果，通过主体间的合作共享，实现彼此间的互利共赢，教师互惠学习不仅仅是教师受惠，涉及其中的学习主体均会受益。教师互惠学习中，教师合作交互的对象不局限于学生，教师与本国及他国的教师、学生、专家、研究者、家长等主体构成多主体协同的平等合作关系，相互尊重、求同存异。

三、研究问题与对象

(一)研究问题

本书将研究视角置于更加宏大的中加跨文化情境中，多学科、多理论、多方法地综合考察教师在两国互惠学习的真实样态。因此，本书中的教师互惠学习将被置于跨文化统合视域下加以考量。那么，跨文化统合视域下教师互惠学习应研究哪些问题呢？通过文献研究、深度访谈、文本分析与参与观察等多种研究方法，将本书问题聚焦如下：

(1)跨文化统合视域下教师应具备怎样的文化态度？

(2)跨文化统合视域下教师参与互惠学习的动力是什么？

(3)跨文化统合视域下教师的互惠学习中能学得哪些经验、知识、能力等？

(4)教师通过何种方式或途径获得这些经验、知识或能力？

(5)跨文化互惠学习对教师产生了哪些影响？

(6)跨文化统合视域下教师互惠学习的实现路径有哪些？

(二)研究对象

本书的研究对象包括自 2010 年到 2015 年加拿大 W 大学与中国 X 大学跨文化交换互惠学习的职前教师及加拿大与中国中小学姊妹校的在职教师。这些研究对象均参与加拿大社会科学与人文科学研究委员会(Social Sciences and Humanities Research Council of Canada，SSHRC)重大资助合作项目“加拿大与中国教师教育和学校教育互惠学习”(Reciprocal Learning in Teacher Education and School Education between Canada and China，下文简称“中加互惠学习项目”)。对 2010 年至 2015 年所有研究对象的总体概貌进行汇总，具体如下(表 1-1)。

表 1-1　所有研究对象的总体概貌

学习时间		国籍	学习目的国	人数	
2010	9—12 月	中国	加拿大	22 人	
2011	3—6 月	加拿大	中国	15 人	
	9—12 月	中国	加拿大	16 人	
2012	3—6 月	加拿大	中国	15 人	
	9—12 月	中国	加拿大	20 人	
2013	3—6 月	加拿大	中国	12 人	
	9—12 月	中国	加拿大	20 人	
2014	3—6 月	加拿大	中国	12 人	
	9—12 月	中国	加拿大	20 人	
2015	3—6 月	加拿大	中国	15 人	
	9—12 月	中国	加拿大	20 人	
2013—2015		中加姊妹校教师		30 人(中)	30 人(加)

由表 1-1 可以得出，2010 年至 2015 年中国 X 大学前往加拿大 W 大学跨文化互惠学习的人数为 118 人，涉及文学、数学、物理学、英语、生物、音乐、体育、教育学、心理学、电子信息等 13 个学科专业；加拿大 W 大学前往中国 X

大学跨文化互惠学习的人数为 69 人，涉及戏剧、历史、音乐、数学、语言、社会学等 10 多个专业，但由于加拿大涉及的是小学段的学科教学，所以加拿大职前教师在中国互惠学习主要以中小学师资培养为着眼点。中加姊妹校教师共计约为 60 人。对所有研究对象的反思日志、教学案例等文本材料进行细致分析，并重点对部分研究对象进行了深度访谈与参与观察。

同时，根据质性研究目的性抽样的原则，从所有的研究对象中重点选取职前教师共计 8 名，其中 4 名为 2010 年 9 月至 12 月赴加拿大 W 大学的中国交换生(他们现已在中国不同省市任教)，这部分人既是职前教师，同时也是在职教师；2 名为 2015 年 3 至 6 月赴中国 X 大学的加拿大职前教师(这 2 名教师现在中国 C 市某国际学校任教)；2 名为 2015 年 9 至 12 月赴加拿大 W 大学的中国职前教师。重点选取在职教师 8 名，其中 6 名为已入职且赴加拿大互惠学习过的中国交换生(4 名)和已入职的且赴中国互惠学习过的加拿大交换生(2 名)，另外 2 名为参与中加姊妹校的中国教师(表 1-2)。

表 1-2　重点研究对象的基本信息及编码

编号	国籍	性别(F/M)	学科(Subject)	实习或任教学段	参与交换互惠学习的时间/中加姊妹校
PT1	中国	女 F	语文 C	小学 PS'Ca	2015.9—2015.12
PT2	中国	男 M	物理 P	初中 MS'Ca	2015.9—2015.12
PT3/T1	加拿大	女 F	英语 E	小学 PS'Ch 高中 HS'Ch	2015.3—2015.6
PT4/T2	加拿大	男 M	英语 E	小学 PS'Ch 高中 HS'Ch	2015.3—2015.6
PT5/T3	中国	男 M	生物 B	小学 PS'Ca 初中 MS'Ch	2010.9—2010.12
PT6/T4	中国	女 F	语文 C	小学 PS'Ca 初中 MS'Ch	2010.9—2010.12
PT7/T5	中国	女 F	物理 P	高中 HS'Ca 高中 HS'Ch	2010.9—2010.12
PT8/T6	中国	女 F	特殊教育 S	高中 HS'Ca 特校 SS'Ch	2010.9—2010.12
T7	中国	女 F	语文 C	小学 PS'Ch	姊妹校教师
T8	中国	男 M	地理 G	初中 MS'Ch	姊妹校教师

依据重点研究对象(职前教师与在职教师)的人口变量信息进行编码，职前教师(Pre-Sevice Teacher)用“PT”表示，在职教师(Teacher)用“T”表示，八位职前教师分别为 PT1、PT2、…、PT8，在职教师分别为 T1、T2、…、T8；教师的专业或任教学科用该专业的英文首字母表示，如语文(Chinese)为“C”，物理(Physics)为“P”，英语(English)为“E”，生物(Biology)为“B”，特殊教育

(Special Education)为“S”，地理(Geography)为“G”。对职前教师参与互惠学习时的实习学段及在职教师任教学段进行了编码，对兼为职前教师与在职教师的研究对象实习与任教学段也分别以先后序列给出。备注栏中的时间为参与交换互惠学习的时间，姊妹校教师未参与互惠学习以“姊妹校”进行标注。

四、研究思路、方法及资料的收集整理与分析

(一)研究思路

本书将理论研究与质性研究相结合，借助情境交互理论、社会建构主义理论、互惠理论对教师互惠学习进行理论探源，在现有成人工作场所学习理论模型的基础上从教师互惠学习动力、学习内容、学习互动模式及学习影响四个维度构建跨文化统合视域下教师互惠学习的理论模型；以研究对象之“眼”，综合运用文献研究法、深度访谈法、文本分析法和参与观察法等质性研究的相关方法逐一对四个维度展开系统研究，基于此，提出跨文化统合视域下教师互惠学习的实现路径。

本书由总—分—总的结构从三大部分论证跨文化统合视域下教师互惠学习的现实状况，具体如下：

第一部分着重于教师互惠学习的本体探讨。先在探讨跨文化统合视域下教师互惠学习的价值意义的基础上，分析互惠学习的类型、内涵及对其进行理论审思，再从情境交互理论、社会建构主义理论及互惠理论为教师互惠学习寻求立论依据，进而借鉴克努兹·伊列雷斯关于学习的整体模型并结合构建跨文化统合视域下中加教师互惠学习的真实样态，从教师互惠学习动力、学习内容、学习互动模式及学习影响四个维度构建跨文化统合视域下教师互惠学习的“双子塔”模型。

第二部分是对跨文化统合视域下教师互惠学习的“双子塔”模型的四个维度综合运用文献研究法、访谈法、文本分析法及参与观察法等多种研究方法进行解构性分析，并得出相应的结论。①跨文化统合视域下教师为什么要进行互惠学习，即互惠学习动力，对职前教师与在职教师的互惠学习动力进行类别化分析，分析其各自不同的学习倾向性；②跨文化统合视域下教师彼此间能学到什么，即互惠学习内容，以中加两国社会文化情境作为统整性背景，剖析中加两国教师在教学活动前、教学活动中、教学活动后获得互惠学习内容的差异性表征，共享彼此的优秀经验，探讨共同的知识基础；③跨文化统合视域下教师彼此间怎么学，即互惠学习互动模式，从教师作为观察者与作为学习者的不同角色身份的类别化

分析，彰显教师跨文化互惠学习的文化品性；④跨文化统合视域下教师学得怎样，即互惠学习影响，从“作为人的教师”和“作为教师的人”的双重视角类别化分析互惠学习对教师所产生的全面而深远的影响。需要明确的是，学习场域(包括同质性文化学习场域与异质性文化学习场域)贯穿于教师互惠学习的四个维度，将四个维度串联起来，使其成为不可分割、相互影响的整体。

第三部分是基于四个维度的质性分析，从优化运行的组织系统构建、内在持久的学习动力维持、学习内容如何获得及如何彰显学习影响等方面提出跨文化统合视域下教师互惠学习的实现路径。

(二)研究方法

本书遵循理论研究与质性研究相结合的范式。首先，综合运用文献研究法、深度访谈法、文本分析法及参与观察法等多种研究方法确立跨文化统合视域下教师互惠学习的分析维度，并构建教师互惠学习的理论模型，进而对教师互惠学习的四个维度进行解构性分析；其次，在对四个维度及理论模型系统阐释的基础上，运用文献研究法建构跨文化统合视域下教师互惠学习的实现路径。具体方法如下。

1.文献研究法

文献研究法是本书运用的最主要研究方法。通过查阅著作、期刊、报纸等相关文献，检索与阅读关于教师学习、教师互惠学习、跨文化视域等方面的文献资料，并进行文献综述，在已有研究的基础上确立本书的思路与框架；通过文献研究方法探析本书的理论基础，明晰互惠学习的主要类型、内涵等本体性问题；在已有研究的基础上探究跨文化统合视域下教师互惠学习的维度，以此构建跨文化统合视域下教师互惠学习的理论模型，形成本书的总体分析框架；系统深入地分析跨文化统合视域下教师互惠学习各维度的主要研究问题；依据跨文化统合视域下教师互惠学习的四个维度探讨教师互惠学习的实现路径，为全球化背景下，教师国际交流与合作学习提供政策建议与路径借鉴。

2.深度访谈法

深度访谈法对本书的理论探讨提供坚实的实证数据与素材支撑。本书重点选取参与“中加互惠学习项目”的中加职前教师 8 位及中加在职教师 8 位，对每位教师进行时长 60～90 分钟的深度访谈，以获悉跨文化统合视域下教师互惠学习的生动样态。在对已有的理论进行文献研究的基础上结合深度访谈获得的第一手资料，构建跨文化统合视域下教师互惠学习的理论模型；质性建构跨文化统合视域下教师互惠学习动力、学习内容、学习互动模式及学习影响四个维度的真实样态，为构建教师互惠学习的实现路径奠定基础。

3.文本分析法

在本书中，文本分析法主要在于进一步充实深度访谈的资料数据，使研究内容更加充实有效，提高研究的效度。研究的所有文本来自 2010 年 9 月～2015 年 12 月参与“中加互惠学习项目”的中国 X 大学与加拿大 W 大学跨文化互惠学习的职前教师馈赠的反思日志、教学日志等文本资料。通过对文本进行编码，结合文献研究法与深度访谈法的数据，对跨文化统合视域下教师互惠学习进行维度划分，确立教师互惠学习动力、学习内容、学习互动模式及学习影响四个维度；根据文本的编码，分析教师互惠学习的真实样态与自我反思状况，推测教师在跨文化互惠学习中的文化品性与专业素养；结合对文本内容的编码洞察教师跨文化互惠学习的心理状态与影响程度，由于反思日志是研究对象心理活动的文字化表征，以此了解教师在跨文化互惠学习前、中、后的心理变化，考察跨文化互惠学习所引起的主体改变。

4.参与观察法

参与观察法是本书的辅助性研究方法，对深度访谈法及文本分析法收集的数据进行更进一步的补充与完善。研究者以参与者的身份进入中加姊妹校视频会议、教师课堂教学情境中，了解中加两国教师在教学理念、教学设计、教学管理、师生互动、教学评价、教学反思等方面的内容，以对深度访谈法及文本分析法所收集的数据信息进一步补充与完善。

(三)资料的收集整理与分析

本书第一手资料数据的收集主要有三个来源：

(1)为了获得丰富而真实的访谈数据，对每位研究对象进行了时长 60～90 分钟的深度访谈，辅之以集体访谈的形式，有效获取研究对象在跨文化统合视域下互惠学习的行为表现、关键性事件与心理体验。

(2)将职前教师赠予的反思日志、教学日志等文本材料作为内容分析的补充，以充实深度访谈的资料数据。

(3)通过对在职教师课堂教学、中加姊妹校视频会议的参与观察，获得教师互惠学习的生动资料。

对这三种来源的数据进行编码与类属分析，为了明晰资料的种类，将访谈数据以“T”表示，反思日志等文本数据以“F”表示，参与观察数据以“G”表示。对同一研究对象的不同类型的资料数据进行分类整理并附注日期，表示数据采集的具体日期。例如，PT1-20160101T 表示对职前教师 PT1 于 2016 年 1 月 1 日进行了深度访谈；PT1-20160101F 表示职前教师 PT1 于 2016 年 1 月 1 日记录了反思日志或教学日志；20160101G 表示研究者于 2016 年 1 月 1 日参与课堂教学观察或中加姊妹校视频会议。对分类整理的数据资料进行深度分析，用于论证跨文化统合视域下教师互惠学习各维度的内容。

本书的数据资料是在征得研究对象同意的前提下收集的，并采取保密性原则对研究对象的个人信息等相关的隐私性信息进行了处理。对主要研究对象的个人信息及数据进行了编码，访谈资料中所涉及的人名、地名等敏感性信息以化名或代码的形式代替。同时，坚持公平回报原则，向研究对象赠送小礼物或提供力所能及的帮助。

参考文献：

[1] 习近平. 习近平在第七十届联合国大会一般性辩论时的讲话 [EB/OL]. (2015-09-29)[2015-12-05]. http://www.xinhuanet.corn?/world/2015-09/29/c_1116703645.htm.

[2] 塞缪尔·亨廷顿. 文明的冲突与世界秩序的重建[M]. 周琪, 等译. 北京: 新华出版社, 2009: 6.

[3] 王才勇. 中西语境中的文化述微[M]. 上海: 上海人民出版社, 2004: 1.

[4] Hargreaves A. Changing Teachers, Changing Times: Teachers' Work and Culture in the Postmodern Age[M]. London: Cassell, 1994: 166.

[5] 马玉宾, 熊梅. 教师文化的变革与教师合作文化的重建[J]. 东北师大学报(哲学社会科学版), 2007, (4): 149.

[6] 佚名. 来一场指向核心素养的学校变革[N]. 中国教育报, 2016-11-23(5).

[7] 安迪·哈格里夫斯. 知识社会中的教学[M]. 熊建辉, 等译. 上海: 华东师范大学出版社, 2007: 147.

[8] 薛正斌, 陈晓端. 基于自然合作文化的教师专业学习共同体建构[J]. 教育科学研究, 2011, (1): 73.

[9] 钟启泉. 基于核心素养的课程发展: 挑战与课题[J]. 全球教育展望, 2016, (1): 11.

[10] 张汝伦. 现代西方哲学十五讲[M]. 北京: 北京大学出版社, 2003: 107.

[11] 中共中央、国务院. 国家中长期教育改革和发展规划纲要(2010—2020 年)(中发〔2010〕12 号)[R]. http://www. ndrc.gov.cn. 2010-07-08.

[12] 顾明远, 石中英. 学习型社会: 以学习求发展[J]. 北京师范大学学报(社会科学版), 2006, (1): 8.

[13] 王文兵. 文化自觉: 一个满含实践意向的理论概念[J]. 思想战线, 2008, (4): 60-66.

[14] 舒志定. 论教师的专业自觉[J]. 教师教育研究, 2007, (6): 12.

[15] 蔡连玉. 教师专业自觉: 一种素质教育资源[J]. 中国教育学刊, 2011, (4): 70.

[16] 费孝通. 关于“文化自觉”的一些自白[J]. 学术研究, 2003, (7): 7.

[17] 费孝通. 中国文化的重建[M]. 上海: 华东师范大学出版社, 2013: 253.

[18]赵敏, 韩绮芸. 教师团队自省、团队学习力与专业发展的互惠效应研究[J]. 教育研究与实验, 2015, (6): 41.

[19]王才勇. 中西语境中的文化述微[M]. 上海: 上海人民出版社, 2004: 231.

[20]段冶. 文化相对主义的价值反思[D]. 大连: 大连理工大学, 2010.

[21]杨丽云. 人类学互惠理论谱系研究[J]. 广西民族研究, 2003, (4): 38.

[22]Gouldner A W. The Norm of Reciprocity: A Preliminary Statement[J]. American Sociological Review, 1960, (25): 161-178.

[23]Sahlins M. Stone Age Economics[M]. New York: Aldine Atherton, Inc. , 1972: 149.

[24]Molm L D. The Structure of Reciprocity[J]. Social Psychology Quarterly, 2010, 73(2): 119-131.

[25]Bian Y J, Ang S. Guanxi Networks and Job Mobility in China and Singapore[J]. Social Forces, 1997, 75(3): 981-1005.

[26]罗小黔, 万迪昉, 黄湛冰. 行为经济学中的互惠理论在文化构建中的应用: 以国有电力行业为例[J]. 软科学, 2009, (2): 30.

[27]邹文篪, 田青, 刘佳. "投桃报李": 互惠理论的组织行为学研究述评[J]. 心理科学进展, 2012, (11): 1886.

[28]约翰·杜威. 我们怎样思维: 经验与教育[M]. 姜文闵, 译. 北京: 人民教育出版社, 2005: 39.

[29]Palincsar A S, Brown A L. Interactive Teaching to Promote Independent Learning from Text[J]. Reading Teacher, 1986, 39(8): 771-777.

[30]佐藤学. 学习的快乐: 走向对话[M]. 钟启泉, 译. 北京: 教育科学出版社, 2004: 19.

[31]朱志平. "互惠学习"论[J]. 全球教育展望, 2006, (12): 32-37.

[32]李欣. 从"相观而善"看互惠式学习[J]. 科教文汇, 2007, (1): 28-29.

[33]刘燕婷. 学校跨文化互惠学习研究: 以"闵竹小学—森瑞小学"姊妹校建设为例[D]. 上海: 华东师范大学, 2016: 6.

[34]桑新民. 学习主体与学习环境双向建构与整体生成: 创造全球化时代的学习文化与教育智慧[J]. 教育发展研究, 2009, (23): 61.

[35]易晓佩. 互惠式教师学习社群: 内涵、意义及建构策略[J]. 教育与教学研究, 2011, (9): 13.

必须探索在主流知识模式之外的其他知识体系。必须承认和妥善安置其他知识体系，而不是将其贬至劣势地位。对于发现和认识其他世界观保持更加开放的态度，世界各地的社会可以相互借鉴，相互学习。[1]

——联合国教科文组织

第二章　跨文化统合视域下教师互惠学习的本体探讨

在教师专业发展不断深化的国际大背景下，教师学习成为教师教育研究领域的重要议题，从教师学习的制度化程度而言有正式学习与非正式学习[2][3][4]，在学习的具体形式上有学习共同体、同伴互助、自主学习等多种途径与形式，从学习的向度上看有外在的教师培训与内在的教师自主学习。纵观多种类型的教师学习，其实质是教师与他人在相互交流、共享中实现互惠共赢的学习过程，由此可见，教师互惠学习随处可见。在教育交流日渐国际化的当下，是否存在跨文化视域下的教师互惠学习呢？教师互惠学习的内涵与实质是什么？本章在已有研究的基础上，对教师互惠学习进行本体探讨，继而从情境交互理论、社会建构主义理论及互惠理论等多元理论视角寻求跨文化统合视域下教师互惠学习的立论依据。

一、跨文化统合视域下教师互惠学习的内涵

随着国际交流的日渐频繁，跨文化研究日益成为人类学研究的重要内容，研究者需要同来自不同社会、文化背景的人一起工作、交流，主要运用民族志的方式收集数据[5]，这里的“跨文化”将研究者置于跨文化境遇中，体验文化冲击、文化适应及伦理道德挑战后形成系列研究成果。而现实的情况是，不可能每一位研究者都有跨越国际的跨文化体验，虽不可以展开民族志的跨文化研究，但以跨文化为研究视域开展研究对每一位研究者而言则是可能与可行的。跨文化视域是一个开放的视域，是一个属人的视角，而并不完全是全球的视角(Global Perspective)[6]，即从跨文化视域研究某一问题时，应该以开放的视野进行审视，而不是简单地考察研究对象到底是否有跨文化经历。跨文化统合视

域则强调将两种不同文化学习场域进行统整性分析以考察主体的国际理解能力与跨文化意识。

(一)教师互惠学习的内涵

互惠学习逐渐成为全球化背景下，教育、政治、经济、管理、医疗等各个领域中人员学习的主流模式。就教育领域的教师学习而言，互惠是常态，跨文化境遇下教师的互惠学习有哪些主要类型、具有哪些内涵，教师在其中承担哪些文化角色等本体性问题还需要进一步明晰。

“互惠学习”(Reciprocal Learning)意味着基于善意交换的赠予关系[7]，教师与他人在相互学习中互促共进，相互分享，共同提高。如果将教师互惠学习的场域拓宽，互惠学习并不会因此而发生实质性的变化，但是，在更广阔的场域中教师互惠学习的内涵与外延将发生诸多变化，以跨文化统合视域审视教师互惠学习或许会有不一样的收获。跨文化统合视域为研究教师互惠学习提供了全新的视角，在更加广阔的背景以开放的研究视角考察教师与他人学习交往中的文化态度与立场、所承担的文化角色、表现出的文化品性与文化彰显及构建共同的文化基础。基于此，跨文化统合视域下教师互惠学习的内涵主要表现为合作性、平等性、共享性与创新性。

1.合作性是教师互惠学习的基础前提

马克思指出，人是一切社会关系的总和，作为社会性的人不可能孤立地从事某项社会活动，人总是在与他人的合作中谋求进步与发展。合作是新形势下实现共同发展的必由之路，唯有合作，才能超越彼此分歧；唯有合作，才能不断扩大共同利益；唯有合作，才能有效应对各种挑战，抵达共赢的彼岸[8]。在国际化的时代背景下，合作对于国家进步与个人发展均具有举足轻重的积极作用。

合作学习是教师互惠学习的外在体现，教师在互惠学习中势必要进行沟通、交流与合作。若没有合作，教师互惠学习则无法有效开展甚至不会发生。当教师与其他学习主体相互合作时，更有利于针对某一问题发表意见，主体总是依据自己的经验建构着对世界、对他人、对自己的理解，从自己的意义建构出发对问题进行着不同的释义，这便是分歧产生的根源所在。因此，相互间的合作就显得尤为必要。合作是教师互惠学习的基础前提，仅有合作不一定能达成互惠的目的；但若没有合作，教师互惠学习绝对不可能实现。换言之，教师在合作中达成互惠学习，互惠学习的达成需要教师合作性参与。

2.平等性是教师互惠学习的保障

平等性是人与人交往的基本原则，也是国际交往的首要原则。平等体现为一种人与人交往行为中所形成的关系，哈贝马斯的交往行为理论在评判工具理性的基础上，实现了哲学范式的转换，由主体性走向主体间性，从一种由“局限于自我意识与自我决定”的哲学范式转向“自由交往的寻求共识”的哲学范式[9]，这一范式转型所强调的交往行为的合理性首先是基于道德实践而不是工具理性的主体间的平等交往。哈贝马斯交往行为理论中的平等交往对于全球化背景下国际交流起到重要的价值引领作用，使人们开始逐渐改变传统的文化优劣之分的观点，转向每一种文化均有其独特的可取之处的观点，相互学习、取长补短，实现文化互惠。

不管是在何种学习场域，教师的互惠学习同样需要坚持平等性的原则。教师在与他人相互学习时，不仅是学习者，同时也是授业者，需意识到每个人身上都有可取之处，以促进彼此在相互学习中获得进步。在跨文化情境中，教师更需树立平等交往的意识，不仅源于取长补短的实际需要，也是对人类追求共同的生命意义、存在本质、价值观念及教育理想的积极回应，更是教师国际理解与文化自信的重要体现。教师在平等的交往中，有利于明晰地对自己进行专业定位，促进彼此间有效地开展互动交流，实现自我与他人的整合式提升。

3.共享性是教师互惠学习的主线

“共享”即为共同分享，与合作密不可分。“你有一个苹果，我有一个苹果，彼此交换一下，我们仍然是各有一个苹果；但你有一种思想，我有一种思想，彼此交换，我们就都有了两种思想，甚至更多”，萧伯纳的名言完美地诠释了知识共享的内涵。知识共享属于知识管理的范畴，从本质而言是一种知识的流动与交互过程，“共”即是将个体知识通过渠道上升为可以互动和交换的网络中的资本，而“享”就是不同个体的知识为其他组织成员所分享和利用，以完成并促进组织内个体的发展[10]。共享的终极目标落脚于共同发展，个体真诚地与他人分享自己的见解、思想、观念、情感、态度等，以求在共享讨论中获得新的发现，达成新的共识，实现彼此的互促与共进。

互惠学习是善意交换的合作，“交换”可理解为共享的惯常表达。教师互惠学习的过程是相互交换思想、切磋观点、表达意见的过程，这一过程体现着共享精神与内涵。教师互惠学习需秉持共享的理念与精神，将教师置于互惠学习的场境中，共享便随之产生，可以说，共享贯穿于教师互惠学习的始末。共享是在相互交流、对话、分享中实现共同增进；互惠学习旨在通过合作、对话、共享实现互利共赢。由此可见，共享的理念与互惠学习的旨意殊途同归。

4.创新性是教师互惠学习的升华

纵观人类文明史，其在不断继承与创新中厚积薄发、继往开来。创新是一个民族发展的源泉，是社会进步与国家兴旺发达的不竭动力，是国家发展战略的重要组成部分。创新并不是要摒弃已有的成果，而是在保留现实事物优点的基础上，根据经济社会发展的需要，对现实事物所进行的改进、完善和再创造，是对前人优秀成果的继承[11]。创新已成为社会学、管理学、经济学、教育学等领域的重要研究议题。

教师互惠学习是思维创新的过程，这一过程是内外合一的两方面。对外而言，教师与他人通过合作、共享交流获得新知、增长见识、锻炼能力等；对内而言，教师不断地进行着自我建构活动，这一建构进一步推动教师在交互活动中共享更多经验，以类似于“头脑风暴”的模式促进教师创新性学习，推动教师间的共同建构与创造性活动。内外合一的活动是相互联系的同一过程，相辅相成，相互推动，对内的意义建构活动促进对外的合作共享交流更加密切与实际，对外的合作共享交流进一步促动对内意义建构活动迈向更深的层次。学习本身就是在继承基础上所开展的创新活动，知识中的生成性与不确定性鼓励学习者富有创造性的学习，而教师互惠学习需要充分考虑知识中的生成性与不确定性，避免封闭式训练与呆板僵化的规范，鼓励创造、合作与共享，在开放的文化情境中激发教师创新性思维，促进教师专业素质提升。

（二）教师互惠学习的主要类型

教师互惠学习表现形式多样，为了便于更加深入探析与研究教师互惠学习，很有必要对其进行类型划分。依据教师互惠学习的主观意识参与度、互惠学习的内容、互惠学习的场域、互惠学习的产生机制与互惠学习的影响力，分别将教师互惠学习划分为显性的互惠学习与隐性的互惠学习、全景式互惠学习与板块式互惠学习、国内互惠学习与国际跨文化互惠学习、问题导向的互惠学习与自我发展的互惠学习、弥散长远的互惠学习与聚焦近景的互惠学习等类型。这些不同的分类本质上均属于教师学习的范畴，不同的互惠学习类型并不是绝对的非此即彼的关系，而是相互间有交叉与重合。

1.显性的互惠学习与隐性的互惠学习

依据教师互惠学习的主观意识参与度，将教师互惠学习分为显性的互惠学习与隐性的互惠学习。

显性的互惠学习指教师在与他人互惠学习的过程中，能有意识地确立学习目标、构建学习主题、达成学习任务，并能清晰地意识到自己互惠学习的结果。例如，在教研活动中，教师间借助同伴交流、相互研讨等形式，解决实践问题，完成学习任务，而最终的学习结果可能是收获了知识，也可能是锻炼了能力，亦可能是增进了友谊，或兼而有之。总之，在这样的学习活动中，教师是有意识地全身心地投入，为了自我的全面发展，这是一种自我导向的学习，在这一过程中，教师能体验到学习任务达成的愉快与收获的喜悦。

隐性的互惠学习指教师在与他人的互惠学习过程中，除了显性的学习内容与交流沟通，学习情境、教育者与学习者的情感与态度、学习内容中的价值导向等均会对学习者产生影响，且这种影响更加深远与持久。例如，教师在参加教育会议中与其他教师的礼节式交流；教研活动中与同行交流专业知识之外的额外收获；教师在相互交流中无意地听到某个观点等，这些学习中教师的主观参与度相对较弱，学习目标性不强，学习效果难以预期，具有较强的偶发性。

2.全景式互惠学习与板块式互惠学习

依据教师互惠学习的内容，将教师互惠学习分为全景式互惠学习与板块式互惠学习。

全景式互惠学习指教师不仅能相互习得作为教师的专业情意、专业知识与专业能力等方面的内容，而且能彼此汲取与影响作为个体的人的态度、价值观、情感、人格等方面的内容。如中加两国交换生在跨文化交换学习期间，其不仅促进了两国职前教师在专业素养方面的提升；同时，彼此间对两国文化传统、风俗习惯等有了更加客观与理性的认知。这种涉及方方面面学习内容的互惠学习可以理解为是全景式的。

板块式互惠学习指教师在互惠学习中，对学习内容进行了人为的拆分与解构，教师根据自己的兴趣爱好、受教育经历与专业特长特意去学习某一方面或领域的内容。板块式互惠学习因教师专业差异、受教育经历等方面的不同而表现出显著差异。如针对教师的科研能力或教学技能等领域开展的专项训练，在训练中为教师开创相互交流、知识共享的对话平台，促进教师科研能力或教学技能的提升。

3.国内互惠学习与国际跨文化互惠学习

依据教师互惠学习的场域，将教师互惠学习分为国内互惠学习与国际跨文化互惠学习。

根据中外文化的差异度，从宏观层面将教师学习场域分为异质性文化学习场域与同质性文化学习场域。异质性文化学习场域主要指教师的学习超越国界，到国外文化差异很大的场域中展开的学习；而同质性文化学习场域指教师学习主要发生于一国内部。

国内互惠学习指教师互惠学习主要发生在同质性文化的学习场域，在这一学习场域中，又可从微观到宏观细分为教研室互惠学习、班际互惠学习、校际互惠学习等不同的类型。从大的学习空间“场”来看，从教师的所在地到国内学习的地方是教师互惠学习的半径，国内是教师互惠学习的物理边界与文化范围。例如，在我国，中小学教师以教研室、年级或学校为单位相互学习、取长补短，他们均在近似于同质化的国家文化背景下进行学习，有利于其在短期内习得知识与锻炼技能，但也易导致学习惰性。

国际跨文化互惠学习指在国家高层次人才培养政策的指导下，教师走出国门，学习国外先进的教学理念、有效的教学经验及可取的教学技能等；同时，将本国优秀的教育理念、教师文化介绍给国外教师，供他们借鉴学习。这类学习主要发生于异质性文化学习场域，如中国与加拿大教师互惠学习项目中搭建了姊妹校交流平台、互派交换生项目等推动项目的进展。其中，中加姊妹校通过定期的视频会议、邮件等形式交流同一主题，有效开展同课异构，寻求共同的生长点，实现两国教师专业素质提升与学校整体发展；互派的交换生通过在异国见习、实习等形式，观察与体验两国不同的文化传统、教育体制等内容，并从中相互学习。此类互惠学习将是本书关注的主要方面。

4.问题导向的互惠学习与自我发展的互惠学习

依据教师互惠学习的产生机制，将教师互惠学习分为问题导向的互惠学习与自我发展的互惠学习。

问题导向的互惠学习指教师针对解决实际教学困惑或科研问题的需要而开展的互惠学习。这类互惠学习使教师心无旁骛地以解决问题为目标，共同研讨协商某一教学疑点难点问题、专研某种教学方法、探索某种教学模式或研究某一教育现象等，问题解决即表明目标达成，学习效果显著。教师在互惠学习中表现出强烈的责任心，将工作与学习融为一体，学习中工作，工作中学习，学习效率高。

自我发展的互惠学习指教师不仅关注在相互学习中解决问题，更关注相互学习中的自我价值与生命体验。这样的学习是一种基于人类高层次需要的学习，类似于马斯洛需要层次理论中的自我实现的需要。人在相互学习中，期待得到同行的肯定与赞誉，在表达自我中体验成就感与自我存在的意义。自我发展的互惠学习是出于内在的自我提升需要，是教师在其整个教学生涯过程中不断追寻与发现生命的意义与价值的过程，这一过程是从“自发”到“自觉”、从“自在”到“自为”、从“被动”到“主动”的过程，体现了教师“生命”在教师职业发展上的动态性，是教师“生命”的完整发展[12]。

5.弥散长远的互惠学习与聚焦近景的互惠学习

依据教师互惠学习的影响力，将教师互惠学习分为弥散长远的互惠学习与聚焦近景的互惠学习。

弥散长远的互惠学习指教师互惠学习对“作为人的教师”与“作为教师的人”产生的影响具有弥散性，且影响力持久而深远。弥散性主要指教师的互惠学习不仅影响教师的专业素质，也会影响作为人的教师的心理、行为、情感及态度等方面。

聚焦近景的互惠学习指教师互惠学习对“作为人的教师”与“作为教师的人”产生的影响在某一点上已经显现出来。聚焦性主要指教师的互惠学习主要在某一方面产生影响，近景式则主要指学习效果在互惠学习不久便显现出来，如交换生通过交换项目，对另一国的教育有了更加理性的认识；姊妹校教师通过相互交流，认识到不同教育体制的两个国家也有值得相互学习的地方等，这些便是近景式互惠学习。

(三)跨文化统合视域下教师互惠学习内涵的审思

“三人行，必有我师焉”“独学而无友，则孤陋而寡闻”“相观而善之谓摩”，说明学习从来都不是封闭的、单向的活动，学习是主体间通过相互交流、协商对话，实现互惠双赢的目标。在“地球村”的今天，学习愈来愈走向开放与互动，教师由封闭的学习态势逐渐转向开放多元的学习样态。不管教师是否参与国际交流学习，其都在进行着某种形式的互惠学习，关于教师互惠学习从以下四方面进行思考。

1.互惠学习是各类学习形式的集中表征

不同学习理论从不同的理论视角阐释了学习的内涵，行为主义将学习界定为“刺激—反应”的联结，认知主义学习理论则认为学习是学习者形成认知结构的过程，建构主义认为学习是学习者自我建构的过程。如果以静态的视角看待不同学习理论对学习的界定的话，毫无疑问，学习是一种封闭的、单向的个人学习。然而，情况并非如此，在考察学习产生的机制时，需要以动态的眼光审视学习的概念。不管学习者是建立“刺激—反应”的联结，还是形成认知结构，还是自我建构，均是在指导者(具体到学校情境中，主要指教师)的有效指导下实现的。这里，“指导”成为学习的关键词，意味着互动沟通以及摆脱了单向的封闭式学习模式，走向了双向交流的开放模式。由此观之，互惠学习不仅是一种具体的学习形式，也是一种学习理念，以互惠为理念导向促进教师学习方式的变革。不管是教师的正式学习还是非正式学习，均需要教师与其他主体的多主体间相互合作、对话，由封闭走向开放，实现有效教学与高效学习。

2.互惠学习是积极主动的双赢式学习

学者 Gouldner 将“互惠”定义为：“构筑给予帮助和回报义务的道德规范”[13]。可见，“互惠”是给予与回报密切相关的概念。相互交换物品是原始的互惠形态，原始的物品交换的互惠形态表征互惠是一个双向的、主动的过程。在物品交换中，如果甲方给予乙方物品，而乙方不愿意回报甲方，按照 Gouldner 的定义，乙方便违反了互惠的道德规范，那么互惠便会终止。现如今，互惠已经超越了原始形态，向更高层次迈进，如国际社会间彼此遵守交易规则、相互学习优秀的文化传统便是互惠的高级形态。互派人员学习交流是互惠的直观表达，即通过人员相互交流切磋，达到互惠的目的。

教师的互惠学习，一方面从方向上看，互惠学习是一个双向的学习过程。在深入推进教师专业化进程的国际背景下，教师不再是一个人的孤独“作战”，而是一个群体的共同“奋战”。教师间相互学习、彼此交流，提升自我学习力，促进专业素质的提高与增进。另一方面从学习意愿上看，互惠学习是一个积极主动的过程。学习有主动与被动之分，被动学习往往是为了达到或满足外界的要求与规范而开展的学习，并不是基于自我发展的内在需要而产生的，因此，学习的强度、力度与投入度均会大打折扣。主动学习则是在兴趣、自我发展等内在动机的激发下产生的，能保持持久的学习动力。教师互惠学习属于主动学习，教师在与他人交流沟通时，是立足于对问题的兴趣展开的。换言之，教师若想获得高质量的学习效果，需积极主动地开展互惠式对话与合作。

3.互惠学习有利于构建学习共同体

自德国哲学家与社会学家斐迪南・滕尼斯将人类生活类型划分为共同体(Community)与社会[14]后，共同体被用于管理学、教育学、心理学等领域。1995年，著名教育家博耶尔(Ernest L.Boyer)首次提出了学习共同体(Learning Community)的概念，将学习共同体界定为：共同体中的所有人基于共同的愿景，在共同的学习组织中，共同分享学习的兴趣，共同寻找知识经验和解决问题的方式，彼此信任与尊重，相互合作和共同参与，以实现组织的愿景与目标[15]。学习共同体是学习者与其助学者共同构成的团体，彼此间通过沟通、交流分享学习资源，共同完成学习任务，成员间形成相互促进、相互影响的人际联系[16]。

一定程度而言，学习共同体为学习者营造互学互助的学习氛围，在这样的氛围中，学习者在面对富有挑战性的问题或任务时，有机会获得来自他人的支持与帮助，通过沟通、对话与交流等方式达成学习目标；也有机会通过帮助他人，逐渐形成主体性学习者的身份，不断增进个人知识、历练能力、砥砺智慧，实现个人的健康成长与共同体的有序发展。

既然教师互惠学习是积极主动的双向学习过程，教师与专家、同行、学生等多主体在长期的互动交流过程中逐渐形成合作学习团队组织——学习共同体。在这里，教师着眼于专业素质的整体提升，相互依赖、彼此信任，以开放的心态进行对话协商，达成对某一问题的共同理解。可见，教师学习共同体的核心原则是“互惠”，在学习共同体中，教师间只有毫无保留地共享与交流，才能营造和谐宽松的学习氛围，才能促进学习共同体的有序发展与教师个体的专业成长。

4.互惠学习的场域呈现多元化的混合样式

“场域”是布迪厄所提出的社会学概念，从关系的角度进行思考，可以将其理解为在各种位置之间存在的客观关系的一个网络(Network)或构型(Configuration)[17]。各行各业有与之相对应的场域，具体到教育场域，就其客观性社会存在而言，指教育者、受教育者及其他教育参与者相互之间所形成的一种以知识(Knowledge)的生产、传承、传播和消费为依托，以人的发展、形成和提升为旨归的客观关系网络[18]。教育场域依据主体、内容等的不同又可以分为更加具体的教学场域与学习场域。这种客观关系网络首先是一种空间概念，如教师学习或学生学习一定是在一定的物理空间“场”里发生的，空间概念是具体可感知的；其次才是一种心理概念，如在物理空间“场”里学习的人的主体性与情感态度等方面，心理概念更侧重于学习者学习的影响力。

由此观之，教师互惠学习是教师在不同的空间“场”里相互沟通、互惠共生，积极表达自我的过程中而形成的互动关系网络。由于空间“场”的不同，教师互惠学习呈现出多元化的形式，有立足于班级教学的班际互惠学习，有校际交流的互惠学习，还有国际交流的互惠学习。三种学习“场”中由学习形式的不同，又形成了不同的学习类型。不同学习场域的影响力度相互交叉、学习方式相互融通，共同构成了教师互惠学习的多元化混合样式。

二、教师互惠学习的理论探源

在世界文明的发展进程中，特别是近代以来，东西方文化一直处于相对不平衡的状态，国际间的教育交流也以学习与借鉴西方优秀经验为主流倾向，而忽略了东方论的优势。然而，在文化流变的过程中有人类共同关心和运作的主题[19]，这些共同关心的主题便是世界文化的可通约性，为各国间的相互学习提供了基础与依据。目前，教师学习的理论研究与实践探索日益引起学界的普遍关注与重视，研究范围不断拓宽。然而，关于教师学习特别是跨文化学习的互惠通约性的可能性与合理性这一根本性问题似乎被学者们所回避。因此，追寻与探讨教师互惠学习的立论依据是深入研究教师互惠学习的前提。本书拟从社会学、心理学、教育学、文化学等多学科视角，主要借助情境交互理论、社会建构主义理论与互惠理论的核心思想，为教师互惠学习研究寻求理论依据与借鉴。

(一)情境交互理论创生教师互惠学习的多元场域

自 1911 年实验心理学鼻祖冯特提出“情境气质”(Situational Temperament)的概念后，关于情境对个体心理活动的影响及相关的心理学研究开始展开了特质论与情境论的大论争[20]。情境交互理论的发展经历了漫长的过程，其与建构主义、现象学等理论流派有着千丝万缕的联系，主要以辩证心理学与交互行为心理学为例，阐释情境交互理论的发展与深化的理论基础。将辩证心理学思想运用于社会心理学研究领域，研究主体行为的产生机制。美国社会心理学家卡尔·雷特(Carl Ratner)于 1971 年提出个体与世界包含在“个体—世界场”之中，其中，强调个体和世界是相互依存和统一的，个体的意义世界由构成意义世界的各部分在交互作用与协同发展的互动中构成。Georgoudi 主张在辩证法思想的指导下，将个体与环境视为相互联系和相互影响的社会事件，反对将个体当成由环境塑造的被动生物体，这些思想构成了语境论的重要理论基础。交互行为心理学认为在交互的心理场中，每一个因素都处于相互联系之中，相互依存的心理事件比单一心理事件导致的线性因果关系更具有现实意义[21]。交互行为心理学强调的心理场可以从格式塔学派那里找到理论依据，格式塔学派反对将个体的行为分割开来，强调客观地描述个体对客观世界与自我心理活动的一切感知与体验，以形成个体与情境的完形即整体性。受现象学方法论的影响，考夫卡认为，个体的行为环境决定行为的产生，这里的行为环境主要是指个体能感知或意识的心理环境，而非客观的、现实的物理环境，基于此提出自我与环境相统一的心理场理论，即场域理论。勒温继承考夫卡的理论，进一步发展了格式塔的情境理论，他认为决定个体行为的因素主要取决于个体在与影响其行为的心理环境相互作用中所形成的特定的心理场或生活空间。在格式塔学派看来，影响个体行为产生的不是客观存在的物理环境，而是个体在与物理环境互动中所形成的心理环境，包含个体的信念、情感、态度等。

在情境交互理论看来，情境与环境有着本质的不同，情境(Situation)指个体进行某种行动时所处的特定背景，包括个体自身和与外界环境相关的要素，可分为真实的情境、想象的情境[22]。环境根据不同的标准有不同的分类，有以大气、水、土壤等为内容构成的自然物质环境，也有以观念、制度、规则、习俗等形成的社会人文环境。两者的共同之处是立足于一定的物理空间，差别在于情境强调文化的交互性，而环境则不强调。美国学者戴维·H.乔纳森（David H.Jonassen）与苏珊·M.兰德（Susan M.Land）建构了情境脉络中的学习模型，认为在考察学习者的学习时，不仅要考虑学习者的实际任务，更应考虑这些实际任务发生的社会文化与历史场景及学习者用于制定规则意义的工具和中介系统（图 2-1）[23]。情境交互理论的实质在于个体与情境的交互作用，这是双向的互动过程，交互行为随着情境的变化而有所变化，体现出交互行为的心理特性与文化品性。

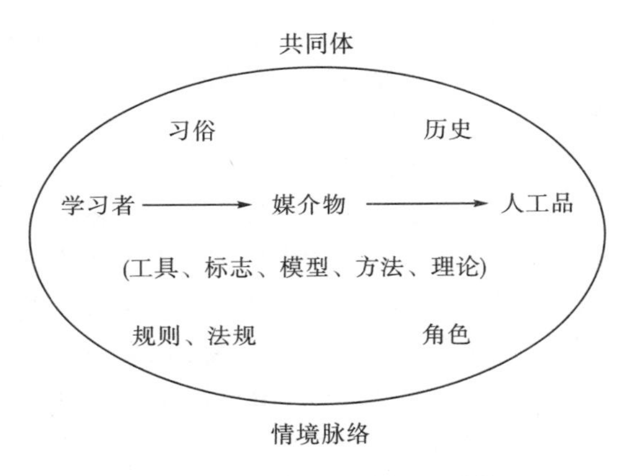

图 2-1 情境脉络中的学习[24]

情境交互理论关于人—情境整体交互的论证为跨文化统合视域下教师互惠学习心理场的变化提供了理论依据。跨文化统合视域下，当教师学习由封闭走向开放时，教师学习场域因学习内容与学习任务的不同而有所不同。按照情境交互理论的观点，不同的学习场域势必带来差异化的心理体验与行为表现，在此，这一理论为解释教师在跨文化互惠学习之初所经历的文化冲突的心理过程提供了理论依据。因为，教师在与周遭情境交互时，会受到相应情境所特有的文化、历史、心理等因素的影响。由于所处情境中的每一个个体都来自不同的文化情境，带有不同的知识、体验与感受，在相互交流与切磋中，不仅能获得新的观点与思想，更能体验不同的文化与风俗。从这一层面上看，跨文化统合视域下教师互惠学习是教师与情境发生文化交互的学习过程。

1.情境交互理论为教师互惠学习的多场域互动提供合理依据

参与、对话、合作是情境交互理论的关键词，要想教师互惠学习得以发生，需按照情境交互理论所强调的双向互动来开展学习活动。在情境交互中，教师所进行的学习活动首先是与所处情境进行互动，进而根据学习内容调动自我学习的主体性，实现知识的获得。这两个过程几乎同时发生，因而不易被人察觉。不同的学习情境决定教师有不同的互动模式与学习方式，教师总是在与情境的积极交往中感知、传递、模仿、沟通与对话，形成自我关于某一问题或任务的理解，并将之表达出来。不同的表达在场域互动中汇合，在讨论、协商与理解中达成共识，形成关于某一问题或任务的共同理解与总体构想。但是，教师互惠学习的场域不是一成不变的，不同的学习场域导向不同的学习任务。情境交互理论关于主体与情境的互动过程为跨文化统合视域下教师互惠学习的场域变化提供依据，当教师由某一学习场域转向另一学习场域时，教师依然会利用已经习得的社会双向互动方式，构建自己的社会性，社会性是一种恰当地参与、卷入多种社会互动形式的能力[25]，这种能力促使教师面对学习场域变化时做出积极的改变以适应新的情境，个体被视为某种积极的、自我调节的、自我组织的系统，行为随个体与环境两者的变化而变化，而发生发展于个体与情境的相互作用中[26]。当教师获得这种能力后，会运用于主观意志以调节、适应各种场域，当进入异质性较高的学习情境(如出国留学、国际交换学习等)时，能在较短时间内克服文化冲突，减少文化休克与因不适应而产生的文化阻力，积极地在与情境互动中收获知识、锻炼能力，提高学习效率。

2.情境交互理论引发教师知识观的实践转向

情境交互理论表明教师互惠学习是一种情境性活动，教师在情境中通过参与社会性的协商与对话，逐渐获得文化适应，达成共同理解，实现知识创新。这样一来，教师的知识不再是固定不变的，而是依据情境的变化发生相应的变化，体现出情境性与流动性的特点。教师知识观在实践层面实现转向，是随着 20 世纪 80 年代末学习理论从获得隐喻向参与隐喻转向而逐渐形成的。参与隐喻的学习观认为，知识源于实践[27]，知识具有情境性、生成性、分布性与默会性，是教师知识观参与隐喻的表征形式[28]。杜威“做中学”的思想便体现出教师知识观的参与隐喻，情境中学习更加强调教师学习的实践特性，使教师逐渐改变传统的“学后做”的惯常做法，这就要求教师不应将自己视为“知识的旁观者”，而是应在情境中深入参与整个实践过程，洞察自己所处的环境、背景与处境，并对特定的情境进行认知、体验、感悟与解释，实现对问题的解决，并据此指导新的实践[29]。教师知识观的实践转向，引发教师学习方式与教学方式的深刻变革。在学习方式上，教师成为自我学习的主体，学习的主体意识更加浓烈，教师更加愿意在彼此互学中取长补短、获得专业成长；在教学方式上，教师角色发生了翻天覆地的变化，教师不再是学生知识的传授者，而是学生的认知引导者与帮助者。

3.交互情境中的互惠学习离不开教师积极的心理体验

从情境交互理论的历史发展脉络来看，情境与格式塔学派的“心理场”有一定程度的相似性，均强调情境的心理性。作为一个情境论者，米契尔认为不同的人持有不同的认知原型，即使面对相同的情境，不同个体的认知体验与理解也有差异，而情境原型是认知原型的一种。情境原型一般包括情境的自然特征、参与者的人格特征、与情境相联系的情感体验、所期待的行为等[30]。情境的自然特征即自然的、客观的物理环境不是对个体产生影响的关键因素，而个体在自然客观的情境中所产生的认知、体验与期待等心理倾向性才是影响个体做出某种行为与否的关键。因此，教师互惠学习的完美实现需要教师主体积极地、活跃地参与，发挥其主体性，在情境化的境脉中，教师认识到知识的时间效用和利用知识去理解、分析和解决真实世界中的问题的需要，学习就自然而然地发生了[31]。当教师对情境有积极的认知与体验时，便会产生正向的积极的情感、态度与期待，表现出积极主动的学习行为，促使教师全身心投入学习情境中；反过来，教师在学习情境中体验到的愉悦感、成就感等积极的情感会激发教师的继发性学习，使教师互惠学习步入良性循环。

（二）社会建构主义理论揭示教师创新性共享学习的发生机制

建构主义属于元认知的范畴，不仅是关于认知的方式也是关于认知的思维方式，是关于相互交流与提出对策建议的理论，学习者双方会无意识地以不同方式利用并调控交流的内容与过程。不同的建构主义者持不同的研究视角，在这诸多的视角里，其共同的整合性的观点认为学习不是独立的，而是积极主动的过程，是在已有经验基础上，对概念关系与意义的持续建构过程。

建构主义核心思想经由众多哲学家、心理学家、社会学家、文化学家发展，形成了建构主义理论的谱系群。建构主义的影响从哲学、心理学一直延展到其他相关领域，形成了五大谱系：认知建构主义谱系、激进建构主义谱系、社会建构主义谱系、文化建构主义谱系与批判建构主义谱系。认知建构主义是在皮亚杰(Jean Piaget)的思想理论基础上形成与发展起来的，是对认知学习理论的批判式继承，认为学习是在已有经验基础上，新旧经验相互作用而进行的意义建构过程，通过同化与顺应实现认知的平衡状态。这一理论强调的建构过程是封闭的自我建构，几乎没有社会性因素的参与。激进建构主义是以皮亚杰的发生认知论为理论基础的，美国哲学家、心理学家冯·格拉瑟斯菲尔德(Ernst Von Glaserfeld)是该理论的典型代表，认为知识是通过新旧经验相互作用由认知主体主动建构的，而不是通过感觉或交流被认知主体被动地接受，同时认知主体具有适应自己经验世界的生存力(Viability)，不需要发现本体论意义上的客观现实[32]。该理论是对皮亚杰理论的继承与发展，将主体置于封闭的经验进化体系中，忽视与外部社会的交流与沟通。文化建构主义秉持后现代取向，可追溯到维果茨基(Lev Vygotsky)的历史文化学说，始于对经验主义、实证主义心理学的批判；强调主体建构过程的社会文化属性，强调主体的学习应由“个体的”视角转向“社会的”“文化的”视角[33]。由于文化建构主义是以维果茨基的历史文化理论为基础的，因此很多时候将其与社会建构主义合并为社会文化建构主义，主张主体的建构离不开社会、历史文化因素的影响。将文化建构主义与社会建构主义作为本书的立论基础之一，将在下文进行详细论证。在批判建构主义者们看来，批判是建构主义的核心内容与主要特征之一，而批判性思维是批判的核心，批判建构主义不仅是认识论上的批判性建构，也是实践行动上的批判性建构，包括对个体当前的生活理解、认识和信仰的批判与重新建构，更包括个体通过实践来塑造与改变自己的现实生活世界[34]。认知建构主义与激进建构主义在理论思想上的一脉相承性，使其均强调个体在封闭的情境中进行自我内在建构，将个体与社会文化人为地割裂开来，然而学习是在开放的情境中发生的。批判建构主义主要侧重于认知主体的批判性思维的培养与训练，该理论不在本书的探讨范围内，故不再赘论。

社会建构主义的产生旨在消解个体与社会文化的二元对立，苏联著名心理学家维果茨基是该理论的主要代表者。社会建构理论试图摆脱认知建构主义个体认知与社会文化情境分离的二元论，立足于社会文化情境，阐明人类心理机能及其引起心理机能发生变化的社会文化、历史传统之间的关系，论证人类学习产生的心理机能[35]。内化理论与最近发展区(Zone of Proximal Development，ZPD)是社会建构理论的支撑性理论。关于个体学习的心理活动机制，维果茨基认为行为的文化发展来自社会的发展，与此相应，符号最初也是社会联系与影响他人的手段，而后才是影响自己的手段[36]，他考察了个体在与外界社会沟通中起作用的一般概念与日常生活中形成的生活概念而进行的高级思维过程的关系，解释个体心智的发展是由沟通的外部语言“内化”为个体思维的内部语言过程。基于此，得出个体发展首先是获得社会维度上的“外部语言”，然后再内化为心理维度上的“内部语言”[37]。这一内化过程需要发挥个体参与学习情境的协作策略，即知识的产生机制绝不是个体内部的认知交互作用，而是涉及人的心智、各种社会文化变量相互协作、对话的交互作用。个体要实现“内化”式发展，最好处在“能独立达到的实际发展水平与需要伙伴帮助的潜在发展水平之间[38]”，个体借助合作学习、同伴互助等形式不断缩减两个水平间的差异，促进知识的习得与能力的发展，达成社会建构的内化发展目标。最近发展区理论旨在整合社会情境对儿童的指导作用与儿童内化经验的过程[39]，当个体与他人为解决某一问题进行合作与互动时，能力较高者指导能力较低者或彼此之间互帮互助，促进其在社会历史文化背景中进行“外部语言”的知识建构，进而产生“内部语言”的自我内在建构，最终促进其认知水平的发展。在此强调个体认知水平发展在一定时期的社会文化历史背景中的作用，语言不仅是交际工具，也是认知工具，注重社会发展和个体发展的统一[40]。因此，构建以平等合作、对话协商为互动形式的教学促进个人心理机能的发展成为必要。在 1994 年美国社会心理学家格根(Kenneth J.Gergen)的“我沟通，故我在”，更是在一定程度上强化了社会建构主义理论的社会影响力，认为在互联网时代，个性被视为是通过社会情境间的对话交互作用建构而形成的，主张在相互合作中进行知识的社会建构与问题解决[41]。

社会建构主义理论对人的高级心理活动机制的阐释适用于跨文化统合视域下教师的互惠学习。当教师进行跨文化互惠学习时，教师特别是职前教师与新手教师得到专家或专业能力精湛的教师的指导，在异质性文化学习场域中切磋、交流、共享，基于某种社会文化背景构建知识，随后在内化机制的运作下完成知识的自我建构。这样的互惠学习是一种共享性学习，更是一种创新性学习，有利于揭示教师互惠学习的发生机制。

1.教师互惠学习是与他人的社会性交互活动

在维果茨基看来，形成高级心理机能的社会基础是社会性的互动，人的学习是在人与人的相互交往中形成的，离不开一定的社会文化情境，是一种社会性交互活动。“互惠”本身就有双向互动的意思，教师互惠学习使教师摆脱传统的封闭式学习、个人孤立式学习，使其在互动的、真实的、平等的社会文化情境中，为解决某一共同任务主动积极地进行多主体合作，以对话、协商、共享等形式交互式学习。在互惠学习过程中，有言语的激荡、思想的争鸣、相互的扶持、建构的反思及心智的顿悟。这一学习过程实质上完成了社会性的“外部语言”向自我的“内部语言”的内化过程。教师通过共享、合作，与教师群体建立良好的人际互动网络。在这一互动网络中，每一位教师总是带有不同的社会文化印记，具有对某一问题不同的理解、经验和观点，教师群体在参与公共的互动交流中能够实现教师专业素质的取长补短、互促共进，这种整体大于部分之和的整合效应完全超越了任何教师个体的孤立式学习。教师间积极的互动关系继而影响后续的教师互惠学习的实效性，即教师群体构建的人际互动网络越稳固，教师互惠学习的效果越好，反之亦然。强调教师互动交流的意义不仅在于为教师创建友好的人际关系，更在于通过友好人际关系的良性互动引发教师高级心理机能的社会性建构，提高知识“内化”的效率，促进教师整体素质的提升与学校教育的变革式发展。

2.社会建构主义理论构建教师实践的新样态

知识的社会性隐喻是社会建构主义理论的重要维度，在这一隐喻指导下莱夫(Jean Lave)与温格(Etienne Wenger)在20世纪90年代初(1991年)论证了认知学徒制的“合法的边缘性参与”，并将其运用于教育领域，阐释参与者特别是新手参与者学习融入共同体的过程，新手参与者从最开始参与共同体的边缘，逐渐作为专家向中心移动；继而温格于2004年提出实践共同体(Community of Practice)的概念，主要指成员间围绕特定的实践活动，建立双向互动、共同参与的人际关系，基于对共同体活动所形成的共同理解，不断在协商、切磋、研磨中达成关于活动的新理解，以便在长期的实践活动中形成共享性资源集合[42]。合法的边缘性参与和实践共同体均指向“学习是知识的社会性协商”的隐喻，这种知识存在形式的转型引发教师实践活动的转向。传统的教师实践活动是在封闭的场域中“各自为政”地孤立展开，较少地考虑教师的人际互动及由此带来的心理体验。自20世纪90年代以来，“将教师置于社会互动的世界里考察其行为表现与心理体验”[43]逐渐成为国际教师教育研究领域的理论范式。这一理论范式强调教师实践方式的深刻变革，由静止到流动、由封闭到开放、由单向到双向，要求教师结成“学习联盟”共同解决教学实践中的困惑与疑难。跨文化统合视域下教师互惠学习的社会互动性使教师实践样态更加强烈，教师从中能收获更加丰富的互惠学习内容。

3.教师自我建构是一个社会性的过程

“自我建构”作为一种建构活动，意味着相互作用[44]，但认知建构主义与社会建构主义在个体如何建构的心理机制上产生了分歧。皮亚杰的认知建构主义学习理论认为个体的自我建构是个体认知的内部互动作用，不考虑个体与外界社会文化的交互作用。以皮亚杰思想为基础的激进建构主义更是强调主体对自我经验世界的自适应，而不必去发现本体论意义上的现实世界。然而，人是社会中的人，其心理认知与行为表现无不带有社会的印记。社会建构主义理论认为个体的自我建构离不开社会文化，强调自我建构在社会意义上的主体间性(Intersubjectivity of Social Meanings)，主体间性不仅提供交流的基础，而且是个体的意义来源，知识来源于个体和情境的相互作用，知识的建构受到社会文化历史中所形成的主体间性的影响[45]。社会建构主义理论为教师互惠学习的社会互动提供了理论基础，也揭示了教师自我建构的社会性特征，避免了对教师学习的个人化理解倾向。教师在社会互动交流中，彼此交流知识、共享经验，达成理解。在此过程中，教师首先获得外在化的社会维度的“外部语言”，经过自我的反思、内省与领悟，内化为自我心理维度上的“内部语言”，实现了学习由外向内的质性转化。只有在互惠学习中经过这一内化过程的学习才能更好地激发教师学习的主体性，提高学习效率。

(三)互惠理论彰显教师学习的互利共赢

互惠是普遍的社会现象，同时也是一种文化现象、经济现象等。互惠理论已被广泛地运用于人类学、社会学、管理学、经济学等研究领域，在人类学的研究谱系中，互惠理论最初的研究始于人类学家对礼物交换的研究。随着互惠理论的不断发展与丰富，互惠交换也表现出更加多样的形式，如根据交换的时间、空间和情感距离，通过互惠量化分析，得出交换时间间隔的长短反映出交换双方的利益趋向性的强弱，而交换空间的远近反映出交换个体之间关系的亲疏。互惠交换的不管是物品还是人或感情，由于凝结在“交换物”之上的文化性与情感性成为维系人际关系的重要纽带，增强了人与人之间的互动交流，促进了文化发展与社会稳定。

互惠理论同时被巧妙地运用于经济学领域。加利福尼亚大学伯克利分校的经济学家 Matthew Rabin 教授于 2001 年荣获美国经济学联合会最高奖——克拉克奖(Clark Medal)。他成功地将互惠性利他偏好移入行为经济学的研究框架，有力地推动了以互惠性假说为基础的行为经济理论的发展[46]。但他并不认同心理学上普遍的利他主义行为，因为人们不仅关注自己的福利与幸福，也会关注其他人的福利与幸福。他认为这种利他主义行为较为复杂，人们追求对等地帮助他人，他人便会做出与之相应的行为。就是说，当利他地对待他人时，他人便会利他地对自己；当对他人敌对时，他人就会对自己敌对。因此，他认为人类交往过程的情感具有经济性表征。他在三种社会交往行为的基础上构建了互惠动机的框架：①人们愿意牺牲自己的物质福利来帮助那些对自己友好的人；②人们愿意牺牲自己的物质福利来惩罚那些对自己不友好的人；③当牺牲的物质福利较少时，前面两个的动机对行为会产生更大的影响[47]。由互惠动机引发互惠行为，互惠行为主要有两种类型：对友善的行为给予报答，这类行为为正互惠行为；而对敌意的行为给予报复，这类行为为负互惠行为[48]。互惠永远是涉及双方的交互行为，是基于好或不好的回报的利他行为，而不是单向的付出与奉献。本书中的“互惠”取正向互惠之意。互惠理论在追求个人利益与群体利益和谐统一的时候，个体的个人利益须受到他人利益的影响与制约。

互惠理论提供了教师互惠学习的新模式，教师群体间致力于创设共同交流、相互学习的良好氛围，在其中，教师的互动交流不是为了某一个或某一方的利益，强调教师均能通过交流、切磋、相互指导而有所收获。这便达成了互利共赢的交往模式，身在其中的每一位教师需具备扎实的知识基础与熟练的专业能力，才有利于相互间的有效学习与发展；教师必须积极地深度参与并及时地进行实践性反思，才有助于教师互惠学习的可持续发展。

1.互惠理论提供教师学习的互动模式

人类学与行为经济学从不同的视角对互惠理论进行了论证与阐释，但均一致认为互惠是基于回报的人与人之间的交互活动，是一种涉及情感的双向交往。在这一层面上，互惠理论促使教师改变传统的学习方式，由个体走向团体、由封闭走向开放。以往的教师学习大多借助培训、座谈等形式，对教师进行知识的外在化传输，忽略了教师知识习得过程中的交互作用与内化吸收，导致教师知识学习停留在“传录”阶段，而不能心领神会地通过交流、内化将知识外化为高效的教学行为，从而使教师学习处于外在的、被动的低效学习状态，学习积极性与主动性不高，易产生职业倦怠感。有研究表明，目前由学校或上级领导硬性规定的校本培训是无效或低效的，大多数(占 64%)的脱产进修及培训都脱离教学实际，教师学习更多处于被动与应付，学习的主体性没有充分激发出来[49]。激发教师学习的主动性，唤起教师学习的主体意识成为教师学习研究领域的重要议题，研究较多地聚焦于借助培训实现教师知识习得与行为改变等外围领域，而较少关注教师学习得以发生的机制——教师个体的认知过程及其与教师所处情境间的相互作用[50]。教师认知与外界情境的相互作用是互惠理论的直观体现，从而将教师学习置于开放的场境中。在这里，教师不再是孤立的、被动的个体，而是开放的、主动的主体，教师能感受到由群体相互学习而激发出主动学习的活力。教师在多场域中与他人相互交流、对话、合作与协商，达成理解与共识，形成相互学习、取长补短的良好氛围，提高教师互惠学习的积极性与主动性，促进教师个体的专业发展，提升教师群体的整体素质。

2.互惠学习理论促进教师隐性知识的转化

学界有众多关于知识的分类，其中影响最大、最深远的当属迈克尔·波兰尼对知识的分类，他根据知识的外显度与转移度将知识分为显性知识(Explicit Knowledge)与隐性知识(Tacit Knowledge)。显性知识又被称为“语言知识”(Verbal Knowledge)或“清晰的知识”(Explicit Knowledge or Articulate Knowledge)，此类知识可被清晰地表达，如各种文字、图像、声音、符号等；也可被有效地转移，如将记载于各类媒介的文字、图像、声音及符号等通过一定的方式传达出去，这一过程便实现了知识的传播。隐性知识又被称为“前语言知识”(Pre-verbal Knowledge)或“不清晰的知识”(Inarticulate Knowledge),此类知识内隐于个体的大脑、表现在个体的行为中但未被个体有意识知觉,其具有默会性、个体性、情境性、文化性、整体性等特征[51]。教师的知识结构体系如何实现隐性知识的转化,使其外化为显性知识,促进教师的有效教学?教师的隐性知识到显性知识的外显化的转化过程是知识的创新过程,而知识创新需要教师团队的协同合作与协商对话,这与互惠理论的核心思想不谋而合,共同指向教师的平等对话与共享交流。教师借助反思性实践将知识内化为心智参与的表征结构性概念,在对话、沟通、共享中有效实现对知识的利用与改造,完成教师隐性知识的转化过程。跨文化统合视域下教师互惠学习有利于提高教师实践性知识开发与运用的目的性与有效性,促进教学实践发生质的改变与突破。

3.互惠学习理论为教师营造互帮互助的文化氛围

教师文化是教师在长期的学习与工作中积淀而形成的,主要以隐性文化的形式对教师、学生等主体产生深远影响。教师合作文化是组织机构致力于营造的良好文化氛围,这种氛围有利于调动教师主动学习、合作学习与互帮互助的主体意愿,实现教师文化由自闭、孤立、保守向开放、合作、变革转型[52]。在多元开放的时代背景下,教师专业成长是由点及面的整体性成长,不应陷入孤立无援的境地,且作为社会性的人本就不该也不能生活在自闭的学习场域里。教师合作文化实为流动的马赛克文化,在这种文化模式下,教师间根据专业发展的实际需要组成若干学习小组,在平等、开放、合作与支持的状态下交流与学习,产生整体大于部分之和的合力效果,并且开放合作的教师文化会促使整个学校组织表现出更大的灵活性、流动性与自适应性,更为重要的是,这种开放合作的教师文化可以超越学校界限,扩展到学区、社区乃至于更大的范围[52],这一层面上使构建跨越国界的教师合作文化成为可能。

在开放与多元并存的世界,应为教师建设流动的马赛克文化,倡导教师间的良性、双向合作、共享与互惠互利。教师间在共同发展愿景的指导下,相互交流、合作,互帮互助,共同成长。互惠理论倡导教师创设互帮互助的友好文化氛围,互帮互助的文化氛围有助于促进教师个体的专业发展与教师整体的专业素质的提升,更有利于教师互惠学习的良性运行与学习效率的大力提升,也使跨区域、跨国界的教师合作由可能走向现实。

参考文献:

[1]联合国教科文组织. 反思教育:向“全球共同利益”的理念转变?[M]. 联合国教科文组织总部中文科译. 北京:教育科学出版社, 2017: 22.

[2]Colley H, Hodkinson P, Malcolm J. Informality and Formality in Learning: a Report for the Learning and Skills Research Centre[R]. Lifelong Learning Institute in University of Leeds, 2003: 5.

[3]祁玉娟. 中小学教师正式学习与非正式学习现状调查[J]. 当代教育理论与实践, 2010, (3): 4-7.

[4]杨晓平. 中小学教师非正式学习研究: 基于自我统整的教师发展视角[D]. 重庆: 西南大学, 2014.

[5]Liamputtong P. Doing Cross-Cultural Research: Ethical and Methodological Perspectives[J]. Social Indicator Research, 2008, 34(1): 3-20.

[6]思竹. 宇宙—神—人共融的直觉: 跨文化视域下的新实在观[J]. 浙江大学学报(人文社会科学版), 2006, (4): 19.

[7]佐藤学. 学习的快乐: 走向对话[M]. 钟启泉, 译. 北京: 教育科学出版社, 2004: 19.

[8]温家宝. 坚持开放包容 实现互利共赢: 温家宝总理在首届东亚峰会上的讲话[EB/OL]. (2005-12-14). http://www.gov.cn/gongbao/content/2006/content_180319.htm.

[9]宋晓丹. 交往理性规约工具理性: 哈贝马斯交往理性理论转型及其中国启示[J]. 西北大学学报(哲学社会科学版), 2016, (1): 156.

[10]石艳. 在知识共享网络中促进教师专业发展[J]. 教育发展研究, 2013, (20): 74-75.

[11]林健. 卓越工程师创新能力的培养[J]. 高等工程教育研究, 2012, (5): 1.

[12]石娟, 刘义兵, 沈小强. 生命哲学视野下教师专业发展的愿景[J]. 中国教育学刊, 2015, (3): 87.

[13]邹文篪, 田青, 刘佳. “投桃报李”: 互惠理论的组织行为学习研究述评[J]. 心理科学进展, 2012, (11): 1880.

[14]赵健. 学习共同体: 关于学习的社会文化分析[D]. 上海: 华东师范大学, 2005.

[15]张威, 郭永志. 学习共同体学习模式的实证研究[J]. 教育科学, 2012, (10): 32-33.

[16]时长江, 刘彦朝. 课堂“学习共同体”教学模式的探索[J]. 教育研究, 2013, (6): 150.

[17]皮埃尔·布迪厄, 华康德. 实践与反思: 反思社会学导引[M]. 李猛, 等译. 北京: 中央编译出版社, 1998: 133-134.

[18]刘生全. 论教育场域[J]. 北京大学教育评论, 2006, (1): 83.

[19]马庆钰. 对文化相对主义的反思[J]. 哲学研究. 1997, (4): 13.

[20]谷传华, 张文新. 情境的心理学内涵探微[J]. 山东师范大学学报(人文社会科学版), 2003, (5): 99.

[21]姜永志. 情境交互作用理论体系: 辩证心理学与交互行为心理学[J]. 心理科学, 2013, (2): 497.

[22]谷传华, 张文新. 情境的心理学内涵探微[J]. 山东师范大学学报(人文社会科学版), 2003, (5): 99.

[23]戴维·H. 乔纳森, 苏珊·M. 兰德. 学习环境的理论基础[M]. 郑太年, 等译. 上海: 华东师范大学出版社, 2002: 4.

[24]克努兹·伊列雷斯. 我们如何学习: 全视角学习理论[M]. 孙玫璐, 译. 北京: 教育科学出版社, 2010: 28.

[25]王荣, 桑标. 人—情境整体交互作用理论与发展心理学研究思考[J]. 华东师范大学学报(教育科学版), 2007, (1): 68-72.

[26]李翠白. 西方情境学习理论的发展与应用反思[J]. 电化教育研究, 2006, (9): 20.

[27]贾义敏, 詹青青. 情境学习: 一种新的学习范式[J]. 开放教育研究, 2011, (5): 31-32.

[28]肖前玲, 刘义兵. 论基于行动学习的教师知识观发展的新取向[J]. 教育研究与实验, 2013, (4): 59.

[29]谷传华，张文新. 情境的心理学内涵探微[J]. 山东师范大学学报(人文社会科学版), 2003, (5): 100.

[30]戴维·H. 乔纳森，苏珊·M. 兰德. 学习环境的理论基础[M]. 郑太年，等译. 上海：华东师范大学出版社，2002: 12.

[31]Glaserfeld E V. An exposition of Constructivism: Why Some Like It Radical[J]. Facets of Systems Science, 1991, (7): 229-238.

[32]杨莉萍. 从跨文化心理学到文化建构主义心理学：心理学中文化意识的衍变[J]. 心理科学进展，2003, (2): 224.

[33]蔡伟仁. 批判性建构主义：一种教育学的新思路[J]. 全球教育展望, 2004, (7): 37.

[34]Wertsch J V, Pablo del Rio, Amelia Alvarez. Sociocultural Studies of Mind[M]. Cambridge: Cambridge University Press, 1995: 11.

[35]冯忠良，等. 教育心理学[M]. 2 版. 北京：人民教育出版社, 2010: 171.

[36]佐藤学. 学习的快乐：走向对话[M]. 钟启泉，译. 北京：教育科学出版社, 2004: 19.

[37]Vygotsky L S. Mind in Society: The Development of Higher Psychological Process[M]. Cambrige, Massachusetts: Harvard University Press, 1978: 86.

[38]钟启泉. 知识建构与教学创新：社会建构主义知识论及其启示[J]. 全球教育展望, 2006, (8): 14.

[39]王颖. 维果茨基最近发展区理论及其应用研究[J]. 山东社会科学, 2013, (12): 182.

[40]钟启泉. 知识建构与教学创新：社会建构主义知识论及其启示[J]. 全球教育展望, 2006, (8): 13.

[41]冯忠良，等. 教育心理学[M]. 2 版. 北京：人民教育出版社, 2010: 172.

[42]Carlyle D, Woods P. The Emotions of Teacher Stress[M]. Trent, UK: Trentham Books, 2002: 16.

[43]李德显，等. 论教师专业发展中的自我建构[J]. 教育科学, 2014, (5): 56.

[44]辛自强. 知识建构研究：从主义到实证[M]. 北京：教育科学出版社, 2006: 43.

[45]张同健，蒲勇健. 互惠性偏好、隐性知识转化与技术创新能力的相关性研究[J]. 管理评论, 2010, (10): 100.

[46]Rabin M. Incorporating Fairness into Game Theory and Economics[J]. The American Economic Review, 1993, 83(5): 1281-1282.

[47]张同健，蒲勇健. 互惠性偏好、隐性知识转化与技术创新能力的相关性研究[J]. 管理评论, 2010, (10): 101.

[48]孙德芳. 教师学习的生态现状及变革走向[J]. 教育研究, 2011, (10): 72.

[49]刘学惠，申继亮. 教师学习的分析维度与研究现状[J]. 全球教育展望, 2006, (8): 57.

[50]Polanyi M. The Tacit Dimension[M]. Chicago: University of Chicago Press, 1966: 78-89.

[51]Hargreaves A. Changing Teachers, Changing Times: Teachers' Work and Culture in the Postmodern Age[M]. London: Cassell, 1994: 163-254.

[52]邓涛，鲍传友. 教师文化的重新理解与建构：哈格里夫斯的教师文化观述评[J]. 外国教育研究, 2005, (8): 10.

既然 21 世纪的社会是多种多样的人彼此尊重差异共同生存的社会，那么，就应当寻求相互学习的关系：毫无保留地提供自己的见解，并谦虚地听取他人的见解。[1]

——[日]佐藤学

第三章　跨文化统合视域下教师互惠学习的理论模型

国外关于情境学习、教师工作场学习等相关研究已较为成熟，并建立了各自的学习理论模型。拟在借鉴已有学习理论模型的基础上，构建跨文化统合视域下教师互惠学习的理论模型，并据此形成跨文化统合视域下教师互惠学习的总体分析框架。

一、关于学习整体模型的发展脉络

学习是心理学研究的重要领域，不同的认知心理学家或社会心理学家对学习的研究，建构了不同的学习理论模型，形成了关于学习的不同的理论分析框架，如卡罗尔(John B.Carrol)于 1963 年提出的学校学习模型[2]，布鲁姆(Benjamin S.Bloom)于 1976 年提出的布鲁姆模型[3]，库伯(David A.Kolb)于 1984 年提出的学习循环四阶段的圈层模型[4]，彼得·贾维斯(Peter Jarvis)于 1987 年提出的学习过程模型[5]，金姆(Daniel H.Kim)于 1993 年在已有研究基础上提出的 OADI—SMM 模型[6]，凯根(Robert Kegan)于 1994 年提出学习的五步图解[7]，以及克努兹·伊列雷斯(Knud Illeris)于 2004 年提出学习的整体模型[8]。每一种学习理论模型从不同的视角切入，均有可取之处。其中，伊列雷斯关于学习的整体模型提出的“三个维度”和“两个过程”对构建跨文化统合视域下教师互惠学习的理论模型具有借鉴意义。该学习模型的构建经历了较长的研究过程，通过对学习整体模型发展脉络的梳理，为跨文化统合视域下教师互惠学习寻求理论参考与借鉴。

(一)学习的“三个维度”和“两个过程”

伊列雷斯认为若要充分理解和分析一个学习情境，需考虑主体学习的内容(Learning Content)、动力(Learning Dynamic)和互动(Social Interaction)三个维度。内容包含知识、理解与技能，是阐释功能性的意义能力维度；动力包含动机、情绪与意志，是个体心智与身体平衡的敏感性维度；互动包含活动、对话与合作，是具有社会性的整合维度。参与学习情境的个体间进行外在的社会性互动与内在的心理获得，是外在社会性互动与内在主体建构的统一，这是学习的两个过程。学习的“三个维度”和“两个过程”构成了个体与其所处的情境的交互过程(图 3-1)[9]。从图中可以看出，在互动中存在两个水平，一个是社会水平的环境，位于底端；另一个是个体水平的学习内容与学习动力，位于顶端。个体水平主要由学习内容与学习动力相互作用影响着个体的心理获得过程。个体心理过程与社会环境在交互作用中形成了倒三角的互动模式。倒三角的互动模式又体现出两个相互作用的过程，第一个是个体心理水平上学习内容与学习动力间的作用与影响过程，是个体的内部互动过程；第二个则是个体与社会的相互作用过程，是社会互动过程。因此，可以说人类的学习是包含了社会互动、内容与动力三个维度的两个相互作用的过程组成，同时说明学习总是发生在特定的社会性情境之中[10]。学习的三维模型构建起关于学习的“三个维度”和“两个过程”成为伊列雷斯关于学习的基本理论框架，也是其学习理论模型进一步发展深化的核心思想与理论主线。

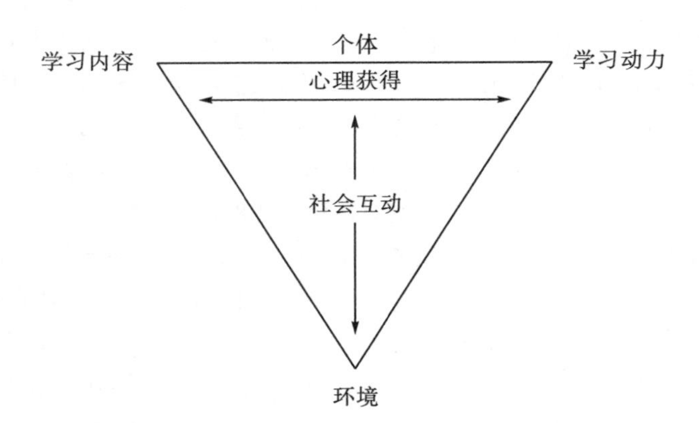

图 3-1 学习的“三个维度”和“两个过程”(Knud Illeris，2004)

(二)复杂学习模型

基于学习具有情境性的隐喻，学习不仅要考虑学习者的实际任务，更应考虑这些实际任务发生的社会文化与历史场景及学习者用于制定意义的工具和中介系统[11]，学习情境是学习的重要组成部分。学习情境具有自然的直接情境与社会性情境的双重性质，自然的直接情境可理解为主体学习所处的物理情境，社会性情境主要是主体学习时与人际交往有关的社会文化情境。而互动则是整体中的个体心理活动的过程，包括个体与情境的社会性互动及与自我的内在心理互动两个互动过程。从而，形成了从社会水平向个体水平互动的正三角形及个体水平向社会水平互动的倒三角形，建构起关于学习的双三角模型，也称为复杂学习模型(图 3-2)。该学习模型提供了个体开展学习的传承视角，更加强调人的互动情境，并赋予自然的物质情境以社会性的烙印，个体无时无刻不卷入与社会文化情境之间的互动之中，但这种互动总是以带有社会性与人际交往性的特质来进行的[12]。复杂学习模型将个体学习的“三个维度”和“两个过程”灵动地表现出来。但是，涉及特定工作场中的个体学习是如何开展的？工作场中学习在个体水平与社会水平分别担任何种学习任务？需要对该学习模型进行近焦式探讨，主要从个体水平上的工作生活中的身份认同学习模型与社会环境水平上的关于学习的工作生活状态模型的双重视角对复杂学习模型进行特定场域中的解构分析。

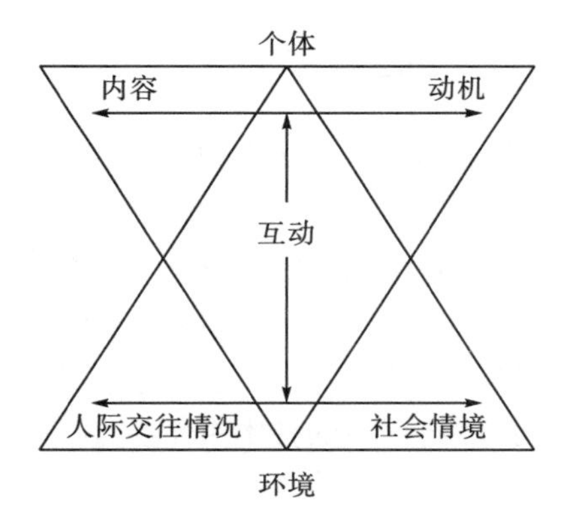

图 3-2 复杂学习模型(Knud Illeris，2010 中文版)

1.工作生活中的身份认同学习模型

将复杂学习模型具体运用到工作场学习中，伊列雷斯认为学习内容与学习动力促使个体水平的内在互动，使个体意识到人的工作生活受身份认同的影响，同时强调学习在建构个体的身份认同中的作用。个体水平上学习内容与学习动力互动中的个体心理获得过程影响着个体在工作场的身份认同，形成了工作生活中身份认同学习模型(图 3-3)。身份认同与一定工作场中的个体经验密切相关，因此，工作生活中身份认同在双重互动中被置于个体水平上(如图 3-3 中的虚线圈)，同时，个体的身份认同又会对个体与社会情境的互动产生或积极或消极的影响。工作生活中的身份认同学习模型为个体进入工作场学习的情感状态进行了理论诠释，分析在工作场中个体的学习动力、学习内容的内在心智获得与加工过程，有利于探析工作场中个体身份认同形成的内在机理。

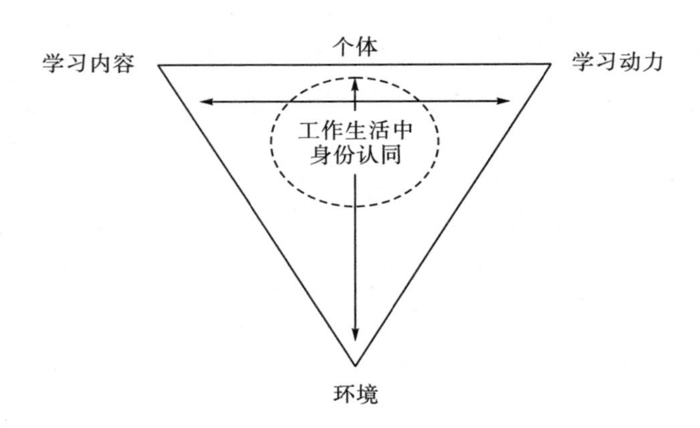

图 3-3 工作生活中的身份认同学习模型(Knud Illeris，2004)

2.关于学习的工作生活状态模型

伊列雷斯指出，在社会水平上，个体学习的工作场环境依赖于宏观意义上的大环境，与社会文化及技术组织的学习环境密切相关，均对个体产生影响。从个体工作生活的角度来看，个体主要的实践活动在特定的工作场进行，这样便可勾画出个体工作实践的主要活动区域，即虚线圈的工作场所实践(图 3-4)[13]。可见，个体的学习是在一定的工作场中发生，受处于社会情境中的工作场的定位与功能的影响，同时受社会互动过程中的技术组织型学习环境与社会文化学习环境的双重影响与制约，也受个体内在互动过程的身份认同与学习动力等因素影响。

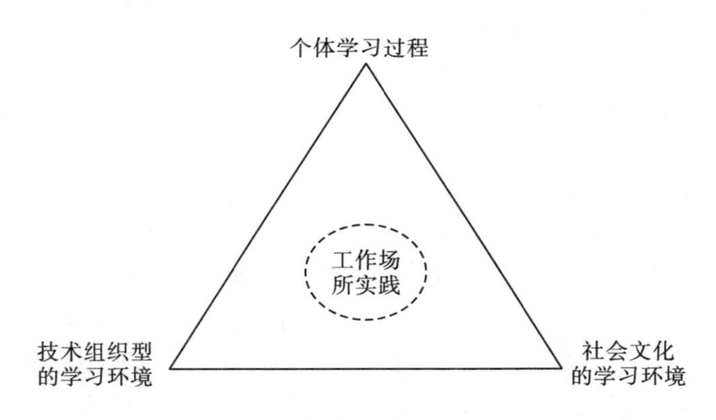

图 3-4 学习的工作生活状态模型(Knud Illeris，2004)

（三）学习的整体模型

伊列雷斯以学习过程与维度架构起的理论框架，从一般学习视角与工作场学习视角共同探究学习问题。作为整体性存在的人，需要对个体与学习相关的经验、动力、身份认同、能力等概念进行整体性考虑，个体的身份认同是在特定工作场实践中产生与形成的，工作场实践的状况会影响个体的身份认同度，两者相辅相成。因此，将个体水平上的工作生活中的身份认同学习模型与社会水平上的工作生活状态模型相互组合，以融合的全视角强调个体工作场学习，构建起学习的整体模型（图 3-5）。该学习模型彰显了两个三角形相互重叠的辩证关系，工作场所实践与工作生活中身份认同两者之间部分交叉重叠，发生互动作用。两者的互动关系赋予交互式学习更多的意义与内涵，双圈交叉重叠之处由于工作场所实践与工作身份认同互动的频度与力度均比较强烈，频繁的互动便产生了普遍关注的焦点式核心学习，而在互动的外围也存在因有限互动而引起的有限学习。不管是频繁互动还是有限互动均与技术组织型的学习环境、社会文化的学习环境及学习者因学习内容与学习动力而产生的心理获得有密切联系。由此观之，伊列雷斯特别强调基于个体之于社会的互动与社会之于个体的互动的融合贯通，实现学习“三个维度”与“两个过程”的高度统合，达成整体学习的目的。

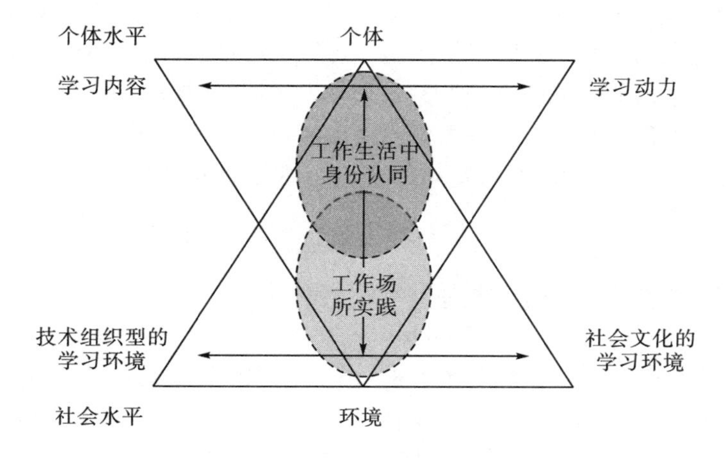

图 3-5　学习的整体模型（Knud Illeris，2004）

伊列雷斯学习整体模型的发展脉络彰显出其对学习研究的持续性、一贯性与继承性。学习的“三个维度”与“两个过程”建构起整个研究的理论框架，是后续学习模型建构的基础，是在一步步深化、理论整合的基础上形成了学习的整体模型。将个体学习置于特定的工作场中，强调个体与环境互动联系的同时，也关注个体的心理加工获得过程。

二、学习整体模型的启示与借鉴

教师互惠学习是发生在特定的社会文化情境中，除需考虑教师在与情境互动中如何学的因素外，还需关注诸如教师为什么学、学什么、学得如何等诸多问题，而伊列雷斯关于学习的整体模型为跨文化统合视域下教师互惠学习理论模型的构建提供研究思路与理论借鉴。

（一）学习的“三个维度”与“两个过程”昭示学习的多因素性

学习不是任一单因素可以促成的，学习体现出多因素的特性。第一，伊列雷斯从互动、内容、动力三个维度论证学习的维度，使个体的学习处于动态、多样、互动的状态，这与教师互惠学习有不谋而合之处。本书力求在开放、动态的跨文化情境中阐述教师学习的互惠性质，这本身便是动态、多样、互动的直观体现。第二，伊列雷斯的学习过程以社会建构主义理论为研究依据，强调外在的社会交互过程与内在的心理建构过程的统一。跨文化统合视角下，教师互惠学习在与外部社会情境进行交互式活动的同时，也进行着内在自我加工建构的心理过程。两个过程在历时性与共时性上的运作可以更好地解释教师互惠学习的生成机制。可以说，学习的“三个维度”是每个学习过程的组成部分，但并未标识每个部分的强度，这便意味着个体根据学习任务的不同，学习组成部分的比重程度会有相应的变化[14]。学习是双向互动的过程，而互动过程在每一学习维度上体现出多样、动态的特性。

（二）学习是情境性的交互过程

学习的情境性在伊列雷斯的学习理论模型中得以生动体现，作为社会性的人，学习不可能离开鲜活的社会情境，个体总是以各种形式与所处的情境发生着密切关系，并同时在一定的学习工作场中塑造自我。知识化技能和身份的发展——人的产生来自于他们在实践共同体中的位置和参与活动之间的长期的活生生的关系[15]。个体在情境性的交互学习中，通过参与活动、对话合作、实践共享达成心理的高峰体验，实现心理获得。在信息化、网络化、全球化的时代，开放、共享不仅是网络虚拟空间的表征，也是现实世界的时代要求。网络虚拟空间与现实世界的社会文化情境有机整合，由此所构成的有别于传统的工作场，以线上线下互通有无的形式关注并影响教师专业发展。跨文化统合视域教师互惠学习聚焦于特定的社会文化情境，不仅需要考虑教师的工作场所对其专业发展的影响，更需要关注学习型组织及社会文化环境对其专业发展的显性或隐性、积极或消极的影响。情境性的互动学习，在一定程度上能有效彰显与表现教师学习的互惠性。

（三）个体与社会互动模式强调互相影响并各有所得

伊列雷斯强调在个体与社会交互作用中，基于工作场所实践展开，工作场所实践中的每一位个体在与组织的互动中达成学习内容与学习动力的内在互动，彰显个体的工作身份认同。这个互动过程强调工作场中个体的双向交往，相互影响。当交往的频度大时，学习的收获就大，反之亦然。在他看来，莱夫与温格的实践共同体更多是一种制度上的规制与外在化要求，而其工作场学习更加强调学习者的主动性，但两者强调成员间在相互沟通、合作、对话与共享中，相互影响与相互促进，这样的学习是互惠共赢式的学习。跨文化统合视域下教师互惠学习不局限于国内，而是扩展到国内与国外相融合的社会文化情境中，在文化对比与审思中关注教师在不同的社会文化情境中的互动样态与心理收获，以此探究互惠学习对教师专业发展的影响。

三、跨文化统合视域下教师互惠学习的“双子塔”模型

伊列雷斯关于学习的整体模型为研究跨文化统合视域下教师互惠学习提供了理论借鉴，使研究在已有基础上有理可依、有据可循。由于研究主旨、研究内容等的差异性，本书对其学习整体模型进行参考性吸收，尝试从学习动力、学习内容、学习互动模式及学习影响等维度构建跨文化统合视域下教师互惠学习的理论模型。

（一）学习动力维度强调教师互惠学习的心理体验

伊列雷斯关于学习动力的描述，论证了学习动机、情感、意志等对学习交互的影响。学习动力是由学习需要、目标、自信心、情绪情感等要素组成的复杂结构，目标是动力产生的源泉与核心，自信心是动力的支撑与调节器，情绪情感是动力的激励与促进器[16]。学习动力是包含学习动机在内的内涵更加深刻的概

念，自信心、情绪情感等心理体验是激发学习动力的重要因素。教师互惠学习不仅强调知识的习得与能力的锻炼，更强调由社会文化情境所彰显的社会历史、文化的心理感知与情感体验。积极的心理体验会激发教师后续学习的动力，而消极的心理体验则会削弱乃至消除教师后续学习的动力。从这一层面来看，学习动力具有激发与维持学习的情感动力作用，而情绪情感的心理体验会对学习产生或积极或消极的影响。教师互惠学习的动力维度从教师开展互惠学习时的心理体验着手，探究当教师与中加两国不同的社会文化场域互动时，因两国文化差异而产生的不同的心理体验对教师互惠学习动力的影响程度有多大，哪些因素影响着教师的互惠学习，教师主要关注哪些方面的学习内容等方面的问题。

（二）学习内容维度关注教师在不同学习场域中的心理习得

考虑到教师学习内容的“场”依存性，内容维度会对教师学习的社会文化情境加以考量。第一，在学习场域上，随着国际交流日渐频繁，教师学习场域的范围不断延展，跨国学习成为一种发展趋势，在平等中相互尊重各国的文化传统，实现世界文化的“和而不同”，这样的理念为互惠学习奠定基础。教师互惠学习有诸多类型，主要以同质性文化学习场域的教师国内互惠学习与异质性文化学习场域的国际跨文化互惠学习为基点，从宏大的社会文化背景上确立教师互惠学习的场域，在两种不同的学习场域转换中达成互惠学习的目的。本书重点关注加拿大与中国两种异质性文化学习场域中教师关注学习目的方面的学习内容，即互惠学习什么的问题，互惠学习内容有何差异，彼此间又有哪些值得共享与借鉴的优秀经验。第二，在学习内容上，两种不同的学习场域会有不同的学习内容，教师在国内同质性文化学习场域中的互惠学习，主要以系统的专业情意培养、专业知识学习及专业能力锻炼为主，强调学习的系统性与整合性；在国外异质性文化学习场域因学习时间等客观因素的局限，教师主要针对某一教学问题而展开“板块式”的深挖学习，强调学习的选择性与兴趣点。中加两国教师的互惠学习内容是在文化对比与文化反思后所进行的选择性吸收与借鉴。最后，教师彼此间在中加两种不同文化学习场域中习得的学习内容借助合作、对话、共享等形式，经由教师主体的反思建构，内化为教师自我的主体认知，不断填充与完善教师的认知结构，实现共进共赢的学习目的。

（三）学习互动模式维度体现教师互惠学习的学习策略

伊列雷斯关于学习整体模型的互动维度，论述了个体在工作场与社会情境开展学习时的两个交互过程，即外在的社会性互动与内在的自我互动。两个交互过程是两种不同的互动模式，不同的互动模式使个体在学习时采取不同的学习策略。教师互惠学习是一种双向互动的学习过程，其互动模式与教师的一般学习有显著的不同，自然引发教师在双向互动过程中采取不同的学习策略达成学习目标。我国有学者认为，教师学习策略是指教师在工作学习的情境下，为了达到学习和发展的目标而进行的各种具体行为操作[17]，互动模式也强调在特定的学习情境中，通过合作、对话、共享等相应的行为操作以实现学习目标，完成学习任务。学习策略与互动模式有着密切的关联，都强调学习情境的重要性，同时均外化为可观测的具体行为，只是在采取何种行为上互动模式给出了更加明确的限定。

教师互惠学习的互动模式主要从宏观视角着眼，寻求中加两国教师互惠学习互动模式的共通性因素，因此，根据伊列雷斯关于互动的“两个过程”勾画出跨文化统合视域下教师互惠学习“台前”与“幕后”的互动模式。互动模式的“台前”主要指外显的能被直接观测到的行为模式(诸如合作、对话、共享)，是个体与社会互动的体现，强调个体的合作实践；互动模式的“幕后”主要指内隐于教师个体内部的行为模式(诸如自主学习意识、反思等)，强调个体的自我反思与内在建构。不管发生于何种文化学习场域中的互惠学习，教师均进行“台前”合作实践与“幕后”自我反思，中加职前教师与中加姊妹校在职教师以观察者与学习者的身份进入两种不同的文化学习场域，进行不同内容的合作实践与自我反思，实现“台前”与“幕后”的高度统一。

(四)学习影响维度表征教师互惠学习历时性的综合体现

学习影响是学习过程的综合性体现，不仅有数据的量化表达，也有行为、人格、气质等心理因素的质性描述。因此，学习影响比学习结果更能说明教师在多场域互惠学习的广度、深度与持久度。由于学习具有迟效性，如果仅从结果方面考虑的话，可能会忽略许多对教师专业发展有价值的信息。为了避免带有绩效目标的量化倾向，尝试用“学习影响”考量教师互惠学习各维度在历时性与共时性上交互作用的表现。教师互惠学习影响是教师在不同学习场域交互学习过程中自然产生的，而不是为了获得某种成绩而诱发的。

教师互惠学习影响关注中加教师在对两国文化差异体验、对比与反思的基础上，考察跨文化互惠学习对“作为人的教师”和“作为教师的人”所产生的历时性的双重影响。跨文化互惠学习对“作为人的教师”产生较为持久、弥散的影响，某些方面的影响可能具有“潜伏性”的特质，这些都将会弥散地影响到“作为教师的人”身上，进而产生综合效应。

综上，构建跨文化统合视域下教师互惠学习的理论模型主要从学习动力、学习内容、互动模式与学习影响四个维度展开，同时需要考虑教师互惠学习的社会文化的情境因素——学习场域。学习场域作为教师工作场的基点，教师的互惠学习离不开特定的学习场域，且学习场域均与四个维度产生联系。教师互惠学习场域的不同，学习内容、互动模式及影响均有所不同。基于以上阐述并结合对质性研究数据的编码分析，构建起跨文化统合视域下教师互惠学习的“双子塔”模型（图 3-6），这一理论模型是本书的总体分析框架。

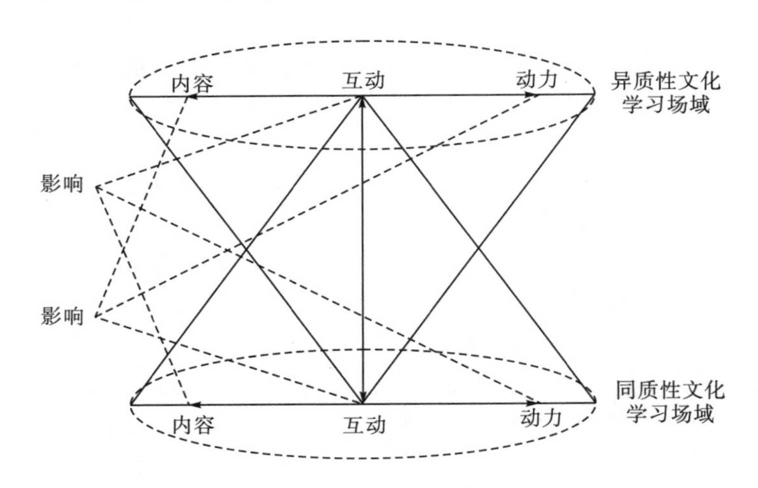

图 3-6 教师互惠学习的“双子塔”模型

在该模型中，同质性文化学习场域与异质性文化学习场域作为“双子塔”的坚实地基，共同支起教师在不同学习场域的互动交流。首先，在同质性文化学习场域中，教师依据学习场域的状态，结合学习内容，激发自我学习动力，进而与外在学习情境发生互动。这里的互动有两个层面，一个是与平面的同质性文化情境的互动，另一个是与立体面的异质性文化情境的互动，两个层面的互动均是外在社会性互动与内在自我建构的统一。教师在同质性文化学习场域中的学习内容、学习动力与学习互动模式共同指向教师互惠学习影响，构成学习模型的一个“塔”。另外，当教师进入异质性文化学习场域中，由于文化差异，教师对学习内容进行选择性学习，在文化反省中激发自我的学习动力，与外界学习情境发生互动。这里的互动依然有两个层面，一个是与平面的异质性文化情境的互动，另一个是与立体面的同质性文化情境的互动，两个层面的互动也是外在社会性互动与内在自我建构的统一，体现出互动模式“台前”与“幕后”相结合的特征。教师在异质性文化学习场域中的学习内容、学习动力与学习互动模式共同指向教师互惠学习影响，构成学习模型的另外一个“塔”。

需要指出的是，学习影响与其他维度处于同等重要的位置，由于对教师互惠学习过程的考量不可能仅仅从数据上进行，而需综合教师外显化的行为与内隐性的意愿、态度、情感等因素，故特意将其设置为塔尖。作为具体的发展中的整体性的人，教师在两种学习情境中所受的学习影响最终将融为合力，促进教师主体的全面发展。因此，本书并不倚重于某一学习场域的单一影响，而侧重分析跨文化统合视域下教师互惠学习所产生的影响合力。

参考文献：

[1]佐藤学. 学习的快乐——走向对话[M]. 钟启泉, 译. 北京: 教育科学出版社, 2004: 19.

[2]Carrol J B. A Model of School Learning[J]. Teachers College Record, 1963, 64(8): 723-733.

[3]Bloom B S. Time and Learning[J]. American Psychologist, 1974, 29(9): 682-688.

[4]Kolb D A. Experiential Learning: Experience As the Source of Learning and Development[M]. London: Prentice-Hall International Limited, 1984: 33.

[5]Jarvis P. Adult Learning in the Social Context[M]. New York: Croom Helm, 1987: 25.

[6]Kim D H. The Link between Individual and Organizational Learning[J]. Sloan Management Review, 1993, 35(1): 37-50.

[7]Kegan R. In Over Our Heads: The Mental Demands of Modern Life[M]. Cambridge: Harvard University Press, 1994: 314-315.

[8]Illeris K. A Model for Learning in Working Life[J]. Journal of Workplace Learning. 2004, 16(8): 438.

[9]Illeris K. A Model for Learning in Working Life[J]. Journal of Workplace Learning, 2004, 16(8): 435.

[10]克努兹・伊列雷斯. 我们如何学习: 全视角学习理论[M]. 孙玫璐, 译. 北京: 教育科学出版社, 2010: 27.

[11]戴维・H. 乔纳森, 苏珊・M. 兰德. 学习环境的理论基础[M]. 郑太年, 等译. 上海: 华东师范大学出版社, 2002: 4.

[12]克努兹・伊列雷斯. 我们如何学习: 全视角学习理论[M]. 孙玫璐, 译. 北京: 教育科学出版社, 2010: 105.

[13]Illeris K. A Model for Learning in Working Life[J]. Journal of Workplace Learning, 2004, 16(8): 433.

[14]克努兹・伊列雷斯. 我们如何学习: 全视角学习理论[M]. 孙玫璐, 译. 北京: 教育科学出版社, 2010: 167.

[15]Lave J, Wenger E. Situated Learning: Legitimate Peripheral Participation[M]. New York: Cambridge University Press, 1991: 52-53.

[16]陈平. 论学习动力[J]. 课程・教材・教法, 2001, (7): 24.

[17]张敏. 教师学习策略结构研究[J]. 教育研究, 2008, (6): 84.

学习源自一种意愿、一项计划，这项计划可能是隐性的，由一种需求、一种愿望或一种缺失而引发……没有动力就不会有学习。[1]

——[法]安德烈·焦尔当

第四章 跨文化统合视域下教师互惠学习的动力

人的任何行为都是在一定的动力系统支配下展开的，学习行为也不例外。教师进行跨文化互惠学习的动力是在各种外在与内在推力作用下产生的。对于职前教师而言，互惠学习动力关系其专业知识的学习成效与专业能力的提升效果，更关乎能否树立终身从教的坚定信念；对在职教师而言，互惠学习动力与其自主学习能力密切相关，促进教师专业发展及学校发展变革。本章将教师互惠学习动力系统置于中加跨文化的社会情境中加以考察，运用深度访谈法、文本分析法等实证研究的方法构建跨文化统合视域下教师互惠学习动力的分析框架，对中加两国的职前教师与在职教师互惠学习动力系统进行质性阐释，并从中得出可供彼此借鉴与参考的建议与思路。

一、跨文化统合视域下教师互惠学习动力的分析框架

学习动力问题一直是教育心理学和教学理论及实践关注的重要领域之一[2]，有研究将学习动力(Learning Dynamic)等同于学习动机(Learning Motivation)，认为学习动力是在自我调节下，个体使自身的内在需要与行为的外在诱因相协调，从而形成激发、维持行为的动力因素[3][4]。学习动力是指个体表现在学习中对认知操作起调控作用的内部力量，是在学习需要的基础上产生的激发学习的各种能量[5]。学习动力除由内在的本能、驱力等需要的满足引起外，还由情绪、情感、态度等更深层的心理品质激发。随着国际教师教育的大力推进与国际教育交流的日益密切，跨区域、跨国家的教师互惠学习逐渐成为理论研究与实践探索的重要议题之一。在文献梳理的基础上，对中加两国的职前教师与在职教师主要从内部动力的情感动力与内在动机、外部动力的文化动力与附属动力的两个层面四个维

度构建跨文化统合视域下教师互惠学习动力的分析框架，并确定教师互惠学习动力的研究问题。

（一）文化动力是探讨教师共同理解的跨文化动因

文化有广义与狭义之分，广义的文化通常是指人类社会发展过程中创造的一切物质财富与精神财富的总和；而狭义的文化主要侧重于精神财富，一个民族区别于另一个民族的标志，是这些民族生活中不可或缺的全部内容[6]。文化在推动民族进步、社会发展中的作用不可低估，党的十八大以来，我国坚持文化强国的发展道路，树立高度的文化自觉和文化自信，努力实现中华民族伟大复兴，这便是文化发挥的动力机制。

对文化动力的研究主要从政治学、经济学、符号学等学科领域展开。首先，在政治学领域，相关研究以马克思主义社会发展动力理论为基础，剖析精神文化对政治、经济的强大反作用与文化动力逐渐增强的发展趋势，认为文化动力是人的精神领域的活动及其成果对社会的发展与人类进步所表现出向前的推动力量。在性质上，文化动力具有向前的特点；在存在状态上，文化动力相对于物质性力量而言具有持久的特点[7]。政治学领域的文化动力理论主要强调文化交流、发展在社会建设、民族进步与国家富强等方面的重要作用，这一领域的研究对促进民族文化自信与文化繁荣具有不可推卸的责任。其次，在经济学领域，主要将文化动力用于农村建设、城市发展[8]等范畴的研究，提出经济文化全球化的时代，通过对科学文化的崇尚，构建先进文化的友好环境，关注人的素质的培养和提高，加强文化动力在对整个经济社会快速发展的直接推动作用，进而提升国家经济的国际竞争力。经济学领域的文化动力理论主要强调文化在推动区域经济发展中的经济功能，在社会经济转型期，强调文化动力的经济功能有利于提升国家经济的发展内涵与持续力。最后，在符号学领域，学者们主要秉持“在文化扩散中，语言是一个关键因素[9]”的一致性观点，语言作为一种交往符号，是符号学的研究对象之一，但符号学并不首要关注语言符号本身的意义，而更关注内部符号系统与外部社会文化情境间的关系[10]，即个人自我系统与社会文化系统的关系。俄国著名符号学家尤里·洛特曼认为，文化互动表现为个人或局部的对话，但却离不开民族文化符号域的互动，符号域是文化个体存在和活动的根本与支撑，超越符号域既无文化语言，也无文化交际[11]。可以看出，符号学关注两个层面的文化互动，一个层面是个体接受到文化所承载的符号使其进行内在认知的自我建构；另一个层面是自我在进行社会活动时，运用其形成的内在符号系统与外界社会环境展开文化互动。这与本书的研究思路有密切的关联，因此，本章内容主要以符号学意义上的文化互动作为教师互惠学习动力的理论参照，借以说明教师互惠学习的动力结构系统与机制。

生活在一定社会历史文化情境中的个体，总是带有该情境所特有的文化特质，教师也不例外。符号学视角的文化互动为教师互惠学习动力打开了理论视界，将教师学习互惠交流的过程视作符号的意义交流过程，由于符号所代表的文化意义在不同的社会文化学习场域有着不同的含义，因此，随着学习的社会文化场域的变化，其交流的符号所承载的意义与作用也有所不同。首先，同质性文化学习场域由若干不同的亚文化学习场域构成，如区域文化、学区文化、学校文化、班级文化等，教师在学习共同体中进行互惠学习时，是相应文化的代言人，以文化的符号化形式与外界社会进行沟通与合作交流，并将从外界接收的文化符号经自我反思而进行认知的组织性内化。在同质性文化学习场域中，教师间几乎没有语言符号的障碍，交流相对较为顺畅，易于达成理解，形成互惠学习的阻力相对较小。其次，异质性文化学习场域由于国别教育体制、政策制度、文化历史等均存在显著差异，教师刚进入这种场域时，会有不可阻挡的文化冲撞，语言作为符号学意义的交流工具在这里发挥重要的交际功能。在异质性文化场域学习的动力主要源于教育差异的对比、借鉴与宣传，在反思中寻求专业发展的生长点，通过相互探讨、对话、共享，树立文化自觉意识，养成文化自信，建构起共同的文化基础，进而实现互惠学习的目的。若想在异质性社会文化场域实现真正意义的互惠学习，须摒弃文化优劣之分的偏见，树立每种文化均有可取之处的文化观念，以平等、开放的文化心态相互学习、共同进步，达成文化理解与共识。

（二）情感动力阐明教师互惠学习的心理持续

“情感”是一种人的心理过程，是个体在社会化过程中逐渐产生的对客观事物所形成的态度与体验。情感具有积极与消极两极性，积极的情感对个体的活动具有动力作用，消极情感则具有阻碍作用[12]。早在 20 世纪初情感具有动力特性就得到了心理学家的认可，汤姆金斯认为只有经过情感这一媒介放大的生理需要才能驱策个体的行动[13]，使个体的行动朝向自我期望的情境，以接近或作用于那些实际上带有积极或消极作用的情境[14]，使人产生愉悦的情感体验或愤怒的情感体验。愉悦的情感体验会促动下一次的行为，而个体为了逃避再一次产生愤怒消极的情感体验则会远离或中断后续的行动。人类行为的趋利避害性与情感的动力性相一致，情感的这种动力特性为人类行为提供了或趋或避的最终驱动性力量，是情感与社会行为关联的重要基础[15]。

目前，相关研究主要关注爱国主义教育、课堂教学等学科领域的情感动力。首先，在爱国主义教育中，情感主要被限定为爱国主义情感或马克思主义信仰[16]，是一种积极向上的动力，爱国主义情感与马克思主义信仰的落脚点统一为爱国主义教育，通过这样的情感培养，使青年一代拥有热爱人民、热爱祖国的高尚情怀，树立为人民服务、报效祖国的奉献精神，践行自立自强、团结奋进的爱国行为。其次，在课堂教学上，诸多的研究借鉴苏霍姆林斯基对情感动力的研究成果，主要的研究视角从培养学生的情感动力着手[17][18]。苏霍姆林斯基将情感动力作为和谐教育的重要支柱，要求教师关爱学生、尊重学生、信任学生。相关研究看似在关注学生，实则强调教师的专业素养，特别是道德素养。为了维持与激发继发性的学习行为，学生不仅需要有积极的情感动力，教师同样需要积极的情感动力。

情感在个体学习与自我认知中具有重要作用，人们总是基于特定的社会文化和精神情境对情感达成理解，通过学习和文化适应，建构自我对情感状态的意义，反映了人们在试图理解其所处的情境时运用到的文化意义系统的各个方面，也使人们了解到自身和外部更为宽广的世界[19]。学习情境具有心理性，学习情境不仅是物理性的自然存在，更带着当地历史、文化的印记，成为影响个体学习行为的心理性因素。当学习者进入某种学习情境，对学习情境的心理体验使其总会带着某种情感倾向选择积极或消极的学习态度，并做出与此相应的学习行为，学习行为最终会影响下一次学习的心理准备状态(图 4-1)。

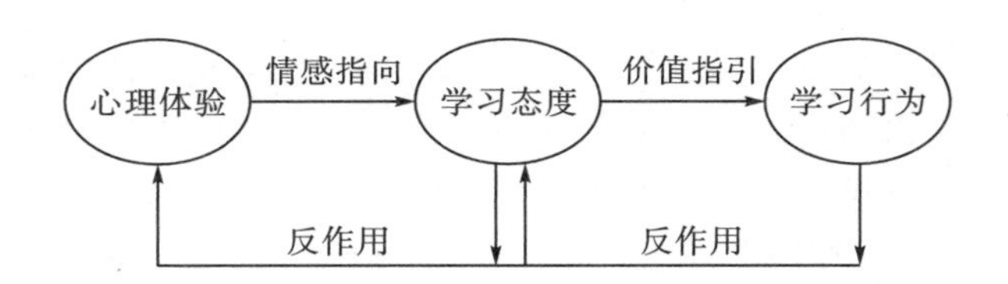

图 4-1　心理体验、学习态度与学习行为的循环图

教师的互惠学习，不管是发生在同质性文化学习场域还是异质性文化学习场域，均会对学习场域中的心理性情境产生积极或消极的心理体验。在异质性文化场域中所带来的文化冲击感使其心理体验更强烈，当教师在学习场域中感受到互帮互助、团结协作、合作共享的友好心理氛围时，便有利于教师产生积极的心理体验，体验中带有积极情感与认知的因素一起，形成主动向上的学习需要与态度，带有行为倾向性的学习态度在一定的价值指引下产生自我导向的学习行为；反之亦然。这种积极或消极的学习行为对教师下一次学习的心理准备状态具有心理暗示的作用，积极的学习行为使教师更倾向于主体间的互惠学习，易形成积极的情感，产生积极的心理体验与学习态度，积极的学习态度在一定程度上又会强化积极心理体验的生成，长此以往便形成了教师互惠学习的良性循环。而消极的学习行为激发的消极学习心理体验与学习态度，则易使教师对互惠学习产生躲避心理，不利于教师互惠学习的长期持续开展。

(三)自我导向学习揭示教师互惠学习的内在动机

20 世纪 60 年代美国学者赛瑞尔·霍尔(Cyril Houle)通过谈话法了解成人参加继续教育的学习动力，据此将成人学习动机分为目标指向的学习动机、活动指向的学习动机及学习指向的学习动机，形成了定向理论[20]。加拿大学者艾伦·塔夫(Allen Tough)在美国学者赛瑞尔·霍尔对成人学习动机研究的基础上，提出了“自我导向学习”的概念，指由学习者制定计划和引导学习活动的自我学习过程[21]，强调学习者的学习主体性与动机维持的持久性，他们有权决定自己的学习内容、学习进度与学习方法及策略。到 70 年代中期，美国成人教育学家马尔科姆·诺尔斯(Malcolm S.Knowles)认为成人具有自主学习的意识与需要，学习由内在动机驱动，成人主要以问题为中心进行学习，倡导自我导向学习(Self-Directed Learning，SDL)[22]。自我导向学习实际上是一种由学习者在别人帮助下或自我主动达成学习目标的活动过程，在这个过程中，学习者可以自己拟定学习目标、确定学习需要和兴趣、寻求学习资源、选择并实施适合于自己的学习策略，并评价最终的学习效果[23]。20 世纪七八十年代，西方国家掀起了自我导向学习理论研究的热潮，自我导向学习理论日益成为成人教育学领域关注的重要议题，更加关注自我导向学习的理论模型构建，强调学习的情境性因素，如丹尼斯(Danise)、梅里安和凯芙瑞拉(Sharan B.Merriam & Rosemary S.Caffarella)、格罗姆(Grow)等。哲学取向的不同产生了不同的自我导向学习目的，持人本主义哲学观的自我导向学习致力于发展学习者的自我导向能力；批判主义哲学观强调对学习者批判性反思的培养，促进质变学习；持激进哲学观的学者认为自我导向学习的主要目的在于促进解放学习和社会运动[24]。人本主义哲学观的自我导向学习强调学习者对学习的自我导向需求与动机，目的在于通过自我导向学习与社会情境互动达成自我实现。本章主要以人本主义哲学观的自我导向学习为理论依据，探究教师互惠学习的内在动机与持续动力。

成人的学习动机主要来自自我内部而非外部、独立的自我概念并能指导自己的学习、学习主要以问题为中心、以丰富的经验作为学习资源并能激发对即时知识的兴趣、学习需求与变化着的社会角色紧密相关、以问题为中心的学习方式六个显著特征[25]。由此看来，自我导向学习的学习者为了有效实现学习目标，需积极主动地投入学习中，尽量避免外界环境的干扰，学习者肩负起自我学习与自我发展的重任。成人学习者的自我导向学习强调主体的动机、需要、反思等内在因素，但并没有忽略与外界学习情境的交互，在寻求外界学习资源、调控自己学习进程的过程中，学习者无时无刻不与外界环境发生着作用与反作用的交互运动。可见，成人的自我导向学习具有目标导向、行为调节、过程灵活、自我反思的特性。

教师作为成人学习者群体，自我导向学习引发教师学习范式的转型，教师的学习不再是外部行政式的强加，而是基于自我发展需要、由内在动机激发的学习。而教师互惠学习是教师学习的一种特殊形式，教师在与他人合作、共享中实现共生发展，这一过程看似不需要教师内部动机的调控，但正是由于教师内在动机的持久保持才使教师互惠学习得以有序开展。教师互惠学习是自我寻求意义的过程，虽然寻求意义是一种个人行为，但个体学习的真正价值在于共同协作以达致意义的共享[26]，寻求意义以达共享体现了互惠学习的内涵实质。多场域中教师互惠学习具有主体性，每一位在场的教师均为学习主体，自我的主体性在互惠学习中备受关注，要求每一位参与其中的教师都是学习的“在场者”，均与学习情境及自我发生着交互式联系。教师自我保持高涨持续的内在动机，激发自我学习的主动性、积极性，提升即时性反思与继发性反思的能力，使自我能更好地投入互惠学习中来，这样的学习便是由内在学习需要与兴趣引发的积极主动的状态，使教师保持持久的学习动力。

关于学习，需要以整体的观点将动力维度视为学习中重要的、不可或缺的要素[27]，学习动力与学习情境、内容等维度密切相关。我国学者认为，学习动力包括学习价值、学习计划、学习动机、学习意志、学习的自我效能感和学习压力等[28]。因此，在国际交流的跨文化情境中教师互惠学习动力主要来自两个层面四个维度，即内部动力的情感动力与内在动机及外部动力的文化动力与附属动力。情感动力主要揭示教师参加跨文化互惠学习的心理状态，涉及教师学习的情绪、意志、态度等方面的内容；内在动机涉及教师学习的目标导向、学习行为调节、学习兴趣激发等主体性因素；文化动力主要是教师在进行跨文化互惠学习时，由外在性的政策环境、差异性的文化传统等所引发的学习动力；附属动力主要是为了获得外部的认可或肯定而进行学习的动力。情感动力与内在动机是内部动力，有学习动机、学习兴趣、学习情感与自我专业发展需求等方面的内容；文化动力和附属动力是一种外部动力，教师学习会受到他人(父母、教师、同伴)、文化情境等外部动力的影响。对职前教师与在职教师的跨文化互惠学习动力差异性分析，探究其中的异同，形成跨文化统合视域下教师互惠学习动力的分析框架(表 4-1)。

表 4-1　教师互惠学习动力的分析框架

维度		职前教师	在职教师
内部动力	情感动力		
	内在动机		
外部动力	文化动力		
	附属动力		

本章主要聚焦于以下四个问题：①中加职前教师跨文化互惠学习的动力分别有哪些？②中加在职教师跨文化互惠学习的动力分别有哪些？③中加职前教师与中加在职教师互惠学习动力有何差异？④中加教师的互惠学习动力与其专业发展有何关系？

二、跨文化统合视域下教师互惠学习动力的质性阐释

学习动力有内部动力与外部动力之分，职前教师学习的内部动力主要包括自身需要、学习目标、自我效能感、对成绩的归因及学习兴趣等；外部动力主要包括师范教育政策、家庭条件、奖惩制度及人际关系等[29]。学习的内部动力中的自身发展需要、学习目标与学习兴趣等为职前教师的内在学习动机，自我效能感与对成绩的归因等是职前教师进行学习的情感动力；学习外部动力中，师范教育政策与家庭条件是学习的文化动力，奖惩制度与人际关系是学习的附属动力。教师的学习动力由内外部多种因素引起，中加两国职前教师与在职教师的互惠学习动力有所差异，通过对访谈资料的二次编码与整理分析，对中加两国职前教师与在职教师互惠学习动力进行质性阐释，表征中加两国职前教育与在职教师互惠学习动力的真实样态。

(一)职前教师的互惠学习动力

职前教师参与国际教育交流的互惠学习，洞悉其在宏大的社会文化情境中的学习状态，分析职前教师由学习动力而引起的专业信念与学习行为。跨文化统合视域下，中加职前教师互惠学习动力主要由专业动机、构建“关系”、创造“可能”等内部动力与外部动力引起。

1.专业动机驱动下的互惠学习动力

不同的需要导向不同的动机和行为，职业生活中人需要的满足依赖于职业动机的程度，动机对职业活动的调节具有启动与激发的作用。就教师而言，教师专业动机是教师专业发展的内在驱动力，激励、维持甚至决定着教师认知与行为等方面的发展[30]。教师进行职业选择的外部动机与内部动机对其专业发展产生不同的激励作用，彰显出不同的学习动力。

首先，职前教师互惠学习动力源自内在强烈的专业动机。立志从教的专业理想与信念是职前教师选择教师专业的重要因素，在强烈的专业动机驱动下，职前

教师保持持久的学习动力，进而影响其专业信念与专业行为。“初中时立下的教师梦是我专业前行的最大动力，我的目标是成为一名优秀教师，所以我认真学习专业知识，与老师和同学主动沟通与交流，夯实自己的知识基础，锻炼专业能力。这次的交换互惠学习对我成为优秀教师有重要的引导。我每天会把自己的学习状态调整到最佳，像一块永远吸不饱水的海绵，总是能从老师的言行举止中得到很多启发”(PT1-20150904T①)。在“教师梦”的专业理想驱动下，激发起PT1教师强烈的专业动机，使其表现出主动的学习意愿，不管是在国内同质性文化学习场域还是在国外异质性文化学习场域，PT1 教师均能保持强烈的学习动机，目标明确地进行专业知识学习与专业能力锻炼，不断提升自我的专业素养。

其次，“重要他人”的正向影响使职前教师主动学习以提升自我的专业素养。教师的“重要他人”是对教师专业信念等专业素养具有重要影响的个人和群体，对教师专业成长有着直接或间接的推动作用[31]。“我的爷爷是教师，他把爱洒向每一个孩子，让我从小感受到教师职业的神圣。我受爷爷的影响也选择了教师职业，我积极与外界保持联系，彼此在沟通中共同成长”(PT3-20150429T)。“我的小学老师对我的影响非常大，使我喜欢上教师这个职业，并立志从教。我积极地在学习中汲取对我专业发展有用的知识”(PT5-20160418T)。PT3 和 PT5 两位教师均受到“重要他人”的积极影响，从小树立起坚定的专业信念与高远的专业理想。为了实现这一专业理想，他们在专业发展中保持着持久的学习动力，在互惠学习中获得有益的专业养料，逐渐树立中西贯通的跨文化意识与兼容并蓄的国际理解能力。

最后，教师外部专业动机在互惠学习中逐渐内化，激发和维持教师的学习动力。“内化”是在由非内在动机激发的活动中，个体对外在价值的有机吸收，是个体将外部要求或态度转化为个体接受与认可的价值的过程，是一种积极的自我调节[32]，这种内化有利于外部动机向内部动机的转化。“最开始选报师范专业，是因为觉得有假期、社会声望好。但在我学习中，特别是跨文化互惠学习后，我觉得自己之前的想法过于肤浅，教师需要对教育、对学生的爱与责任，爱与责任实际上是教师‘专业修行’的过程，教师需要在持续不断的学习中积累与获得”(PT2-20150904T)。PT2 教师在职业选择初期以外部专业动机为主，主要是一种附属动力，为了获得某种声誉或利益。但在持续不断的学习中，逐渐意识到教师专业的重要性与神圣性，由外在动机逐步转化为指导自我行为的内在动机，保持主动的学习意愿与持久的学习动力，积极地与他人合作、沟通，实现互惠发展，共同成长。

① PT1-20150904T 中，20150904 表示访谈时间，T 表示访谈资料(下同)。

2.构建“关系”的互惠学习动力

互惠学习中，教师及与之密切相关的主体和客体间形成了一系列错综复杂的关系[33]，在这错综复杂的关系中教师不仅与其他主体构成多元的人际关系，也与社会文化情境构成特定的文化关系。“关系”意味着对特定社会文化情境中的人—人关系、人—物关系的把握，蕴含文化与情感的要素。对于教师互惠学习而言，具有情感动力与文化动力的调节作用。

首先，就“关系”所彰显出的文化动力而言，跨文化互惠学习使职前教师有机会进入全新的学习场域，亲身感触异国的文化传统与教育体制，使其在文化对比中，以平等、包容的姿态相互学习、取长补短、求同存异，并在此基础上确定专业发展目标，进行合理的专业发展规划。“参与互惠学习的初衷主要是为了更好地了解中国教育状况，体验中国的悠久文化历史传统。我们参观与感受了蚕学宫、茶馆、书法社、歌舞剧等，被其深厚的文化底蕴所感动，我深深地被中国文化吸引，打算以后来中国任教”(PT4-20150507T)。“为了体验中国文化”是PT4 教师参与跨文化互惠学习的动机，而推动其持续、深入学习的则是因文化魅力而带来的强大动力，并且使其树立了来中国从教的信念与专业规划。这里，教师与文化相遇，教师在体悟与反思中，与文化情境中的主体相互沟通彼此文化间的异同，与文化构建起一种特殊关系，这种关系为教师提供学习的动力，并且使其根据文化兴趣，有针对地选择学习内容，对其专业发展产生积极的影响。

其次，就“关系”所彰显的情感动力而言，情感以人际关系为纽带，和谐的人际关系有利于人的积极情感表达，而积极的情感表达以平等合作为基本前提，这有利于情感动力激发和维持。跨文化互惠学习使职前教师在平等、包容的文化氛围中与指导教师、学生及同伴建立和谐的人际互动关系，使其以积极的文化体验与主动的学习态度开展合作、对话与共享，这个过程表现出学习主体的积极情感。在积极情感驱动下，职前教师具备强烈的学习动力与意愿，“在国内学习和加拿大学习，我都积极参加各种讲座，这不仅能开阔眼界，获得知识，更能认识更多的人。我会与之建立良好的关系，在向他们了解经验的同时，把我国优秀的经验向他们宣传，这样的学习方式很好”(PT7-20160418T)。“认识更多的人”是 PT7 教师参与跨文化互惠学习的动力之一，从这一层面将“学习”理解为始于关系的建立一点也不为过。教师在寻求“关系”中获得学习资源与专业提升，并在“关系”中逐渐由“我—你”“我—他”等疏远关系转向“我们”的亲密关系，这种人际互动关系是带有情感的互动关系。带有情感的人际互动关系是相对持久的人际关系，为教师互惠学习提供充足动力，促使职前教师在人际互动中合作、对话、共享与互惠，实现彼此专业素养提升与自我效能感增强，有利于职前教师专业自信的提升。

3.创造“可能”的互惠学习动力

人的存在是一种可能性存在，人存在的意义在于扩大与实现其可能的发展空间[34]。终身教育理念指导下，人是一个没有完成而且不可能完成的东西，他永远向未来敞开着大门，现在没有，将来也永远不会有完整的人[35]。“永远不会完整”使人不断追求超越自我，激发生命潜能。人作为生命主体存在，其潜能是无穷的，需采取合适的方式予以挖掘。外界各种强硬规约对潜能的激发无疑是不利的，基于兴趣通过深层次的心灵互通才能更好地实现人的潜能。在西美尔关于“生命比生命更多”[36]的哲学命题中，教师作为未完成的发展中的个体，具有诸多的发展可能性。

首先，对职前教师个体而言，处于专业发展的职前阶段，有着无限发展可能。“参与、合作、反思是学习关键词，参与、合作可以使我用心观察哪怕是看似极为平常的事件，反思使我对这些看似平常的事件进行深层次思考，获得更多的信息。在参与、合作、反思中提升学习的空间，并使我体悟到‘教育’的真正内涵，为自己的发展创造诸多可能性”（PT6-20160418T）。合作式参与和自我反思是职前教师基于兴趣的互惠学习，兴趣使其对某一教育疑惑进行深入思考，并与其他专业知识相联系，构建专业知识与能力的整体性图式。整体性图式使教师能灵动地融入某一社会文化学习情境中，并对其作出积极的回应，激活自我与他人的学习潜能，实现学习的整合效应。

其次，对职前教师群体而言，职前教师个体的发展状况影响职前教师群体的学习氛围与发展方向。“我们会与中国指导老师沟通感兴趣的问题，并对此进行深入探讨，我们的学习积极性都很高，一方面是因为对知识本身的兴趣，另一方面是基于我们自身专业发展的需求，使我们更加明白‘想成为什么样的教师’，这样的目标对于我们的学习具有激励作用”（PT3-20150429T）。目标具有行为导向的功能，“成为什么样的教师”作为一种发展可能性为职前教师专业发展提供了蓝图与参考，使职前教师群体为确立的专业目标与理想而努力奋斗，增强学习的动力与信心。创造“可能”是职前教师参与互惠学习的专业动力，认识到人的未完成性及教师的发展性与超越性，树立合理的专业理想，并积极主动地学习以实现自我的专业理想。

因此，在教师个体层面上，“具体的个人”层面的教师发展意味着教师是全面的人，是处在各种环境中的人，是担负着各种责任的人[37]。教师个体的整个职业生涯是不断追寻与发现生命的意义与价值的过程，这一过程是创造“可能”并实现“可能”的过程。职前教师在与他人的合作、对话、共享中通过感性认识与理性思维来认知自我内在生命存在的价值意义，对自己提出更高的要求，促使其主动地进行互惠学习，不断提高自身的专业化水平、提升个体生命质量。这一过程中，职前教师的学习状态逐渐从“自发”到“自觉”、从“自在”到“自为”、从“被动”到“主动”转变，在合作共享中体会学习的乐趣，彰显职前教师专业发展上的动态性、开放性与互惠性。在教师整体层面上，作为具体个人的教师的发展是整体教师队伍发展的基础，职前教师整体意识到生命存在状态与生命价值的意义能更好地激发职前教师整体的学习动力，使整体主动地投入到互惠学习中，推进职前教师整体培养质量的全面提升。

(二)在职教师的互惠学习动力

在职教师因具备一定的教学实践经历，其学习方向更加明晰，学习动力更加强烈，更符合成人自我导向学习的特点。在职教师的互惠学习动力主要有三种取向：第一种为发展取向，这一取向下教师关注自我与学校的发展，具有较强的学习内在动机、情感动力与附属动力；第二种为问题取向，这一取向下教师基于自我兴趣，关注教学实践问题的有效解决，受内在的情感动力与内在动机的驱动；第三种为文化取向，这一取向下主要在于开阔国际视野和营造跨文化氛围，文化动力与附属动力的外部动力相对较为凸显。

1.发展取向下的互惠学习动力

人的本质特征在于人始终具有一种基于现实又超越现实的指向性，现实存在的一切永远不能满足人，人永远要去改变它[38]。人的超越性为教师专业发展提供了理论基础与依据，也为教师持续的学习动力激发提供现实依据。教师专业发展中的主体是生存于现实生活中的生命主体，这一生命主体同时也应该具有不满足于生存现状的心理倾向性。这种心理倾向性是人的需要产生的前提，马克思、恩格斯曾经把人的需要划分为生存需要、享受需要和发展需要三大层级，三者密切联系在一起，构成了人性的实质内容[39]。但教师专业发展不能仅停留在生存需要与享受需要的满足上，教师总是在合作、对话、共享中促进自我提升与成长，构建专业完整性，实现学校的发展与变革。

首先，就在职教师个体发展而言，教师意识到专业发展不是一蹴而就的阶段性发展，而需要树立终身学习的理念，持续学习，逐步发展。“我喜欢教师这个职业，在教学实践中发现自己知识上欠缺的东西比较多，促使我下定决心学习各种专业知识。互惠学习本身也要求我们在不断的学习中进行交流，这是推动我学习的外力。当然，参与跨文化互惠学习为我提供了比较好的专业发展平台，工作能得到更多人的肯定和认可”(T5-20141015F①)。这里有两种动力推动 T5 教师

① T5-20141015F 中，20141015 表示日志写作时间，F 表示反思日志(下同)。

参与互惠学习，分别是自我的内在动机和外在的附属动力。内在动机是教师主动学习的原动力，是教师对自我专业“缺陷”有所觉知时而激发出的学习动力。在这一学习动力驱动下，教师能积极主动、自觉地与他人相互学习，在共生共赢中完善专业知识结构。附属动力是教师专业发展中所必要的外在动力，必要的附属动力能使教师维持相对高的学习动力。T5 教师为了获得更多人的肯定与认可，主动地与他人沟通、对话，并对相关问题进行深入反思，虽然这一互惠学习动力来自外部，但其在必要的时候能成为激发教师学习的动力。

其次，就学校发展而言，教师间合作以校际合作为依托，在促进自我发展的同时推动学校的变革性发展。“加拿大的多元文化使我们关注不同学生的多元需求，校本课程正好能满足我们这一需求。我想通过跨文化互惠学习为孩子们打开一扇窗，让他们了解大洋彼岸的真实的中国，也想让社区、家长见证孩子与学校的变化”（20150423G①）。视频会议中的这位加拿大教师的互惠学习动力主要来自学校发展，如何结合学校实际构建立足于学生感兴趣的校本课程，需要校长与教师共同学习与研究，使身在学校中的师生能有积极的文化与情感体验，构筑起文化与社会的新关系[40]。教师互惠学习的内在动机是为了学校的发展与拓展学生的视野，这一动力下带有一定的文化因素与情感体验，使学生在中西方文化碰撞与交汇中学会理性判断与选择，培养学生的跨文化意识与国际理解能力。其附属动力是为了获得来自家长和社区对学校行动的肯定与认可，这是教师学习的外部推动力。全球化背景下教师不仅致力于学生的发展与学校变革，更在于努力构筑学校与社区、与社团机构及与更宏大的全球性的校际关系，并在这种关系中谋求共同发展与共生共赢。“我们学校有着 100 多年的办学历史，我们需要对之前开发的校本课程进行修订，开发出更具时代特色与国际视野的校本课程成为我校发展的重要举措，这促使我们学校与加方学校建立互惠共赢的姊妹校，同时，也希望借这一契机，提升我们学校的办学实力，得到政府、社会和家长更大程度的认可与赞许”（T7-20160419T）。T7 教师同样是立足于学校发展的高度激发其互惠学习的动力，并在教育实践中与本校教师及加拿大姊妹校教师共同研讨、学习与共享校本课程的素材，寻求彼此间合作的契合点，使学生通过该课程生动地了解中国传统文化与两国文化的魅力，理性认知加拿大的风土人情。同时，T7 教师欲借助互惠学习提升本校的办学实力，提高教师专业素质，并获得政府、家长等社会各界的肯定。立足于学校实际，开发适合学生的校本课程，借此提升教师队伍的整体水平，并获得一定的外部认可是教师在学校发展层面的互惠学习动力。

① 20150423G 中，20150423 表示参与中加姊妹校视频会议时间，G 表示研究者参与观察(下同)。

2.问题取向下的互惠学习动力

问题取向下的教师互惠学习主要以解决教学实践中的具体问题为驱动，问题取向下的互惠学习是一种基于问题的学习(Problem-Based Learning，PBL)，也称为“问题式学习”“问题本位的学习”“以问题为基础的学习”等，是以问题为基础开展教与学的一种学习模式[41]。以问题为导向的学习因明确的目标性，更能激发学习者的学习动机与意愿，使其积极主动地投入学习活动中。教师互惠学习在一定程度上源于教师教学实践中产生的问题与困惑，教师教学实践中的问题与困惑主要有两类，一类是一般性教学问题，另一类是具体学科教学问题，两类问题相互交融于教师的教学实践，激发教师改进专业自我的动力与意愿，促进教师专业发展。

首先，就一般性教学问题而言，教师主要对带有普适性规律的问题有疑惑，激发教师向外学习的动力。一般性教学问题是教师在教育教学实践中所遇到的所属领域的一般性问题，诸如什么是好教师、如何进行课堂管理、“问题”学生教育、校本课程开发、教学评价等带有普适性规律的问题。这些问题激发两国教师互惠学习的积极性与动力，通过合作、对话寻求彼此间教学的共同点与差异。共同点是连接彼此的基点，差异是激发彼此间相互学习兴趣的原点，这两个因素促使双方在求同存异中实现互惠成长。以“‘问题’学生教育”的一般性教学问题为例论述教师互惠学习动力调节。“‘问题’学生的产生都有一定的原因，或因家庭教育缺失，或因社区环境的消极影响等，有些家庭对孩子很不重视，但老师不能放弃学生，理解和鼓励是最好的行为改变方式。比如，学生做完作业就奖励他们玩一小会儿游戏，使其慢慢喜欢做作业。现在班里学生的行为习惯比我刚接手时改观很多，这让我很欣慰。如何对‘问题’学生给予更好的教育促使我不断地学习与思考，我和交换生及中国教师深入地交流了关于‘问题’学生的教育策略，不同的文化、不同的班级有不同的状况，但我觉得对学生的理解与爱是两国老师的共性”(T2-20150509T)。如何对“问题”学生采取合理的方式进行教育，是T2最开始接手该班时面临的痛苦与挣扎，为了改变学生现状，T2产生了进一步学习的动力。在与本国同行、中国交换生及在职教师等群体的长期沟通交流中，结合自我的实践性反思，寻求到合适的教育方式。教师学习目的性强，以解决问题的有用性与实用性为价值判断与行为取向[42]，教学实践问题促使教师互惠学习动力体现出外源性与内生性相结合的特点，教师学习的自主性、积极性与目的性得以提升和增强。

其次，就具体学科教学问题而言，教师的问题主要集中于对情境性意义的具体学科，教师通过学习其他教师可视化的学科教学策略，改进自己的学科教学。具体学科教学问题是教师就某一具体学科的教学实践所遇到的特殊性问题，诸如如何让学生学好加法运算、怎么激发学生对科学知识的兴趣、学生如何学好语言、如何加强学科知识与生活知识的密切联系、如何进行心理健康教育等关于特定学科领域中的教学问题。互惠学习为教师解决具体学科教学问题提供了互相学习、取长补短的平台，激发教师理性审视自己的教学优势，并学习其他教师好的方面。“英语教学在第一语言国家开展得很顺利，但在把英语作为第二语言的国家进行教学时，就遇到了诸多困难。我积极地与中国英语教师合作沟通，分析第二语言教学的困惑与解决方式，以此提高学生的语言表达能力……”(T1-20151118T)。T1 教师参与互惠学习的初衷是为了提升英语作为第二语言的教学能力与学生的英语语言表达能力，这一初衷促使其产生强大的学习动机与情感动力，主动地与英语教师、学生等主体积极互动、合作共享、互惠发展。

3.文化取向下的互惠学习动力

全球化逐渐强化世界范围的社会关系，使相距遥远的地方联系起来，并使不同地区、民族、国家的文化、特性、传统等相互影响、互惠互补[43]。这一发展趋势对教育所应承担的文化传承功能提出更高的要求，教育不仅需要在纵向上传承本民族的优秀文化，也需在横向上学习外来优秀文化的同时将本民族的优秀文化传播出去。全球化发展趋势正在使学校教育场域中的现实样态发生变革，教师不能仅限于学习本国的文化，应站在全球化的国际高度进行学习。学习什么？如何学习？学习的目的是什么？这一系列问题激发教师进行互惠学习动力，使其灵动地了解国际多元文化差异，保持文化优势与理性自觉，并从中培养自我与学生的跨文化意识和国际理解能力。文化取向下教师互惠学习动力主要来自拓宽国际化的文化视野与营造跨文化的学校氛围，前者在于突破现有的视域范围，培植自我与学生的跨文化意识；后者在于通过相互理解与尊重的文化交流，营造平等的文化氛围，达成国际理解。

首先，在拓宽教师国际化的文化视野方面，通过访谈获悉，教师参与跨文化互惠学习的动力很大程度上来自于自我的发展需求，这里的教师自我包括“作为人的教师”和“作为教师的人”[44]两个层面。一方面，“作为人的教师”是立足于教师是人的视角，欲通过跨文化互惠学习开阔自己的视界，真切地感悟不同的历史文化与传统，丰富自己的人生阅历；另一方面，“作为教师的人”是立足于教师的专业视角，欲在跨文化互惠学习中了解他国的教育状况与教师的教学实践，充实自己的专业结构。在一次中加姊妹校的视频会议中，双方协商的议题是有关节日的校本课程共建。“加拿大学生向中方师生展示了精心准备的圣诞节艺术品，有圣诞帽、圣诞树、圣诞袜等，并讲了关于圣诞老人的美好故事；中方学生向加方师生介绍了中国的春节等传统节日，由于春节已经放寒假，学校一般会提前庆祝春节，让学生体验春节的习俗。学校今年打算以‘玩在中国、美在中国、福在中国、吃在中国’为主题举行舞龙舞狮等传统民间游戏、剪纸艺术、砸福蛋、摸红包，一起吃饺子、汤圆，感受中国传统艺术与饮食文化，体验中国传统文化的魅力”(20151216G)。在此次视频会议中，“作为人的教师”主动地获知关于中加两国传统节日的相关经验，体验到很多现实中没有接触过的内容，极大地拓宽了自己的视野；“作为教师的人”积极地寻求姊妹校双方校本课程共建的契合点，从教师课程开发的角度来看，应提高教师课程内容选择等方面的研究能力，这是一种基于专业的能力。教师的双重角色均需对全球化的国际趋势做出积极的回应，这一回应是一种外源性的学习动力激发教师在跨文化互惠学习中感受他国的文化魅力，内生为教师互惠学习的动力，用于指导教师的专业实践，体验由此而带来的专业自信感与外在认可。

其次，在营造跨文化的学校氛围方面，跨文化互惠学习的前提基础是平等的协作与共享，使全球性的与不同文化的个人和组织建立伙伴关系，形成推动社会进步的力量[45]。学校中的教师特别是校长参与跨文化互惠学习的动力是基于学校发展与变革而产生的。“我参与跨文化互惠学习的动力在很大程度上源自学校的长远发展，从现阶段看，区内各个学校特别是示范学校都与国外中小学建立了或多或少的联系，而目前我校还没有与国外建立姊妹校。我想通过国际文化交流为校本课程增加国际元素，为师生发展打开一扇窗，借机提升我校在区内的知名度”(T7-20150109T)。T7 教师作为一名校长，不仅有拓宽文化视域的自我需求，更有改革学校现状的强劲动力。T7 教师试图寻求中加姊妹校双方的共同元素，依此共同开发双方的校本课程，为校本课程融入跨文化的国际元素。姊妹校双方共同研讨、平等协商校本课程的内容、框架等议题，这一过程使学校师生的跨文化意识与国际理解能力得以提升，学校文化氛围在师生共建中逐步改观。这是 T7 教师参与跨文化互惠学习动力驱动下可预期到的效应。

对职前教师与在职教师互惠学习动力的质性阐释是为了更好地表现在教师不同发展阶段的差异性，但同时需要明确这种差异性的合理性。对各个阶段互惠学习动力的描述并不是绝对的，只是根据所占比重进行的选择性阐释。如职前教育也有与在职教师相似的学习异域文化的文化意愿，在职教师也有与职前教师相通的和周围人构建“关系”的动力需求及为自己、为学生创造“可能”的主观意愿。因此，主要从不同阶段的关注强度与辐射度进行了取舍与有针对性的论述，但在实际教育教学中，应以职前职后一体化的连续性眼光看待教师互惠学习动力，而不应将其视为断裂的不相联系的阶段。

三、跨文化统合视域下教师互惠学习动力的条件

教师在专业发展的不同阶段有着不同的发展任务与目标，因此教师互惠学习受到不同动力的驱动。职前教师的互惠学习动力主要源自夯实专业基础的动机，

构建与周围情境及自己的和谐“关系”，为自我专业发展创造“可能”；在职教师的互惠学习动力源自专业持续发展的内在需要，以解决教育教学实践问题为驱动，拓宽教师自我的文化视域同时构建跨文化的学校氛围。由此可见，教师互惠学习动力由内在动力与外在动力共同驱动，持久的内在动力是教师专业发展的“引擎”，在不同的专业发展阶段教师互惠学习动力源有所差异，就在职教师而言，不同职务的教师有着各异的互惠学习需求。

(一)持久的内在动力是教师专业发展的“引擎”

教师学习属于成人学习范畴，成人学习有着明确的学习目的，明确的学习目的产生持久的学习动力。虽然成人学习动力也由获得职位晋升、薪资提高等外在性动力驱动，但成人的学习动力更主要来自自我实现的内在需求，是一种内在性的驱动力。教师互惠学习动力由内在动力与外在动力共同驱动，而主要的驱动力来自职业成就感增强、专业自信提高等内在动力，且内在动力是激发教师进行主动学习与自主发展的持久力量。教师会自主地诊断自我的专业学习需求，确定明确的学习目标，并在学习情境中寻求合适的学习资源，采用恰当的学习策略，并对自己的学习结果进行合理化评估。这一过程中，不管是否有他人监控，教师在学习中都能发挥自我的积极性与主体性[46]。在持久内在动力驱动下，教师能积极地与他人合作，在对话、共享中达成互惠。教师专业发展是自我主动成长的过程，在这一过程中认同自己从事职业所具有的专门职业的性质，了解专业标准及其要求，能够清醒意识并规划自己的专业发展目标与方向，具有主动更新专业结构的主观愿望；不仅能把握自己与外部世界的关系，而且具有把自身发展当作认识的对象和自觉实践的对象，构建自己内部世界的能力。教师专业发展是在内在动力“引擎”驱动下逐步实现的，这也是教师自我主体价值实现的过程，来自内部的学习动力使其将教师职业视为终身奋斗的事业，成为发自教师生命主体内心深处热爱的活动，是主体生命成长的手段，更是教师主体价值实现的过程。生命价值的尊贵与教师专业发展的现实携手融入这一奋斗过程中，追寻生命激发出的跃动，探讨生命终极意义上的善——幸福。价值根植于“人生幸福”或者说“美好生活”。如果我们认定某些行为和追求促进了人生的幸福，那么我们就说它们是正确的、好的、有价值的[47]。把教师主体价值与专业发展密切结合，使教师成为专业自主发展的生命主体，激发教师生命能量，创造教师主体生命发展的新空间。

教师只有本人成为主体，不再仅仅是教育计划的实施者和知识的传递者，而是在发现学生、发展学生的不同需要的基础上，用自己的观念认识、理想信念、经验意向和专业情操处理知识教学，经营组织管理，才可能富有生气和色彩地创造“人的教育”[48]。因此，教师主体价值是教师主体在教育实践中动用自身的主体意识与主动精神，发挥自身的主体性，积极地投入教育中进行创造性活动，促进学生与自身的精神性增长，达成外在价值与内在价值的统一，实现主体需求与社会需要的共同满足。教师学习的持久内在动力落脚于教师主体价值的实现，是教师专业发展的“引擎”。教师学习的持久内在动力主要源于教师自我主体价值的实现，主体价值实现是教师为之终身追求的目标，是教师专业化的必然要求，也是教师个体专业成长的归宿。而教师主体价值实现以情境化的互惠学习的互动反思为基础，从每一位教师主体成长出发，以主体意识养成、主体精神树立、主体创造性达成为灵魂指导，以主体专业发展为外化指标，最终实现教师专业内涵发展，提升教师队伍的整体专业水平。因此，教师学习在持久的内在动力的驱动下，指向教师主体价值的实现，教师自我专业提升的学习动机在主体价值实现中得以逐渐满足，在其中，教师感受着前所未有的积极情感动力，促使教师与外在情境紧密联系，创造并实现教育中的诸多“可能”；体悟着因文化差异而带来的文化省思及视域的拓宽，并获得由此而可能带来的诸多附属成果，如社会各界的认可与肯定、教师奖励等，这种附属性成果作为一种外在动力又进一步强化教师互惠学习的积极性与主动性，巩固内在动力的强度与持久度，形成教师互惠学习动力的良性循环。

（二）教师在不同发展阶段的互惠学习动力源有所差异

教师专业发展具有阶段性与连续性的特征，职前教师与在职教师的一体化发展基于一致性的专业发展目标，体现出教师教育目标的层次性与阶段性[49]。职前教师与在职教师是相互联系的专业发展阶段，有各自不同的发展任务与目标，不同的发展任务与目标使处于不同专业发展阶段的教师有着各异的互惠学习动力源。职前教师互惠学习的动力源主要来自提升专业素养的内在需求，职前教师将国内系统的知识学习，如奠定坚实的专业知识基础、树立坚定的专业信念并锻炼基本的专业技能有选择性地与国外跨文化学习相结合，互惠式地促进其专业发展，实现初步的专业目标。在职教师也有不同的专业发展阶段，就如何使教师在职业生涯中继续成长而变得更加卓越，美国学者史德菲基于教师的职业周期，提出了教师专业发展的职业周期模型，将教师职后发展分为新手阶段（Novice Phase）、学徒阶段（Apprentice Phase）、专业阶段（Professional Phase）、专家阶段（Expert Phase）、卓越阶段（Distinguished Phase）与退休阶段（Emeritus Phase）六个阶段[50]。不同阶段的发展任务与目标驱动在职教师持续不断地学习，这种驱动一方面来自于外部动力，另一方面来自于自我内部动力。教师职后发展的前五个阶段有不同的发展任务与目标及教学实践中遇到的教学困惑也有所不同，新手教师的教学困惑在于如何加强对学科知识的全面把握及对学生心理的全面了解；工作3～5 年的教师困于不能灵活运用多种教学方法及如何与学生有效沟通；工作 10

年的专业教师感到自己专业知识的广度、深度有所欠缺及对如何开展教学研究有些许迷茫；工作 15 年以上的教师迷茫于自己如何突破、在哪些方面突破及职业倦怠等问题[51]。

正是因为教师专业发展不同阶段的不同任务与目标及困惑，使教师跨文化互惠学习的动力源有所差异。职前教师的外部动力源来自拓宽文化视域及获得他人赞许，担任文化使者、构建和谐人际关系等方面，体现职前教师互惠学习受文化动力与附属动力相结合的外部动力的驱动；职前教师的内部动力源来自提升自我专业素养，为自我发展创造多种“可能”的内在动机与情感动力。在职教师的外部动力源来自开阔文化视域与获得社会认可，这一动力源驱动教师积极参与互惠学习，并从中获取对自我发展与学校变革有利的素材，从而赢得社会赞誉；在职教师的内部动力源来自实现自我主体价值的内在动机与解决教学实践问题及困惑的现实动因。当然，在职教师互惠学习动力源在不同发展阶段也因发展任务、目标及教学困惑的不同而有所差异。但总体而言，开阔文化视域与获得社会认可的外部动力源及实现自我主体价值与解决教学实践问题的内部动力源是在职教师互惠学习动力源的总体表现，具有一定的普适性。只是在不同的专业发展阶段，互惠学习动力源的具体内容有所不同。

（三）不同职务教师的互惠学习需求各异

在职教师因在学校中承担不同的行政职务，其互惠学习需求也有所差异，体现出“在其位，谋其政”的学校治理理念。教师互惠学习需求来源于自我专业发展与人才培养的现实需要，但作为学校领导者的校长除有立足于自我专业发展与人才培养的需求之外，还应基于全球化的国际多元文化培养学生的国家认同意识，并尝试构建学校的跨文化氛围与培养师生的跨文化意识与国际理解能力，这是宏观层面对校长领导力的要求，也是校长互惠学习需求的出发点。换言之，校长不仅需要关注自我的专业发展，更需关注学校整体的发展，通过营造良好的学校组织文化提升教师学习动机，以实现自我的主体价值与学校的整体价值[52]。不同的互惠学习需求使教师与校长的学习内容、任务、目标等方面均存在差异，这也是不同的行政职务所赋予不同教师的不同职责，使其肩负起各异的专业发展任务，产生不同的互惠学习需求。当然，教师互惠学习需求可能是由外部需求引起，也可能由内部需求激发。就普通教师而言，互惠学习的需求立足于自我专业发展与主体价值实现，通过文化视域的拓宽与教学实践问题的解决，促进学生的全面发展与健康成长，可以说，普通教师互惠学习需求主要从自我层面出发；就校长而言，互惠学习的需求立足于学校整体发展，通过营造跨文化的学校氛围，使师生在知识共享网络中互惠成长，实现学校发展变革的整体效应，校长互惠学习需求主要从学校层面出发。但是，普通教师与校长的互惠学习需求并不是相互对立的，而是相互影响、相互促进的关系，教师的互惠学习需求促使校长对学校原有的学习样态进行变革，而校长对学校进行变革的积极行动与决心又会进一步激发教师主动学习的动机，以此形成良性的互动关系，实现彼此学习需求与目标的互惠达成。

参考文献：

[1]安德烈·焦尔当. 学习的本质[M]. 杭零，译. 上海：华东师范大学出版社, 2015: 61-66.
[2]陈平. 论学习动力[J]. 教育研究, 2001, (7): 24.
[3]冯忠良. 学习心理学[M]. 北京：教育科学出版社, 1981: 103.
[4]张爱卿. 动机论：迈向21世纪的动机心理学研究[M]. 武汉：华中师范大学出版社, 1999: 241.
[5]缑婷. 基于学习动力的教师培训策略探析[J]. 新疆教育学院学报, 2013, (4): 60.
[6]麦特·里德雷. 美德的起源：人类本能与协作的进化[M]. 刘珩，译. 北京：中央编译出版社, 2003: 203.
[7]张海燕，黄尚峰. 文化动力理论的思想渊源[J]. 河北北方学校学报, 2007, (6): 25-27.
[8]吴军. 文化动力：一种解释城市发展与转型的新思维[J]. 北京行政学院学报, 2015, (4): 10-15.
[9]塞缪尔·亨廷顿，彼得·伯杰. 全球化的文化动力：当今世界的文化多样性[M]. 康敬贻，等译. 北京：新华出版社, 2004: 3.
[10]张海燕，秦启文. 文化动力的生产机制：洛特曼文化符号学理论研究[J]. 西南大学学报(社会科学版), 2010, (1): 107.
[11]陈戈. 不同民族文化互动理论的研究：立足于洛特曼文化符号学视角的分析[M]. 北京：外语教学与研究出版社, 2009: 9.
[12]教育大词典编纂委员会. 教育大词典·教育心理学：第5卷[M]. 上海：上海教育出版社, 1990: 68.
[13]季玲. “东亚共同体”与东亚集体身份兴起的情感动力[J]. 外交评论, 2011, (4): 76.
[14]孟昭兰. 情绪心理学[M]. 北京：北京大学出版社, 2005: 24.
[15]季玲. “东亚共同体”与东亚集体身份兴起的情感动力[J]. 外交评论, 2011, (4): 76.
[16]虞新胜，危琦. 论马克思主义信仰中的情感动力[J]. 甘肃理论学刊, 2007, (1): 39-42.
[17]汤小龙. 苏霍姆林斯基“情感动力”理论浅探[J]. 外国教育资料, 1993, (5): 75-78.
[18]李森. 教学动力论[M]. 重庆：西南师范大学出版社, 1998: 23.
[19]雪伦·B. 梅里安. 成人学习理论的新进展[M]. 黄健，等译. 北京：中国人民大学出版社, 2006: 96-97.
[20]高志敏. 成人教育心理学[M]. 上海：上海科技教育出版社, 1998: 79.
[21]姚远峰. 自我导向学习及其与成人教育发展述评[J]. 河北师范大学学报(教育科学版), 2008, (3): 103.
[22]Knowles M S. Self-Directed Learning: A Guide for Learners and Teachers[M]. New York: Association Press, 1975: 135.
[23]Knowles M S. Self-Directed Learning: A Guide for Learners and Teachers[M]. New York: Association Press, 1975: 18.
[24]雪伦·B. 梅里安. 成人学习理论的新进展[M]. 黄健，等译. 北京：中国人民大学出版社, 2006: 13.

[25]杨晓平. 中小学教师非正式学习研究[D]. 重庆: 西南大学, 2014.
[26]迈克尔・富兰. 教育变革的新意义[M]. 武云斐, 译. 上海: 华东师范大学出版社, 2011: 29.
[27]克努兹・伊列雷斯. 我们如何学习: 全视角学习理论[M]. 孙玫璐, 译. 北京: 教育科学出版社, 2010: 94.
[28]孙智昌, 项纯, 等. 我国中小学生学习动力与学习策略的现状与对策[J]. 课程・教材・教法, 2016, (3): 79.
[29]张广宇. 免费师范生学习动力问题研究: 以西南大学为例[D]. 重庆: 西南大学, 2010.
[30]韩佶颖, 尹弘飚. 教师动机: 教师专业发展新议题[J]. 外国教育研究, 2014, (10): 90.
[31]易凌云, 庞丽娟. 在“亲历”中成长: 位幼儿教师个人教育观念的叙事研究[J]. 学前教育研究, 2005, (2): 43.
[32]张剑, 郭德俊. 内部动机与外部动机的关系[J]. 心理科学进展, 2003, (5): 547.
[33]闫建霞. 大学教师关系伦理的理性思考[J]. 教育理论与实践, 2008, (12): 45.
[34]黎君. 论“人的可能”与教育[J]. 南京师大学报(社会科学版), 2002, (2): 62.
[35]潘知常. 诗与思的对话[M]. 上海: 上海三联书店, 1997: 112.
[36]格奥尔格・西美尔. 生命直观[M]. 刁承俊, 译. 北京: 生活・读书・新知三联书店, 2003: 17.
[37]叶澜. 世纪初中国基础教育学校“转型性变革”的理论与实践: “新基础教育”理论及推广性、发展性研究结题报告[R]//叶澜. “新基础教育”发展性研究报告集. 北京: 中国轻工业出版社, 2004: 19.
[38]鲁洁. 超越与创新[M]. 北京: 人民教育出版社, 2001: 335.
[39]王全宇. 人的需要即人的本性: 从马克思的需要理论说起[J]. 中国人民大学学报, 2003, (5): 32.
[40]佐藤学. 课程与教师[M]. 钟启泉, 译. 北京: 教育科学出版社, 2003: 83.
[41]刘宝存. 美国研究型大学基于问题的学习模式[J]. 中国高教研究, 2004, (10): 60.
[42]李继秀. 教师学习方式转变: 动力结构分析及其建构[J]. 教师教育研究, 2014, (2): 81.
[43]塞缪尔・亨廷顿, 彼得・伯杰. 全球化的文化动力: 当今世界的文化多样性[M]. 康敬贻, 等译. 北京: 新华出版社, 2004: 26-27.
[44]刘佳, 明庆华. 论“作为教师的人”与“作为人的教师”[J]. 中国教师, 2009, (13): 15-16.
[45]迈克尔・富兰. 变革的力量: 透视教育改革[M]. 中央教育科学研究所与加拿大多伦多国际学院组织翻译. 北京: 教育科学出版社, 2004: 25.
[46]Knowles M S. Self-Directed Learning: A Guide for Learners and Teachers[M]. New York: Association Press, 1975: 18.
[47]克里夫・贝克. 学会过美好生活——人的价值世界[M]. 詹万生, 等译. 北京: 中央编译出版社, 1997: 3.
[48]朱小蔓. 关于教师创造性的再认识[J]. 中国教育学刊, 2001, (6): 8.
[49]刘义兵, 付光槐. 教师教育一体化发展的体制机制创新[J]. 教育研究, 2014, (1): 115.
[50]Steffy B E, Wolfe M P. A Life-Cycle Model for Career Teachers[J]. Kappa Delta Pi Record, 2001, 38(1): 16-19.
[51]钟祖荣, 张莉娜. 教师专业发展阶段的调查研究及其对职后教师教育的启示[J]. 教师教育研究, 2012, (6): 23-24.
[52]马焕灵. 校长领导力促进教师专业发展的机理与策略[J]. 中国教育学刊, 2011, (3): 42.

知识和技能曾经是被作为一个关键点来加以强调的，但是今天，要学习的东西已经不仅仅是与它们有关的了，同样也与态度、理解、洞察力、一般文化导向、方法论掌握和诸如独立、责任感、合作和灵活性等个性特征相关，在能力的现代概念之下集中了所有这一切。[1]

——[丹]克努兹·伊列雷斯

第五章　跨文化统合视域下教师互惠学习的内容

21 世纪全球化的知识经济时代，“教师应该学什么”这一命题成为颇具变革意义的命题。教师在专业发展的不同阶段、不同的文化学习场域均有不同的学习目标与任务，其学习内容也有所侧重，本章试图从中加教师在两国互惠交换学习的收获为研究落脚点，统合性地观照中加跨文化在中加教师互惠学习中的作用，深入考量中加教师互惠学习的内容差异。通过阐释跨文化统合视域下教师互惠学习内容的三种取向，为中加教师互惠学习内容构建分析框架，确定研究问题，对这些研究问题进行质性论证，并在此基础上探析中加两国教师在教育实践中所表现出的优秀经验，寻求两国教师互惠学习可通约性的内容，推动彼此间深层次的对话、合作与共享。

一、三种取向下教师互惠学习内容的分析框架

长期以来，教师被视为教书育人的工作职责需要进行现代意义上的技术型专业化转向，以实现促进学生个体发展的显性目的和推动社会进步的宏大目标[2]。技术型专业化的学习内容主要涉及专业知识与专业能力，是教师专业素质的基本要求。但由于过于强调技术上的专业知识与技能导致教师发展的低效，随后，人本主义哲学与文化生态学逐渐影响着教师教育的发展走向，形成了教师专业发展的三种取向。加拿大学者哈格里夫斯和富兰(Andy Hargreaves &Michael Fullan，1992)将教师发展总结为三种取向：知能取向，强调知识与技能的发展；个人取向，坚持人本主义的哲学观，认为教师是自我实现的个体；文化生态取向，强调关注与教师发展密切相关的文化因素，构建教师发展的生态系统[3]。教师专业发

展的不同取向影响着教师对学习内容的选择与态度，这里，并不对这三种取向孰优孰劣进行理论阐释，主要通过相对的客观描述来论证中加教师在不同文化学习场域互惠学习内容的差异性与优秀经验。对教师专业发展三种取向分析的基础上，跨文化统合视域下以社会文化为暗线，互惠学习中能力提升为明线，以此构建中加教师互惠学习内容的分析框架，确立中加教师互惠学习内容的研究问题。

（一）教师互惠学习的知能取向

教师专业发展的知能取向在国内也被学者称为理智取向[4]，强调教师对专业知识的系统掌握与专业能力的娴熟运用，其前提预设是教师具备了扎实而系统的专业知识与熟练的专业能力，能做出有效的教学行为，以处理各种复杂的教育情境，提升学生的学习机会与综合素质。专业知识主要通过记忆等认知策略掌握，专业能力经过反复训练形成系列化的行为，两者均以易于看到效果的外显性样态呈现，对教师开展培训是实现这一预设的重要途径。这一取向与哈贝马斯所提倡的熟练技能的“技术认知旨趣”（Technical Cognitive Interest）[5]有异曲同工之妙。知能取向从实证主义哲学观出发，认为知识具有客观性、外在性和普遍性，暗示教育活动中存在着普遍的教育教学规律，独立于教师个体而存在，只要掌握这些规律，教师便能正确解释教育现象，预见与控制各种教育可能性[6]。知能取向下的专业知识是外在于教师的存在，不是教师的个人化知识，而是经过专家系统讲解传授给教师的知识。

知能取向对教师专业发展具有重要的理论意义与现实价值。20 世纪 60 年代以来，世界范围内的教师专业化运动不断将教师职业由“非专业”的属性推向“专业”的属性，这在很大程度上得益于对教师专业知识与专业能力的严格要求。如何高效教学？“好”教师的评价标准是什么？这一系列问题都与知能取向密切相关，高效教学强调教师对专业知识的精准把握。“好”教师的标准成为世界各国架构教师专业标准的实践框架，其中，专业知识与专业能力是极其重要的两个维度。在知能取向下，知识与能力主要通过培训、专家指导及个人训练等外在性的途径获得，知识习得是能力提升的基础，能力提升促进理论知识的实践性转化。毋庸置疑，专业知识与专业能力是教师之所为教师的基本素质要求与条件。职前教师在学校接受系统的专业知识学习与专业能力训练，入职后，对其开展有针对性的专业培训，以不断充实与巩固教师的专业素养结构。

教师专业发展的知能取向对教师学习的内容予以明确的规定，教师通过各类的教师教育项目学习系统的专业知识与锻炼扎实的专业能力，以胜任教育实践。虽然知能取向被冠以实证主义的工具理性的头衔，但并没有妨碍其在世界教师教育改革推进中的重要影响与对教师专业发展所起的基础性作用。由于知识的可获得性与能力的可模仿性，使得教师在职前教育阶段与职后发展阶段都非常注重专业知识的学习与专业能力的锻炼。教师互惠学习也首先是相互学习知识与技能，共同发展。需要指出的是，正如哈格里夫斯与富兰所指出的那样，知能取向的教师专业发展更多是“自上而下”施于教师的，具有易于实施、观测、评价等优点，但也有自身的诸多不足，如往往因不够关注教师发展意愿而易使教师发展处于被动，技能的训练也易与教师实践工作情境相脱离[7]。因此，知能取向下的学习内容要实现教师互惠学习，需要加强教师与指导教师、专家、同伴等群体及学习情境的互动，尊重教师的发展需求与意愿，为教师知能取向的互惠学习赋予新意义，促进教师获取更加丰富的知能学习内容。

关于教师互惠学习内容的知能取向主要从同质性文化学习场域的国内互惠学习与异质性文化学习场域的国外互惠学习展开阐释。首先，在同质性文化学习场域中，职前教师在教师、同伴等相互影响下学习专业知识与锻炼专业能力，这阶段的学习有显著的基础性与系统性，为从事教师职业奠基。职前教师的互惠学习以教师的系统教学为主，由于在职教师对知识的占有率明显高于职前教师，所以这阶段的学习主要是指导性的互惠，呈现出单向互惠的特征。而在课后交流环节中，职前教师的某些观点对在职教师也会产生专业上的启发；职前教师与同伴间平等合作、对话分享。在职教师在教学实践中发现自我专业知识与能力存在的“缺陷”，进行有针对性的学习培训，促进专业素质的提升，这一阶段的学习具有明显的针对性与目的性。其次，在异质性文化学习场域中，职前教师通过交换学习、国际互访交流等形式进入跨文化情境中，在有限的学习时间里，不可能学习系统的知识与能力，他们对教育理念、师生关系互动方式、课堂管理技巧等内容进行有选择性地学习，同时，他们会将本国在某些方面的优秀做法介绍给国外职前教师，实现知识层面的互惠学习。在职教师已非常明确自己专业知识与能力的长处与不足，与国外教师进行互惠合作学习有着较为明确的目的性，且这种学习的心理预期是用于自我专业发展与学校建设。由此可见，职前教师与在职教师在不同的学习场域中，以不同形式与途径进行着知能取向的互惠学习，收获知识、提升能力，促进自我专业素质的提升与学生的综合性发展，最终实现学校教学质量的提高。

（二）教师互惠学习的个人取向

教师专业发展的个人取向秉持人本主义哲学观，将教师视为发展中的完整的“人”，具有自我实现的内在发展需要，而不仅仅考察教师作为外在“人”的行为变化与知识获得。教师知识的习得不是依赖外部的讲授或培训，而主要源于教师自我的实践反思，借助不同形式的反思活动，建构自我对外界事、物、人的理解与意义，形成自己独有的知识解释。个人取向的教师专业发展的知识观是个人建构主义的立场，反对表征客观真实世界的规则性的知识，认为知识是一种基于个人经验的理解与解释，视情境的不同而有所不同。知识不是被“发现”的，而是被“创造”的，是实践活动中反思作用的结果，知识不是普适的，而是个体的。这样一来，教师的实践反思在知识生成中的作用就被凸显，实践性知识是教师在实践反思中形成的个人化的知识，用于指导教师的教育教学实践。Elbaz 率先对教师实践性知识进行了研究，认为实践性知识是教师以独特方式拥有的一种特别的知识，是关于社会环境、学校、课堂、学生、所教学科、儿童成长理论等类型的知识；依赖于特定的实践环境，被教师整合为个人的价值观和信念，具有高度个人化与经验化。我国学者在文献研究与实地研究相结合反复研讨的基础上，认为教师实践性知识是教师通过对自己教育教学经验的反思和提炼所形成的对教育教学的认识；教师对其教育教学经历进行自我解释而形成经验，上升到反思层次，形成具有一般性指导作用的价值取向，并实际指导自己的惯例性教育教学行为[8]。中西方学者关于教师实践性知识的论证均说明教师个人知识与经验的合理性与价值性，强调反思在教师知识生成中的认知性作用。教师的行动研究、教育叙事等是形成实践性知识的重要途径。

教师在不同的情境中建构起关于教育教学的个体知识，由于知识的种类与表征形式不同，但并无高低优劣之分，而成互相补足之势，为教师彼此间的平等对话与互惠学习提供了可能[9]。基于教师对情境性与经验性知识的不同理解与建构，架构个人取向的教师互惠学习内容的方式与范围。在学习内容的方式上，不管是职前教师还是在职教师，不管是在同质性文化学习场域还是异质性文化学习场域，教师主要通过合作、交流等形式分享着自己的经验与解释，实现对知识的反思与创造的目的。在学习内容的范围上，由于不拘于客观知识与可测行为的规约限制，教师主要是依据自我的原有经验，实现对知识的理解，完成知识创造，赋予其新的意义。因此，学习内容的范围涉及教学实践情境中的所有因素，构建出不同的知识，在合作、分享中达成对知识的再造，进而引发教师互惠学习中的持续反思。个人取向的教师互惠学习彰显学习的内在建构模式，虽然这一过程从外界并不能明晰展现教师互惠学习的行为范式，但教师认知建构的结果是在平等合作与沟通对话中达成的。合作与对话激发教师进一步的思考与反思，促使教师个体知识的螺旋式上升，达到改进与完善教育实践的目的。

(三)教师互惠学习的文化生态取向

文化生态取向的教师专业发展以社会建构主义为理论基础，将教师专业发展的自我性与社会性相关联，强调社会情境中文化的重要性。知识也不是产生于教师主体的内在建构，而是在具体的情境脉络中被创造出来的，知识对于这个情境脉络的“生存力”是判断知识真实性的标准[10]。因此，身处特定学习情境中的教师不仅要专注于自我对知识的意义与解释，更要关注整体情境的文化性因素，即教师对知识的建构不仅是内在性的自我认知活动，更是外在性的社会交互活动，关注教师与社会文化情境的互动沟通是促进教师发展的重要支撑。我国有学者结合自我、文化构建起教师专业发展的生态模式：教师自身的统整、内在心灵与外在现实的统整、人生发展与教学事业的统整[11]（图 5-1）。教师的生态模式强调教师内在与外在的和谐统一，而外在的教师文化是促进教师内在身体与心灵统整的基础性保障。

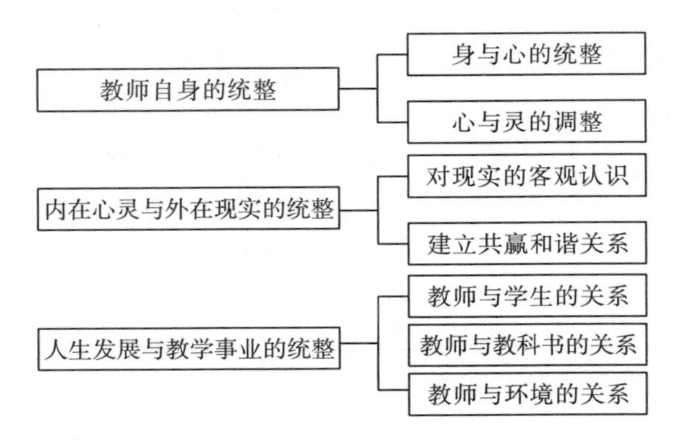

图 5-1 教师专业发展的文化生态模式

社会情境所彰显出的文化性因素涉及教师群体的文化建设，是一种合作文化，是教师在长期的文化实践中，互相帮助与学习、相互支持与合作而逐渐形成的[12]。为了实现教师的合作文化，营造开放、民主、平等、信任与尊重的和谐的团队文化显得尤为必要。在和谐的团队中成员间相互支持与协作，以开放的态度，彼此尊重与信任，在相互交流与共享中形成共同的知识基础。需要说明的是，团队内部的交流沟通必须以知识的学习与能力的获得为基础，因为教师在特定的文化学习场域中进行的学习活动总是对外进行社会性互动，对内进行自我认知建构。如果教师自身的知识基础不牢靠，专业能力不扎实，那么教师便不可能与团队成员进行深度交流与反思，从而导致交流处于低效状态甚至中断。因此，在任何时候加强教师的知识学习与能力提升都很有必要。

文化生态取向下教师互惠学习内容并不刻意关注系统的知识与能力训练，更主要强调通过齐心协力地构建合作文化，促进教师间相互沟通、对话、共享知识与学习借鉴某方面的专业知识或某种专业能力。教师根据阶段性的学习目标与学习任务主动选择与之相符合的学习内容，教师学习的意愿发自于自我发展的需要，而不是外力的强加，学习主动性更强，学习动力更持久。例如，在中加姊妹校共建中，双方姊妹校基于学校长远发展与促进教师专业发展的愿景，每一次交流确定相应的主题，涉及学生管理、课程开发、教学评价等诸多领域，这些构成了教师学习的主要内容，双方教师在相互借鉴中反思与总结，结合本校实际，将其本土化为切实可行的教育实践。除此之外，姊妹校双方教师在互动交流中感受到的和谐、融洽的文化氛围与相互尊重、信任的心理气场也是教师学习的内容。与知能取向的教师互惠学习内容强调知识系统性所不同的是，文化生态取向更强调对教师工作与生活的情境脉络的关注[13]，在其中共享知识与经验，实现问题解决。

知能取向、个人取向与文化生态取向是教师专业化进程中不同发展阶段的时代表征，从不同侧面论证了教师专业发展的立体性话题，是不可分割的统一整体。三种取向为教师进行跨文化互惠学习的内容选择提供了思路与理论借鉴，教师学习更多时候是一种全景式的学习，不仅需要学习知识与能力，也需要建构自我内在的认知结构，更需要文化氛围的支持。教师专业知识与能力是教师互惠学习内容的基础领域，学习的文化氛围更多情况下以隐性的方式影响着教师互惠学习的广度与深度。因此，在选择教师互惠学习内容时，应将三种取向相结合以统整的视角促进教师在更大范围内的合作与共赢。

基于以上分析，将教师专业发展三种取向相统整，以社会文化差异为暗线，互惠学习中教师能力提升为明线，考虑到理论知识主要通过教师的各种能力得以表现与彰显，故将教师的各类知识融于专业能力中。教师专业能力主要有教学设计、教学实施、班级管理、教育评价、沟通与合作、反思与发展等方面的能力[14]。中加两国教师间的互惠学习总是依托于一定的文化学习场域所开展的教学活动而进行的，根据教学活动开展的阶段，将其细分为教学活动前的教学设计；教学活动中的教学实施与班级管理；活动后的教育教学评价、沟通与合作及反思与发展。对中加两国教师互惠学习内容进行类别化编码，结合教学活动开展的阶段，从中加教师之“眼”论述他们在教学活动前的教学设计、教学活动中的教学实施与班级管理及活动后的教育教学评价等方面的所获与所得，以此构建中加教师互惠学习内容的分析框架(表 5-1)，探析两国教师在四个维度上的差异性表征与优秀经验共享。教学活动后的沟通与合作、反思与发展强调教师与外界社会文化的交互及自我内在的反思建构。因此，教学活动中的沟通与合作、反思与发展两个维度将在第六章“教师互惠学习的互动模式”中进行详细论证，本章将对此不作论述。

表 5-1　教师互惠学习内容的分析框架

维度		不同社会文化背景			
		差异性表征		优秀经验共享	
		加拿大	中国	加拿大	中国
教学活动前的教学设计					
教学活动中	教学实施				
	班级管理				
教学活动后的教育教学评价					

将社会文化差异作为背景性的暗线在四个维度的质性论证与优秀经验均予以合理化考量；教学设计、教学实施、班级管理及教育教学评价四个维度既涉及教师的专业知识，特别是教师在长期的教育实践中所形成的实践性知识方面，也关涉教师的专业能力，更体现出一定的社会文化对教师专业发展所产生的方方面面的影响。因此，在分析时充分考虑当时社会文化情境的多样化，保证分析的信度与效度，提高研究的价值。

本章主要聚焦于以下四个问题：(1)加拿大教师在教育设计、教学实施、班级管理及教育评价等方面是什么样的？(2)中国教师在教育设计、教学实施、班级管理及教育评价等方面是什么样的？(3)两国在这些方面有何差异？(4)两国在这些方面有哪些值得共享的优秀经验？

二、不同文化背景下教师互惠学习内容的质性比较

任何国家的教育均有其产生的文化土壤，具有一定的独特性与适切性。通过研究对象的亲身感悟，从他们之“眼”比较分析中国与加拿大两种不同文化背景下教师互惠学习中内容的差异性。秉持中立的研究立场，并不对某一方的教育实践做出肯定性或否定性的评价，旨在论述某一特定文化背景下教育的现实状况与差异性，为彼此间相互合作、互惠共享提供视角与对接口。

(一)教学活动前两国教师的教学设计

教学设计是教师以特定教学任务的完成与教学效果优化为主旨，以教学系统中的方方面面为参考，系统整合地分析教学问题和影响条件，制定最佳教学实施方案的活动和过程[15]。教师的教学设计是在教学活动前完成的，如何设计主要以内隐的思维活动展开，但可通过教学活动洞悉教师教学设计的意图。职前教师在异质性文化学习场域通过见习、实习等实践性活动，体悟学习目的国与本国教师在教学设计上的差异，达成两国间的相互理解与互惠交流，并促进职前教师的专业素养的提升。

1.关注个体还是整体的教学理念

教学理念是教师所秉持的对教师的教与学生的学等的基本认识与想法，是教师如何看待教学目标、选择教学方法的内在原因，也是教师如何与学生相处、学生能否从教育中受益的影响因素[16]。教师的教育理念对教师教育教学行为起引领作用，影响到教师教学目标、教学方法、师生互动等环节。在教学中关注个体

还是整体在不同的文化背景有不同的阐释，两者并无好坏之分，只有合适与否。与研究对象访谈发现，教师均强调促进学生的全面发展，但其在更关注个体还是整体上有一定的差异。“在中国，教师教学通常关注整体的发展状况，通过教师辅导、学生帮扶等途径促进学生个体发展，进而实现整体发展，体现了‘一个也不能少’的教育理念，而加拿大教育则更关注个体发展，有特别的辅助计划帮助学习困难的孩子”（PT3-20150429T）。教师的教学理念是其进行教学设计的价值导向，中加两国因文化差异从而教师的教学理念有所差异是情理之中的事实，而培养健康发展的幸福个体是不同教学理念导向的共同教育目标，体现出教育的普适性价值。

2.教学资源利用上的差异

教师的教学设计上会呈现教学资源、教学方法、教学重难点、教学内容等重要内容。教师运用哪些教学资源和方法与教学内容相关、也与教学形式密切相关。对教学资源的灵活运用是教师实践智慧的体现，是独具特色的个体性的实践性知识。“我在 P 小学三年级见习时，一次因走错教室，我来到了 Mr.Neil 老师的班级，当我告诉 Mr.Neil 我的来意后，他告诉我需要等 5 分钟。稍等片刻后我介绍自己来自中国，Mr.Neil 就问学生‘你们知道中国现在是几点吗？’没有学生能回答出来，我便告诉大家中国要比加拿大早约 12 个小时，Mr.Neil 老师就此为学生讲解了时差、时区、地球自转与公转等地理知识。接着问了第二个问题，‘从重庆到温莎有多远？’我告诉大家路途所用的时间，Mr.Neil 老师据此将时间写在黑板上为学生讲解了两位数的加法”（PT6-20141028F）。加拿大与中国教师教学设计都善于运用教学资源，但有所差异。“我”的突然到来在 Mr.Neil 的教学设计中是不可能预计到的，但 Mr.Neil 充分地将“我”的来到当成了可供利用的教学资源，生成性地将“我”所提供的信息作为教学素材，和学生一起合作、探究，灵活应变地完成了这节课的教学任务。善于利用与创造教学资源，说明教师的教学设计不是忠实于固定的教材内容，而是结合教学实践的内容有所创造性地生成，实现教学目标。中国教师对知识有周密的设计与分析，促使学生对知识的系统理解与把握，切实地完成了教学设计的目标。“中国教师强调教学知识设计的系统性，数学教师讲解关于‘体积’的知识很生动很系统，也会让学生运用模型进行巩固性练习”（20141229G）。

（二）教学活动中两国教师的教学实施

不管是行为取向、生成取向还是表现性取向下的教学实施都是在一定教学目标指引下开展的教学活动，只是不同取向下的教学目标侧重点有所差异，但其目标的实现均依赖于教学活动的实施。可见，教学实施是实现教学目标的中心环节。不同国家因文化背景、历史传统等因素的差异，教学实施中的教师对教学氛围的营造、教学方法、教学内容及教学调控等方面均有所不同，体现出较大的文化差异性。

1.教学氛围营造上的差异

良好的课堂教学氛围是激发学生学习兴趣与动机的外在性因素，关系到师生关系的和谐与否及教学质量的高低。营造课堂教学氛围可以从多种途径展开，情境教学是营造良好教学氛围的重要途径。情境教学从物理情境创建与心理情境创设两个层面，遵循学生发展规律，强调学生的主动性，在连续动态的教学情境中，师生互动有利于激发学生学习的兴趣与动机[17]。可见，教师在营造良好的教学氛围时，应立足于学生实际从物理情境与心理情境两方面着手激发学生的兴趣。首先，教室是开展教学的主要场所，关于教室物理情境的创建，“加拿大的每间教室都有独特的色彩，都是不可复制的，因为这是孩子们自己‘设计’出来的！教室的四周墙壁上布满了活泼明亮的色彩，有关于学习的技巧与方法的‘Daily Grammar’，有关于教学目标的细则，有关于行为规范与用语技巧等”(PT2-20151109F)。多样化的情境设计使学生在活泼的氛围中自由发挥，有利于创新能力的培养。其次，两国教师均会运用各种方式结合教学内容创设良好的心理情境，“我觉得两国教师都很注重教学氛围的营造，加拿大教师比较注重与生活相联的情境设计，中国在新课程理念的引导下，现在的教学情境也逐渐与生活相联”(T3-20160418T)。与生活相联创设适宜于学生学习的情境虽然在具体的做法上稍有差异，但创设良好的教学氛围是各国教师在教学实践中的共同探求。

2.教学方法各有千秋

教学方法是促进学生的学习，教师组织班级，向学生提出意见及使用其教学手段的各种方法[18]。一定的教学方法体现出教师的教学风格，教学方法的选择依据教学内容的不同而有所不同。在中国，大多数教师在上课时惯常采用讲授法，教学方法相对较为单一。“‘教学有法，教无定法，贵在得法’是我们学习课程论与教学法相关课程中经常听到的一句话，如何运用合适且灵活多样的教学方法确实需要长期的实践学习，我从加拿大教师的多元教学方法中获得了一些启示”(T6-20160418T)。T6 教师将在职前教育阶段习得的关于教学方法的相关理论知识与加拿大观察到的教学方法相结合，在自己的教学实践中进行创新性地灵活运用，实现教学方法的多样性。“在对比两国教学时，我们常将目光放在难易程度的比较上，而教学方法常被忽视。在加拿大，主要的教学形式是活动式教学，多通过游戏、讨论、小组学习等方法开展教学，教室的桌椅摆放没有固定的样式，学习氛围相对较为宽松，但这也存在问题，与中国的课堂相比，这样的课堂显得有些缺乏秩序”(PT3-20150522T)。教学方法的选择依赖于特定的教学内容，不同的内容选取的教学方法有所差别。同时，教学方法的差异使中加教师的教学秩序、教学氛围及教学管理等方面均有所不同。

3.知识与能力的关注程度有所侧重

国际教育改革不断把学校教育推向纵深领域，关注知识或能力都不是某一国家教育的可行做法。在此主要讨论的是中加两国在教育实践中较为倾向性的做法，并不否认其在其他方面的作为。相较而言，中国较为关注学科知识的系统性，加拿大较为关注知识教学对学生探究能力的培养。“中国教育较为偏重于学科性的知识，强调知识的逻辑性及学生对知识的系统掌握。中国学生对系统知识的掌握在国际上有目共睹，PISA 考试便是例证。但加拿大教育强调培养学生的创新意识、操作能力、感恩能力、批判性思维等，因此无所谓优缺，国情不同而已”(PT1-20151207F)。中国与加拿大教师对学生掌握知识与能力的关注程度有所差异，这种差异使 PT1 教师在真切的教育文化对比与反思中得以印证。加拿大教师到中国跨文化互惠学习时，在文化对比与反省中看到中国教师教学值得学习的优势方面。“我很欣赏中国教师对知识的体系化把握，这样有利于学生构建完整的知识地图。加拿大教师的教学在这方面要欠缺一些(PT3-20150522T)。加拿大在各种游戏活动中让学生探究问题，中国则强调教师的系统讲解，这样的做法很高效”(PT4-20150519T)。这样看来，教师在教学实践中关注知识或关注能力都根植于特定的教育体制与文化传统，这种差异为彼此间取长补短的互惠学习提供基础与条件。依此可明晰地看出两国教师教学的优势区域及相互需要进一步完善与改进的方面。

4.教学调控的程度存在差异

课堂教学的随机性与鲜活性要求教师根据教学目标要求对课堂情境进行灵活调控，创设学生乐学、爱学的情感氛围，依据教学现实状况调控教学内容的讲解进度，同时对学生的行为表现做出及时的反馈调控[19]。可见，教学调控是教师课堂教学管理的必备能力，是教学活动顺利开展与教学目标实现的保障。交换生以“走动的学生”描述加拿大学生在课堂中小组合作学习的状况。“学生可以在教室里随意走动，相互交换卡片和意见，自由讨论，课堂气氛活跃，而在中国的小组讨论，主要是组间讨论，每一小组选出代表汇报讨论结果”(PT8-20160418T)。以活动教学为主导的加拿大教学关照小组合作学习中的每一个学生个体，每位学生也积极地投入小组合作学习中，这样的课堂教学尽可能地保障每一位学生知识的获得。然而，任何教学都不是完美的，小组合作教学为教师的课堂纪律管理带来一定的挑战，特别是当他们参与中国跨文化互惠学习后，他们更加赞赏中国教师课堂管理能力与课堂的有序高效。“在加拿大，不同年级、不同学习能力的学生，教师有不同的对待方式，对课堂教学中的纪律管理力度也是不同的；中国教师的课堂管理能力很强，课堂秩序很好，学生都很遵守规则，教师讲解相对多些，学生间的互动讨论略少，但这样的课堂教学很高效”(PT4-20150519T)。两国教师的教学调控能力各有优势，适合各自的国情。中国课堂较有秩序，效率很高，能帮助学生学习到更多的知识；加拿大的课堂气氛相对活泼，充分发挥学生的主体性与积极性，倡导活动中合作交流与互相帮助。

(三)教学活动中两国教师的班级管理

有效的班级管理是构建良好师生关系，促进学生健康发展的制度性举措。班级管理始于班级集体的产生，任何国家都存在专制式、放任式及民主式的管理方式。不管何种管理方式，其目标均在于班级事务的良性运行，构建具有凝聚力的班集体，养成学生的集体归属感与荣誉感，促进学生身心健康发展。由于教育体制、文化传统等差异，各国教师所采取的班级管理模式不尽相同，主要就班级管理模式论证中加教师在班级管理方面的差异性表征。

1.班主任制度为核心的班级管理模式

当前，我国中小学形成了以班主任制度为核心的班级管理模式[20]，班主任负责班级的日常管理事务，班级中推选出具有影响力与管理能力的学生担任班委，协助班主任的班级管理工作。“中国教师拥有的更多责任主要体现在班主任这个特殊职位的设置上。加拿大是没有班主任这一职位的。班主任全面负责该班学生的思想、学习、工作、健康、生活等事务。中国教师特别是班主任对学生的管理权限要大于加拿大”(20160425G)。班主任是班级管理中的“领袖”，班主任之下会有班级委员协助进行班级管理。“中国班级管理实行班委制度，担任班委的一般都是学习成绩较好或在班里有影响力的学生，这些学生对集体有积极的模范带头作用”(T2-20160419T)。班主任带领班委管理班级的日常事务，有利于提高管理效率，发挥班委的榜样示范作用。但因班主任同时担任教学工作，因此，繁重的工作易造成班主任的工作压力过大，同时也易使未担任班委的学生成为班级管理中的“边缘人”。在中国，对以班主任制度为核心的班级管理模式开始了改革探索之路，使班级管理逐渐由经验型的“人治”走向效率型的“法治”，最后走向自律型的“德治”[21]。

2.学生自主管理的班级管理模式

学生自主管理是通过全体学生参与对班级事务的管理，群策群力积极为班级发展出谋划策，教师主要是“退居幕后”的引导者角色。西方素来有自主管理的传统，尊重个性的教育几经周折，在“新教育运动”(New Education Movement)的推动下得到西方世界的普遍接受，并在教育实践中产生大范围的影响。新教育运动者极力主张学校应是学生自由快乐的活动场所，尊重学生个性，倡导学生主动参与和自主管理。“在加拿大，强调学生的自主管理，学生会主动地履行作为班级一员的权利与义务。教师在这个过程中是引导者的角色，帮助他们完善自己的想法，必要的时候提出自己的参考性意见”(T1-20160419T)。学生是班级的管理者，体现出参与班级事务的主人翁意识，而教师的作用并没有因此被削弱，他们是引导者与商讨者，与学生共同协商班级管理事务。“加拿大学校没有班主任这一职位设置，教师会引导全体学生参与班级事务管理，使他们能积极主动地讨论班级相关事务的可行性，为班级建设出一份力”(T2-20160419T)。学生自主管理的班级管理模式有利于激发学生参与班级事务的积极性，发展学生的思考能力、问题解决能力与合作能力等，有利于激发学生对班集体的归属感与凝聚力。同时，需要看到，学生自主管理模式不是一日之功，也是在强调个性发展的教育文化熏陶下经日积月累探索形成的，需要家庭、学校、教师的共同努力[22]。学生自主管理并不是强调教师的无为状态，而是强调自治中的集体合力，并且学生自主管理会对学生认知发展与问题解决能力的水平提出更高的要求。

(四)教学活动后两国教师的教学评价

自泰勒“八年研究”首次提出“教育评价”的概念以此奠定教育评价学的基础以来，教育评价成为学校教育中的必要环节，教育评价结果也成为教育发展与改革的重要依据，教育评价的发展历史始终以对教学的评价为发展主线[23]。教师教学评价从两条路径展开。首先，将教师作为评价主体，教师对学生在教育教学过程中的行为表现、认知、情感态度及学习结果等方面进行评价；其次，将教师作为评价客体，教师接受来自学校或教育主管部门的评价。依据这两条评价路径对中加教师教育教学评价进行差异性分析。

1.教师作为评价主体的教学评价

教师作为主要的评价主体，对学生开展的教学评价，是教学过程的一个组成环节，关注教师评价的调节、激励、改进等功能[24]，旨在通过教学评价，使学生充分了解自己对教师知识教学的掌握程度与发展水平，达成学生个体健康成长的教学目的。教师作为评价主体的教学评价中，经常会用到过程性评价与结果性评价等方法，这些评价方法各有优劣，在教学实践中应根据实际情况合理运用。“在中国，教师对学生作业的评价通常是写上简短的评语或是写上‘已阅’或给出得分，学生很难从教师的反馈中获得清晰的指导性意见。在加拿大，对学生作业的评价有明确细致的指标体系，从学生作业的可理解性、具体性、流畅性及写作规范性等方面给出评价等级，最后还有教师的评语，使学生明晰自己的知识掌握程度及需要改进的方面”（PT1-20151123F）。作业是学生对教师教学知识掌握情况的直观反映，教师对学生日常作业所进行的针对性评语能使学生了解自己学习的真实状况，并且根据教师给予的反馈积极做出调整。而考试则是以结果性评价的方式呈现学生知识掌握的状况，中国与加拿大两国在关注结果性评价与过程性评价方面有较大差异。“中国教师比较强调学生的学业成绩，各类考试与竞赛比较多，一学期有期中考试与期末考试，还有单元小测试，这样使学生对知识的掌握很牢靠。加拿大学生从学前班到三年级期间，会在三年级的最后一学期进行一次全省统考，这是学生上学以来的第一次考试，主要用于评估学校的教学水平。当然，每学期老师会根据学生平时表现、作业与各类小项目的完成情况给予学生相应的成绩等级”（T2-20160419T）。两国教师在对学生的评价方法上有所侧重，过程性评价关注学生在教学过程中的综合性获得，有利于全方位地收集信息，以动态发展的眼光看待学生的发展；结果性评价关注学生对教学过程中的信息掌握情况，使教学明晰教学的重难点，有利于调节教师下一轮的教学实施。

2.教师作为评价客体的教学评价

教师评价是教育评价领域的重要组成部分，从评价方法上看，有注重结果的奖惩性评价与关注过程的发展性评价。在国际教师教育改革的影响下，改变教师评价的传统模式，立足于教师专业发展的历程，对教师的成就与表现不仅应“回望过去”，更需“展望未来”。“加拿大有教师档案袋评价，关注教师日常教学等实践工作的状态，为学校改革提供参考，但也有严格的考核制度，新教师在实习期内考核不合格的话，可能面临解聘的风险。中国中小学目前对教师实行绩效管理，主要以教师教学工作中的表现业绩为主要的考核标准，提高了学校的管理实效；依据不同的职称等级有不同的评价标准。中国中小学对教师的评价不单以各类获奖、学生学业成绩排名等为标准，也会考虑教师在教育教学中与学生的关系、教学状况等”（20151110G）。对教师的评价是将教师作为评价客体，强调学校、教育主管部门等对教师教学表现进行评估，并以此给予相应的奖励。两国教师评价的差异并不是大到天壤之别，而是有诸多相似之处，这些为彼此间互惠学习提供了基础。任何评价方法都不是完美的，在管理实践中，充分发挥教师评价的发展性价值，实现以客观、公正、科学为理性追求的教师评价。

三、不同文化背景下教师互惠学习内容的优秀经验共享

虽然各国因社会文化与历史传统的不同，其教育也存在诸多差异，但关于“培养什么样的人”“如何培养人”是各国共同关心的话题，这种国际可通约性的共同话题为各国间的互惠学习提供了基础与依据。教师在国际交流中不仅需学习与借鉴国外优秀经验，也应在交流借鉴过程中将自我优势发扬光大，同时在相互吸纳优秀经验中寻求本土化改造的思路与参考，达成优势互补，以形成共同的知识基础。通过互惠学习，通过中加教师之“眼”了解到两国教师在教学活动前教学设计、教学活动中教学实施、班级管理及教学活动后教育教学评价等方面存在较大差异，也有诸多值得彼此相互学习的优秀经验，这些差异与优秀经验为两国教师互惠学习提供了可能。

（一）中国教师互惠学习内容的优秀经验共享

经历几千年历史的教育积淀，中国教育存在不可避免的问题与不足，也有更多值得共享的优秀经验与优良传统。如中国教育在长期的社会实践中所形成的“关注全体学生全面发展”的理念，落实在具体的教育教学实践中，要求教师开展集体备课的形式以保证每个教学班教学内容的大体一致；注重教师知识教学的系统性与基础性，强调教师在教育中的权威作用及对师德实行“一票否决”制的评价方式等都是在长期实践探索中所积累的优秀经验。

1.集体备课的教研传统

在长期的教育教学实践中，中国形成了教研室这一独具特色的组织形式。教研室以促进教师专业发展为主要任务，承担集教学、科研、师资培训为一体的组织职能[25]。就教研室的教学职能而言，教研室是学校教育教学的基层组织，是指导教师开展教学研究的前沿阵地。教师在教研主任带领下定期开展年级教研活动，对年级的学情进行理性分析，明确一节课、单元、学期及学年的教学目标，制定具体的学科教学计划，并集体研讨教学实践困惑等活动。如何实现年级全体学生的整体性发展，教研室开展了一项极为重要的活动，即在分析年级学情的基础上，根据年级教学进度开展集体备课。集体备课是教师间在相互合作中对特定

教学问题展开研究、讨论，分享自己的见解与智慧，达成共识的教研活动。集体备课并不否定或替代个体备课，而是充分利用每位教师教学经验、知识结构及教学风格等方面优势，个体备课与集体备课相得益彰，使教师个体的专业素养在集体备课中得以提升与进一步完善，使集体备课成为教师间专业学习与情感交流的重要形式。可见，教师集体备课不是教师个体备课的简单相加，而是教师个体在教研集体中对教学科学性、艺术性、思想性与创造性的积极探索与不断追求的过程。这一过程是由“我的教学”向“我们的教学”的转变过程，更加强调基于教师合作探究下对教学意义的追寻，强调优秀教育经验与教育资源在共享中共进，强调集体智慧的生成与高效的教学[26]。

集体备课时，教师并不是对教学内容没有规划，每位教师对教学知识有自己独特的理解与设计。教师在个体关于“备教材”“备学生”的准备下，集体研讨教学重点与难点，讨论教学中可能会遇到的问题，以集体之力“头脑风暴”式地完成备课。这是教学研究的过程，教师需精心分析每一位学生的发展特点对教材知识点的接受度，共同商讨“好课”的标准，进而寻求最适合年级教学的优化方案。这样的备课使教学年龄、教学经验与业务水平不同的教师在相互研讨中集思广益，取长补短，是集体智慧的结晶，使教师在合作中改善课堂教学，在相互启迪与意义追寻中实现教学的相对动态改善，而不是固定的程式与标准[27]；有效保障年级教学任务的步调一致，全面促进整体学生的知识获得与能力发展，提升教学效果。同时，集体备课的教研活动形式使教师在业务上相互帮助，优势互补，培育教学团队与学科梯队，以“传、帮、带”等多种形式促进青年教师特别是新入职教师的专业成长，推进教师队伍水平整体提升。

2.强调教师知识教学的系统性

教师的学科知识是教师知识的重要组成部分，如果说教育理论知识和教学技能训练可缩短新教师入职适应阶段的话，那么教师的学科知识素养决定教师教学的高度与深度，是教师从事教育教学的重要知识基础[28]。我国历来重视教师的系统性知识培养，对教师专业素养方面的学科知识提出了较高的要求，《教师专业标准》要求中小学教师掌握学科知识体系、基本思想与方法等，注重学生系统知识的掌握，教师应融会贯通地掌握学科基础性知识，系统掌握学科知识的逻辑架构，了解学科发展的历史与趋势，掌握学科独特的认识世界的视角、思维工具与方法[29]。因此，从教师职前教育阶段就强调系统学科知识的学习，使职前教师能对学科知识形成初步的整体性认知。在职教师在教育教学实践中结合职前教育阶段的系统性知识展开教学，要求教师系统掌握所教学科的课程体系与专业知识，以使学生能对学科知识进行系统性把握，明晰知识的来龙去脉，从而了解知识的逻辑关系，挖掘学科知识的育人价值，培养学生的学科核心素养，促进学生健康均衡地发展。

已有研究关于学科知识的分类依据不同的标准分为不同的类型。格罗斯曼(Grossman，1989)等人指出学科知识(Subject Matter Knowledge，SMK)不仅是关于某一学科的内容知识(Content Knowledge for Teaching)，也包括关于该学科实质性的知识(Substantive Knowledge for Teaching)和文法性的知识(Syntactical Knowledge for Teaching)[30]。SMK 主要在于对学科知识本质的深刻理解，使教师对知识间的丰富性、逻辑性、整体性与深刻性形成知识的系统性格局。可见，学科知识不仅使学生掌握本身的知识，更使学生在对关于知识的透析与运用中形成关于学科知识的完整性把握，明晰知识间的区别与联系，实现知识的融会贯通与举一反三。面临知识经济与信息时代的冲击，中国知识教学强调教师在对学科基础性知识的系统讲解基础上关注学科前沿知识，以培养学生开阔的学科视野与系统的学科思维。在学科知识教学中，无论在表层的低阶教学还是深层的高阶教学上，均强调对知识举一反三式的理解与掌握，使学生明晰知识的丰富性与知识间的逻辑连贯性。借助温习、复习及周期性测验(如单元测验、期中与期末考试等)，促使学生对知识的掌握中构建关于知识的整体性架构。在合作、探究中激发学生从整体架构的知识树中寻求解决方案，彰显对知识深刻性的领悟。知识教学的系统性有助于学生熟悉学科知识发展的来龙去脉，形成关于学科知识的完整图式，能有效建立起新旧知识的实质性连接，促进知识的掌握理解与迁移运用。

3.强调教师在教育中的权威作用

权威是一种合法权利，对维持社会稳定与国家秩序有积极的作用。在教育实践中，对权威的信仰是教育的唯一来源和教育的实质[31]。以往对权威的认识误区，使人们将教师的支配控制与学生的服从、顺从误以为是教师权威。教师权威是师生交往过程中，学生信服教师对其所产生的影响力，这种影响力包括外在影响力与内在影响力。教师作为社会秩序的代表者和专业素养的践行者产生被认同、被尊重、被信任的教育影响力，表现为教学过程中学生对教师的遵从与信赖。基于社会外界赋予的教师权力为每一位教师顺利开展教育教学活动提供制度性保障，但这不一定使学生发自内心的尊重与信赖教师；而来自教师自我的崇高师德、杰出才能、广博知识及人格魅力等得到学生的认同，他们会尊重与信赖教师，并产生模仿行为，这是教师的真正权威，不是每一位教师都拥有，与其专业素养高低程度有关，是教师人格魅力的高度升华[32]。

我国向来尊重教师权威，“传道、授业、解惑”是对中国教师角色的传统诠释，一方面说明国家赋予教师的专业权利与职责义务；另一方面彰显教师在教育教学中的高深学识与人格境界，为教师权威奠定了学理基础与实践参考。教师的多元角色要求其不仅为学生传授知识，也为学生传授如何获取知识的方法，更传授做人的道理，促进学生的健康全面发展。他们对教育事业倾注所有热情，与学生建立深厚的师生情谊，学生对教师产生发自内心的崇拜与信赖。随着社会发展与教师专业化推进，越来越多的教师认识到对学生的内在影响力更加持久，更易被学生接受与信服。学生对教师的遵从逐渐由一定社会赋予的职务、权力、地位及身份等引起的“外在依附型”权威转向由教师自身所具有的“德、才、学、识”的专业素养引起的“内在生成型”权威[33]。“内在生成型”教师权威变革了师生交往中教师占据主场的角色地位，要求教师学会在学习情境中与学生构建良好的师生关系，师生在相互交流与沟通中产生思想碰撞的火花，引导学生思考问题解决的方案。情境引导者的角色使学生体验问题解决的成就感与乐趣，但并不削减教师在教育教学中的地位，使学生发自内心的“亲其师，信其道”，实现师生的良性互动，建立良好的师生关系；同时，学生对教师的信赖促使教师不断提升自我的专业素养，形成良性的循环交往模式。

4.师德“一票否决”的评价机制

“百年大计，教育为本；教育大计，教师为本；教师大计，师德为本”，我国自古至今都非常重视师德，甚至将其作为选聘教师的首要条件。教育部 2008 年颁布实施的《中小学教师职业道德规范》提出 21 世纪师德的主要内容：爱国守法、爱岗敬业、关爱学生、教书育人、为人师表和终身学习[34]。国务院 2012 年颁发的《关于加强教师队伍建设的意见》中指出构建师德建设的长效机制。加大优秀师德典型宣传力度，对教师实行师德表现一票否决制，对有严重失德行为、影响恶劣者按有关规定予以严肃处理直至撤销教师资格[35]。近年来，我国各省市加大了对中小学教师的管理力度，在师德方面实行一票否决制，不断提升教师队伍的整体素质，为社会培养健全发展的人。

“学高为师，德高为范”的价值导向下，教师高尚人格与道德行为的榜样力量对学生的影响力与感召力成为我国教师专业发展中的重要内容，这一内容不仅需要学习职业道德的相关知识，更需要教师在长期的教育教学实践中自省、自律、自警和自励，将道德规范内化为道德意识、外化为道德行为，进而形成稳固的品德[36]。在谈及师德表现一票否决制的评价机制时，中方姊妹校的一位校长如是说：“一票否决制并不是否定对教师的人性化管理，可以张弛有度地提高教师队伍整体水平，强化教师自律意识，为学生树立人格榜样，因为教师不仅仅是学生学业上的老师，更是学生的人生导师，帮助学生健康成人”（T7-20151110T）。我国《教师专业标准》将“师德为先”作为基本理念之一，强调教师认真践行社会主义核心价值体系，履行教师职业道德规范中所要求的为人师表，教书育人，做学生健康成人的指导者和引路人。师德表现“一票否决”的评价机制看似冷酷，实则是对我国优秀传统文化的积极继承与弘扬，是对教师职业的高度重视与尊重，容不得教师队伍中存在些许的不端行为。师德表现“一票否决”的评价机制有利于营造尊师重道的社会风尚，使每一位公民都养成从“我”做起的良好习惯，互帮互助；构建和谐的校园文化，提升学校软实力；在依法治教中规范学校人事管理制度，以张弛有度的管理提高教师队伍的整体素质，全面提升学校教育质量。

（二）加拿大教师互惠学习内容的优秀经验共享

作为北美的国家，加拿大教育深受美国教育的影响，关注学生的个性发展，教学注重与学生生活世界的密切联系，强调对学生创新能力的培养，小学实行全科教学，以发展性评价为主要的评价方式；作为一个移民国家，多民族、多种族的社会现实使加拿大的教育实践不得不考虑学生的多元文化差异。加拿大这些教育实践中的优秀经验或许能为我国教师教育领域改革与探索创新提供新的视角或思路。

1.与生活世界紧密相联的教学

自杜威提出“教育即生活”的主张开始，西方世界在漫长的教育争论与变革中逐渐形成了教学与学生生活世界紧密相连的传统，加拿大也不例外。杜威批判教师运用远离于学生经验的材料进行教学，主张教育与学生经验紧密相连，认为教师不应关注教材本身的内容，而应关注教材和学生当前的需要和能力之间的相互关系[37]。学生的经验、当前的需要和能力与其所处的社会情境即生活世界糅合在一起，是社会意义的连续体。学生的生活世界不能简单地等同于生活环境、自然世界、社会世界和日常生活。学生的生活世界一方面指对人的发展有意义的、且生活其中的世界，是心物统一的世界；另一方面指关于人成长、生成和发展的过程。在这一世界中，人是主观能动的主体，具有至高无上的主体地位[38]。强调教学与学生生活世界的联系，将学生视为动态生成中的个体，融合学生生活世界与教学活动，实现“教学中生活，生活中教学”的良好态势。

教学与生活世界的紧密联系强调两者在相互结合与彼此分离间保持必要的张力，而不是简单的等同合一，更不会摒弃教学中科学知识的传授。当教师问学生 4 和 15 有何差别时，可以从不同的角度进行回答，*“在超市中，顾客买 4 块的东西，给收银员 15 块，找零钱的过程就是发现不同的过程”*（PT3-20150522T）。诸如此类的回答使知识与学生的生活世界发生了碰撞，不仅激发了学生的学习兴趣，使学生投入学习情境中，同时使学生在体验式活动中收获知识。可见，与生活相关的教学在关注知识学习的同时，更希望学生能将知识与真实的生活世界联系起来，强调知识背后的价值与意义。教师如何在教学实践中做到教学与生活的紧密联系呢？“加拿大在职前教师教育阶段有很多教学技能方面的课，会为职前教师讲解如何使教学与生活密切联系起来，Don’t teach science as science，是大学教师经常对职前教师的教学忠告”(PT2-20151228T)。职前教师会将习得的教学技能灵活地运用到教学实践中，“加拿大中小学教师的课堂教学的显著特点是与生活的紧密联系，小学生用图画的形式完成创意数学题，主要内容表达有‘我今年几岁’‘我家有几口人’‘我有多少玩具’‘我今天吃了多少食物’等与生活紧密相关的主题，以此完成对数学归类、数数、加减法等问题的解答。法语课、科学课都会有不同形式的生活联系”(T5-20160418T)。这样的教学不仅在于激发学生的学习兴趣与热情，更主要培养了学生的创新意识与能力，教学的每一环节无不含有创新的因素；实现教学范式从注重技术层面知识获得的工具理性转向生命本体意义的交往理性，实现“过去我”与“现在我”的有效对话，促进学生的发散性思维与理性逻辑思维的提升，使学生认识到知识的学习不仅在于获得关于知识本身的答案，更在于寻求问题解决的有效途径，引发教学知识的生活化迁移。加拿大教师的教学实践或许能为中国倡导教学回归学生生活世界的教学改革提供借鉴和参考，切实提升学生的核心素养。

2.小学段实行全科教学

过去的 40 多年，加拿大教师教育在国际教师教育改革的推动下进行了重大变革，“准备从事初等教育者要学习涵盖初等教育学科的所有科目[39]”的教师教育改革同样适用于加拿大的初等教育实际。在“小学教师是一种综合性职业”的理念引领下，小学教师以“包班制”全面负责一个班级除音乐、美术、体育等技能学科之外的其他学科[40]。小学全科教学的现实要求具备全科素养的教师，职前教师教育机构承担起培养小学全科教师的重任。安大略省职前教师培养项目有合并式(Concurrent/Multi-Session Programs)和连续式(Consecutive Programs)两种模式。两种模式均提供幼儿园至小学六年级的初等教育(Primary/Junior Divisions)和七年级到十二年级的中等教育(Intermediate/Senior Divisions)两种课程类型，以培养中小学师资。其中，小学教师的培养强调职前教师对学科基础知识的整体理解和教学法的灵活运用，没有具体科目的要求，实行全科培养，小学教师若想升为中学教师，须增加初中学段的相关学科课程的学习；中学教师培养强调对某一学科的深入掌握，初高中教师除具备学科教学法等教师教育类知识外，对学科学习有具体的要求，初中教师要求选择 1～2 门任教学科的课程进行学习，高中教师需具备 2 门学科课程的知识储备[41]。加拿大小学全科教师培养是对小学全科教学模式的实践回应，不仅体现出理论与实践的紧密融合，更体现出教师教育职前职后一体化的紧密衔接程度。

全科教学极大地发挥了班级授课制的优势，要求教师充分挖掘学科间的关联，主要关注学科知识间的联系及学科知识与学生生活世界的密切联系，是一种跨学科的教学。教师以“知识向导”的角色引导学生从“全景”视角探究知识世界的奥秘，发现学习的乐趣，有利于拓宽学生的思维与视野，为创新性教学开辟新天地，实现教学评价方式的转向，使师生、生生互动的过程中，以系统的动态眼光发现并评价学生的多方面表现与潜能，而不是以孤立的静态的眼光考评学生某一方面的成就。“和我国小学实行分科教学不同的是，加拿大小学教师特别是小学低段教师负责除中午一小时和体育、音乐等课的其他学科，学科间并不分得非常清楚，一节课可能融数学、阅读、历史、地理等内容于一体”（PT2-20151203F）。加拿大小学全科教学的实践模式为我国近年进行小学全科教师培养的实践探索提供了可行的参考路径，促进我国教师教育培养模式的深化改革。

3.尊重学生的多元文化差异

多民族、多文化的加拿大形成了多元文化并存的马赛克式文化，20 世纪 60 年代至 70 年代，加拿大政府开始奉行多元文化主义政策，援助所有文化群体的成员克服文化障碍以充分地参与到加拿大社会建设中来，增进所有文化群体间有益于国家团结的、有创造性的接触和交流[42]。这样的政策对不同民族、种族采取宽容、尊重的态度，使每个民族、种族都能较好地保留、发展本民族、种族的文化、语言、传统等。与此相应的，教育机构包括学校对多元文化主义政策给予积极回应，出台了相应的教育政策，尊重学生的文化差异，在学校具体的课程设置上也含有多元文化的活动与计划。2006 年，安大略省颁布了《教学专业实践标准》（The Standards of Practice for the Teaching Profession，SPTP），从伦理标准和实践标准层面描述了一种基于关怀、尊重、信任和正直的教学文化氛围，要求教师具备先进的专业知识与娴熟的专业实践，还应理解学生多样化需求，促进学生有效学习[43]。SPTP 强调尊重和接纳不同种族的文化与价值观，致力于创造正义、民主、自由的环境，规划与应对不同的学生个体和团体的学习需求，促进学生健康发展，以愿景的方式从思维意识与实践行动两方面超越现有课堂教学，实现教师教学的突破。

加拿大教师关注学生的多元文化差异从职前培养阶段便已开始，一些大学专门开设有民族师资培训课程，在职前教师培养中尤为关注民族历史、文化及传统价值等课程学习。职前教师在民族地区中小学的教育教学实践被学校规定为完成相关课程的必备环节[44]，使职前教师从理论与实践相结合的双维视角了解如何尊重学生的多元文化差异。针对部分学生的特殊需求，学区设有教学助手或资源教师，有针对性地帮助母语为非英语的学生、移民学生、少数族裔学生、残疾学生等特殊学生群体克服各种学习问题与生活困难，同时搭建起学校同家长及社区沟通的桥梁，使他们相互间的联系更加紧密。“加拿大每天都会有很多的新移民，这些新移民的孩子进入学校学习会遇到诸多的语言障碍，W 学校对 ESL(English as Second Language)的学生进行有针对性的授课，使学生在生活化的语境中提高语言交际能力”(PT4-20150522T)。在培养目标上依据学生的发展水平有不同的培养方向，鼓励学生多元发展。加拿大的小班教学、走班制、分层教学、差异化教学、原住民教育等教学举措均是对学生多元文化差异的现实回应，有效保证因材施教与个性化发展。中国是以汉族为主体的统一的多民族国家，汉族文化与少数民族文化共同构成了多元一体的中华民族文化格局[45]。中国教师如何在多元文化境遇中尊重学生的不同发展需求，为下一代有效传承知识的同时培养其民族身份认同与中华文化认同，是必须解决的现实问题。当前的多元文化社会亟需教师具备跨文化的视野与国际理解能力，理解、关怀、尊重与包容来自不同文化背景的学生，实现学生思维视域上的全球性联系，以克服狭隘的民族主义偏见。

4.强调发展性教师评价

与以终结性的奖惩性评价不同的是，发展性教师评价以面向教师的主体取向，注重教师在专业成长过程中的表现给予即时性的动态评价，达到改进与提升教师专业水平的目的。发展性教师评价通过对教师的历时性关注，发掘教师的专业闪光点，激发教师主动学习的动力，实现自我价值。发展性教师评价的目的在于改进，使教师对教学行为进行理性分析与深度反思，实现教师的个性化教学。发展性教师评价主要运用教师成长档案袋、专业日志、课例研究、自我研究等方法，强调教师对日常教学问题的解决过程，提倡教师的反思性教学，使反思成为教师日常教学实践的行为习惯，促进教师开展基于反思的教学研究。通过发展性的教师评价为教师教育教学提供必要的信息反馈，帮助教师更加清晰地认识、反思与总结自己在教学中的不足与优势，系统分析问题产生的原因，达到改进教学实践促进教师专业发展的目的。

21 世纪以来，加拿大教师评价领域进行了一系列旨在有效促进教师专业发展的改革。针对教师专业发展的不同阶段，安大略省于 2006 年开始实施新教师表现性评价(Performance Appraisal of New Teacher，PANT)，从责任心和奉献精神、专业知识、专业实践、团队合作精神及持续专业发展五个领域对新教师进行评价，五个领域又细分为 16 项细则，是安大略省教师管理协会对新教师教学技能标准的要求[46]。将新教师的全部表现分为“满意”“需改进”“不满意”三个层次，主要由校长和教师也会有部分校董成员、家长、学生等人员完成观察前会议、课堂观察、观察后会议、总结报告的评价流程。其中，新教师可以参与其中，与校方展开积极的专业对话，以明确自己教学实践需要改进的地方，以及有哪些值得肯定的做法。对于经验型教师的评价也是依据 16 项能力，但与新教师的能力标准相比有不同的要求，每五年需接受一次评估，评估等级为“满意”和“不满意”[47]，以改进或提升经验型教师的教学。虽然通过考核会对新教师做出聘用与否的决定或对经验型教师做出满意与否的结果，但从其整个的评价流程与评价标准来看，更侧重于教师的专业成长与提升，关注教师教学实践过程中的表现，进而从中发现问题与优势。中国目前实行的中小学教师绩效评价以学生的学业成绩为主要考核标准，考核结果直接与教师的绩效工资挂钩，而对教师的专业学习与成长重视不够[48]，加拿大注重教师表现的发展性评价机制或许能为中国教师评价改革提供参考思路。评价的主要目的在于改进教师的专业实践，注重教师实践表现的发展性评价能有力调动教师专业实践的积极性，提升学校教学质量，实现教师、学生与学校的可持续的动态发展。

任何做法与经验都有其产生的文化基因与历史传统，在全球化的语境下看，某一国教师的知识教学并无好坏之分，只有适合与否。彼此间存在的诸多差异均在可理解、可接受的情理之中，在相应的社会文化情境中也有各自的优秀经验与推崇的做法。当论及优秀经验时，在分析中加两国教师互惠学习内容差异性的基础上，总结出各自较为凸显的优秀经验。在特定的社会文化情境下，这种优秀经验是一国或地区在教育实践探索中的经验总结，对该国、该地区的教育发展起到了积极的推动作用。当然，任何的优秀经验都有其历史特定性与不可避免的弊端，本章所论及的优秀经验主要是基于差异性比较分析在特定文化情境中所发挥的优势作用，并不关注其不可避免的弊端。不同文化学习场域中教育的差异与优秀经验为彼此间的互惠学习提供可能，进入异质性文化学习场域中教师在教学活动前、中、后进行系统的观察、学习与反思，了解学习目的国教师的专业品性、教学技能与专业知识等方面的内容，对比中加两国间的差异与彼此间的优秀经验，在观察、沟通、对话、共享中不断充实与完善教师自我的专业结构，促进其专业发展与提升。

参考文献：

[1]克努兹·伊列雷斯. 我们如何学习：全视角学习理论[M]. 孙玫璐，译. 北京：教育科学出版社, 2010: 262.

[2]石娟，刘义兵，沈小强. 生命哲学视野下教师专业发展的愿景[J]. 中国教育学刊, 2015, (3): 86.

[3]Hargreaves A, Fullan M. Understanding Teacher Development[M]. New York: Teacher College Press, 1992: 1-19.

[4]靳玉乐，王磊. 理智取向教师专业发展的理念与策略[J]. 教师教育学报, 2014, (6): 24.

[5]卢乃桂，钟亚妮. 教师专业发展理论基础的探讨[J]. 教育研究, 2007, (3): 17.

[6]李琼，倪玉菁. 西方不同路向的教师知识研究述评[J]. 比较教育研究, 2006, (5): 76-77.

[7]Hargreaves A, Fullan M. Understanding Teacher Development[M]. New York: Teacher College Press, 1992: 5.

[8]陈向明. 对教师实践性知识构成要素的探讨[J]. 教育研究, 2009, (10): 67.

[9]陈倩娜, 周钧. 伙伴合作促进教师专业发展的不同取向[J]. 教师教育研究, 2016, (3): 26.

[10]郑太年. 知识观·学习观·教学观——建构主义教育思想的三个层面[J]. 全球教育展望, 2006, (5): 33.

[11]于泽元. 自我统整的教师[M]. 北京: 教育科学出版社, 2012: 131-132.

[12]Hargreaves A, Fullan M. Understanding Teacher Development[M]. New York: Teacher College Press, 1992: 216-240.

[13]陈倩娜, 周钧. 伙伴合作促进教师专业发展的不同取向[J]. 教师教育研究, 2016, (3): 27.

[14]教育部. 中学教师专业标准(试行)(教师[2012]1号)[R]. http: www.moe.gov.cn.2012-09-13.

[15]王春华. 教学设计的理性及其限度[D]. 济南: 山东师范大学, 2014.

[16]杨帆, 许庆豫. “教师中心”与“学生中心”教学理念辨析——基于中小学教师的问卷调查[J]. 高等教育研究, 2015, (12): 79.

[17]李吉林, 等. 李吉林小学语文“情境教学—情境教育”[M]. 济南: 山东教育出版社, 2000: 57.

[18]Wallace S. A Dictionary of Education[M]. New York: Oxford University Press, 2008: 315.

[19]李艳萍. 课堂教学调控策略初探[J]. 陕西教育学院学报, 2000, (1): 82-84.

[20]李涵. 班级管理模式创新与新型学习共同体构建[J]. 中国教育学刊, 2013, (4): 41.

[21]蒋关军, 袁金祥. 班级管理的境界变迁: 从矛盾他律走向和谐自律[J]. 广西师范大学学报(哲学社会科学版), 2009, (5): 92.

[22]刘伟, 张旭. 高中生班级自主管理能力培养研究[J]. 教育科学, 2011, (1): 75.

[23]辛涛, 李雪燕. 教育评价理论与实践的新进展[J]. 清华大学教育研究, 2005, (6): 39.

[24]杨启亮. 为教学的评价与为评价的教学[J]. 教育研究, 2012, (7): 99.

[25]刘尧. 中学教研组职能研究[J]. 教育理论与实践, 2000, (12): 54.

[26]李瑾瑜, 赵文钊. “集体备课”: 内涵、问题与变革策略[J]. 西北师大学报(社会科学版), 2011, (6): 74.

[27]李瑾瑜, 赵文钊. “集体备课”: 内涵、问题与变革策略[J]. 西北师大学报(社会科学版), 2011, (6): 78.

[28]陈永明. 教师教育学[M]. 北京: 北京大学出版社, 2012: 98.

[29]叶澜. 新世纪教师专业素养初探[J]. 教育研究与实验, 1998, (1): 44.

[30]Grossman P L, Wilson S M, Shulman L S. Teachers of Substance: Subject Matter Knowledge for Teaching[C]//Reynolds M C. Knowledge Base for the Beginning Teacher. New York: Pergamon Press, 1989: 2.

[31]雅思贝尔斯. 什么是教育[M]. 邹进, 译. 北京: 生活·读书·新知三联书店, 1991: 80.

[32]沈萍霞. 教师权威的困境与出路探索[D]. 西安: 陕西师范大学, 2012.

[33]张良才, 李润洲. 论教师权威的现代转型[J]. 教育研究, 2003, (11): 69-70.

[34]教育部. 教育部中国教科文卫体工会全国委员会关于重新修订和印发《中小学教师职业道德规划规范》的通知(教师[2008]2号)[R]. http: www.moe.gov.cn.2008-09-01.

[35]国务院. 关于加强教师队伍建设的意见(国发〔2012〕41号)[R]. http: www.moe.gov.cn. 2012-08-20.

[36]王枬. 教育学: 行动与体验[M]. 北京: 高等教育出版社, 2013: 228.

[37]约翰·杜威. 民主主义与教育[M]. 王承绪译. 北京: 人民教育出版社, 1990: 200.

[38]郭元祥. “回归生活世界”的教学意蕴[J]. 全球教育展望, 2005, (9): 33.

[39]Lucas C J. Teacher Education in America: Reform Agendas for the Twenty-First Century[M]. New York: St.

Martin's Press, 1997: 203.

[40]江净帆. 小学全科教师的价值诉求与能力特征[J]. 中国教育学刊, 2016, (4): 81.

[41]Requirements for Becoming a Teacher of General Education in Ontario Including Multi-session program[EB/OL]. 2015-11-28. https: //www. oct. ca, 2015-12-05.

[42]王鉴, 万明钢. 多元文化教育比较研究[M]. 北京: 民族出版社, 2006: 98.

[43]The Standards of Practice for the Teaching Profession[EB/OL]. (2015-10-15). [2015-11-28]. https: //www. oct. ca.

[44]Mulcahy D M. Developing Government Policies for Successful Rural Education in Canada[A]. Terry Lyons, Joon-Yul Choi, Greg McPhan. Improving Equity in Rural Education[C]. International Symposium for Innovation in Rural Education (ISFIRE), 2009: 23-31.

[45]石娟. 少数民族教师专业发展的文化自觉[J]. 中国教育学刊, 2016, (8): 96.

[46]Ontario State Department of Education. Teacher Performance Appraisal For New Teachers[EB/OL]. (2015-10-16) [2015-12-03] http: //www. edu. gov. on. ca/eng/teacher/newTeacher. Html.

[47]廖忠. 加拿大安大略省教师绩效评估制度述评[J]. 比较教育研究, 2013, (12): 20.

[48]肖夏. 加拿大安大略省教师绩效评价体系及其启示[J]. 教学与管理, 2016, (22): 82.

成人的学习不是在真空中进行的。[1]

——[美]梅里安·凯芙瑞拉

第六章 跨文化统合视域下教师互惠学习的互动模式

学习理论上，关于和谁互动、如何互动等相关问题的讨论形成了两种截然不同的互动模式：自我互动模式和外源内生互动模式。自我互动模式主要以皮亚杰的认知建构主义为代表，强调对知识的自我建构，形成知识与认知活动的二元对立；外源内生互动模式以维果茨基的社会建构主义理论及其衍生出的莱夫与温格、伊列雷斯、库伯等的情境学习理论为代表，强调个体在社会文化互动中实现对知识的建构，注重学习的社会文化情境性。情境学习更关注人、工具与情境的相互作用；同时，强调学习者的发展需求、观念及文化背景与其经验的整合[2]，这一观点与教师互惠学习所表现出的社会性互动与内在自我建构的统一具有理论上的契合性。教师互惠学习不是脱离学习情境的封闭式学习，扎根于特定情境的教师互惠学习强调主体参与、合作、对话，达成互利共赢，这是教师互惠学习的外源内生互动模式。本章将深入探讨跨文化统合视域下教师互惠学习的互动模式，借助实证调查的可靠数据，从教师作为观察者与学习者的二元身份考量教师互惠学习互动模式的双重路径。

一、跨文化统合视域下教师互惠学习互动模式的分析框架

学习的情境性使教师互惠学习互动模式具有外源内生的特性，跨文化统合视域下教师互惠学习是内外统一的互动过程。教师主体与外界社会文化情境发生交互作用的同时，对内进行着自我的意义建构。从学理上探讨教师互惠学习互动模式时，以教师作为观察者与学习者从“台前”的社会性互动与“幕后”的内在建构相整合的统一过程构建教师互惠学习互动模式的分析框架。

（一）实践共同体彰显教师"台前"的社会性互动

德国社会学家斐迪南·滕尼斯区分了共同体与社会的概念，最先提出了共同体(Community)的概念，认为共同体是在历史联合体或思想联合体中产生的，是群体间真正的持久的共同生活[3]。而今，运用于教育学、管理学等领域的共同体概念主要是一种思想上的联合体，强调基于共同愿景，通过参与式活动，以对话协商的方式开展共享性活动。学习的文化情境性在社会建构主义学习理论与情境学习理论的有机整合后，其影响力不断被放大，强调学习活动是社会境脉和学习者经验的文化意义的解释，把学习的实践置于参与文化共同体的高度[4]。这种影响引发教育实践的知识生态的深刻变革，"学中做"与杜威的"做中学"相得益彰地体现出学习的实践性品性，而知识的"学后做"的存在样态不断被改写。

实践共同体致力于在共同发展愿景基础上，通过共同协商、对话合作，解决教师实践问题，强调共同体中每一位成员的身份认同。实践共同体中，"实践"的内涵超越一般意义上的理解，主要指教师积极主动参与学习及互动。"参与"是达成合作互惠的基础，包含融入学习的氛围(实际氛围与虚拟氛围)与进程中和他人发展互动关联两层意义。可见，"参与"本身就包含互动的意思，这便使实践共同体学习的意义更加凸显。实践共同体是涉及人、活动、情境的关系集合体，这些关系可以跨越时间乃至空间，并与其他相关的实践共同体相关联[5]，这样一来，知识的存在样态发生了转向，传统意义上的知识主要存在于固定的媒介中，如书本、网络、音像制品等，在实践共同体中知识存在于文化实践中，由个体经验的情境化而产生，这里隐含着实践性知识的生成与转化过程。实践共同体聚焦于实际问题的解决，其性质已经决定问题解决的途径与方式——协商、对话、合作。教师解决问题是在相互影响中实现的，这有利于形成一种有效的教师合作文化，营造良好的教师成长氛围。由于实践共同体是非正式的学习型组织，其紧密的运行不仅得益于共同体内部成员的互帮互助与鼎力支持；同时，也需要强有力的外部支持系统作保障，最终实现个体发展与学校组织发展的协调统一。

实践共同体为教师互惠学习提供了开放化的文化情境，并且是与教师工作密切相关的场所。多数情况下，教师互惠学习的情境为现实性的情境，具有时间与空间的统一性；随着信息技术的迅猛发展，教师互惠学习的情境借助于互联网交流平台超越空间的限制，在共同发展愿景的目标导向下共同解决问题。这两类情境只是存在形态上的不同，其实质均是在合作协商中解决问题，实现互惠发展。合作学习、伙伴学习是实践共同体的重要学习形式，其共同特征是教师在学习化的情境中通过平等、互惠的有效合作途径解决教学实践问题，改善教师实践，提升教学效能。教师对学习情境的感知、理解与接纳是影响实践共同体建构与运行的重要因素，教师特别是来自不同文化国度的教师在建构实践共同体时，需以平等的心态接纳对方的文化传统，在交往中思考自己能为对方贡献什么，又能从对方学到什么；教师的认知结构与知识经验均存在显著差异，在实践共同体中，教师的实践总带有个人的经验成分，这会产生诸多的情境性经验，引发教师的讨论、争议、共鸣，在对话、协商与合作的互动机制下达成一致性理解，即形成共同的情境性经验。这种社会性互动是教师互惠学习互动模式的一方面。从教师的社会互动模式看，教师互惠学习更多意义上是一种非正式学习，不强调“自上而下”的行政命令的强求，而强调教师在非正式的实践共同体中的自在、自为。

（二）知识转化理论揭示教师“幕后”的内在建构

知识经济时代，依附于人的知识具有显著价值，加强对知识的管理，促进知识在个体层面的有效转化是知识管理的重要议题。知识转化理论作为知识管理理论体系的分支，在企业管理促进员工绩效等方面得以广泛应用。日本学者野中郁次郎（Ikujiro Nonaka）和竹内光隆（Tadeuchi）于 1995 年出版了知识管理理论的里程碑式的著作《知识创新型公司》，提出系统、新颖的知识转化的理论模型——SECI 模型，揭开了知识转化的内生机制。野中郁次郎根据波兰尼关于显性知识与隐性知识的分类，指出知识生成与转化的螺旋式递进的四个过程，即社会化（Socialization）、外显化（Externalization）、结合化（Combination）和内隐化（Internalization）[6]，构建起了知识转化的 SECI 模型（图 6-1）。

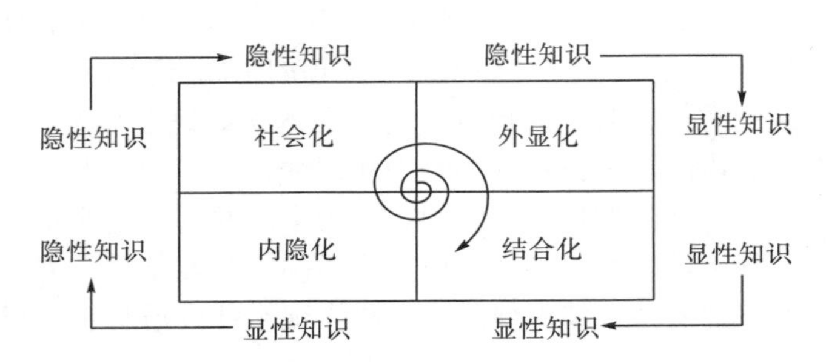

图 6-1 知识转化的 SECI 模型

社会化（Socialization）是隐性知识转化为隐性知识的过程，这一过程强调情境化的参与式学习，个体通过参与式观察、实践与他人交换和分享彼此的经验、心得、行为模式等隐性知识，实现个体间隐性知识的相互作用，促进创新隐性知识的过程。

外显化（Externalization）是隐性知识转化为显性知识的过程，个体将已获得的隐性知识借助语言描述或书面表达的类比、比喻、假设等知识的外部表征形式外显化。这一过程是对隐性知识挖掘与外显化的过程，是知识创新的关键环节，在四个转化过程中居于核心地位。

结合化(Combination)是显性知识转化为显性知识的过程，这一过程体现知识不是简单的相加，而是整体大于部分之和的思想，通过筛选、添加、分类和重组将上一阶段形成的零散的显性知识系统化，以形成新的“个人”的知识体系的过程。

内隐化(Internalization)是显性知识转化为个人的隐性知识的过程，个体通过“做中学”、参与式体验等形式对显性知识消化、吸收，并内化为自我的隐性知识。这一过程是知识交流、共享的过程，个体的知识结构体系在这一过程中不断得以重构与拓展。

SECI 模型的四个过程相互作用，在转化中循环递进，实现知识转化的螺旋上升。如此看来，SECI 模型构建的实际上是一个立体动态的知识转化图式，这其中有主体与社会情境的交互式活动，有依赖于社会的文化、历史、传统等因素；同时，立足于主体自我的内在转化，又有依赖于个体的经验、语言表征等因素。而 SECI 模型的最终落脚点在于个体对知识的吸收与转化即知识的内隐化，这对研究教师互惠学习的内在互动模式具有启示意义。

就教师互惠学习而言，教师个体对知识的吸收与转化彰显教师知识习得的实践性与反思性特质。舍恩(Donald A.Schon)于 1983 年提出“反思性实践”的概念，逐渐取代以技术理性为原理指导的技术性实践的路径[7]，变革了教育领域中对教师教学、教师学习的惯常思维与做法，引发了教师教育领域的重大变革与创新。强调教师主体的参与性与实践性，在“行动中反思，反思中行动”逐渐成为教师学习的主流模式。实践反思的前提假设是将教师视为积极的学习主体，改变以往被动参与的“局外人”角色。教师以主体身份参与学习，积极地发表个人观点、理性思考与批判，达成共识，促成共同行动。这一过程不仅需要教师对学习情境进行感知与体验，更要对自我内在的认知结构与经验系统进行反思与重组，可以说，教师的实践反思是一种经验理论化的过程[8]，教师在与学习情境中的人、物交互作用时，实现对情境中的显性知识的消化、吸收，形成内隐的教学理论。内隐的教学理论并不是体系化的理论，而是一种理性的教育思维意识与潜在的教学能力，能机智地解决教育实践中的困难与问题，表征为教师的实践智慧与教育机智。

知识转化的过程生动地阐明了教师互惠学习过程中自我交互与建构的内在机理，促使教师加强自我知识管理的能力，实现知识的内化。教师是文化的承载者，总是带着某种文化与人交流，在交互式活动中，教师总是通过文化历史的情境性因素发表自我观点，与社会文化交互中实现隐性知识与显性知识的互动转化，不仅需要教师的合作、对话、协商等参与式学习，更需要教师在主体参与过程中进行自我的内在反思。教师在合作沟通中所形成的实践性知识借助协商、对话、交流，并在自我反思的认知活动支配下，形成对实践性知识的内化，使实践性知识以理性意识的形态贮存于自我内在的认知结构中，对原有认知结构进行改组与重构。教师的社会性互动与内化的实践知识体系同一性地促成教师自我的实践智慧，指导教师的教学实践，使教师不断修订原有不合理或不正确的教学观念与行动，促进教师专业素养的提升。

（三）互动模式的历时性与共时性统一

教师互惠学习的互动模式是相辅相成的统一体，是历时性与共时性的统一。首先，从时间上看，“台前”的社会性互动与“幕后”的内在建构是同时发生的，为了便于研究，在论述时将两者人为地分开。当教师在社会文化情境中与他人、组织、文化等发生交互式关联时，教师个体同时将从社会情境中接收的所有符号系统与自我原有认知结构中的经验、认知、知识等相互作用，不断进行转化与内化，建构到自我的认知结构中，实现自我认知结构的改组与重构。教师作为主动的学习者，探寻对学科知识的理解和为把所学的知识迁移到新问题、新情境做好充分的准备[9]，这为下一次情境式的互惠学习提供了心理学的认知基础。由外而内的完整互动过程几乎是同时发生的，是社会文化与脑机制共同作用于教师主体的结果。由于教师的经验系统是历时性的社会文化的组合，教师互惠学习的互动模式在时间的静态层面具有共时性，但在动态层面具有历时性的特征。其次，从空间上看，教师互惠学习可以构建跨越国界的实践共同体，从实践共同体中教师所处的物理空间而言，教师可能在多个空间内。但如果将实践共同体作为一个心理存在实体的话，每一位成员均有心理意义上的“在场感”，使得教师互惠学习的两种互动模式在心理空间中也达成一致。正如前文所述，教师互惠学习的情境性更多意义上是从心理意义上阐释的，教师互惠学习的互动模式在空间场上也主要指心理空间上的“在场”。特别是构建跨越国界的实践共同体，教师间主要通过虚拟网络交流平台平等合作、协商、对话，实现问题的解决。但每一位教师均能感受到对方与自我的存在，这种虚拟的学习情境更多的是指心理层面上的学习情境，这是互动模式共时性上的表现。同一性的教师互惠学习互动模式使教师采取相应的学习策略，激发自我的学习动力，在实践中实现高效学习（图 6-2）。

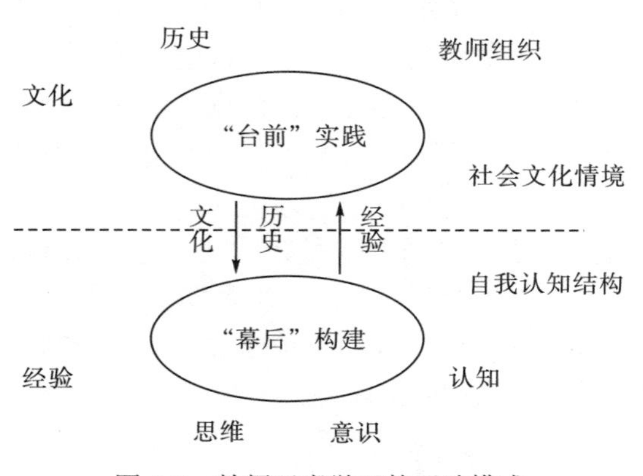

图 6-2　教师互惠学习的互动模式

结合教师互惠学习互动模式的学理探析，“台前”的合作实践与“幕后”的反思建构是教师互惠学习互动模式的同一性路径，是教师进行社会性互动与自我主体性建构的统一。在其中，教师以双重身份参与互惠学习的互动活动中，首先，教师以观察者的身份观察他人的教学实践活动，并观察他人如何进行教学建构与反思，同时对观察到的内容进行体悟与反思；其次，教师以学习者的身份与同事、专家、学生等主体展开形式多样的合作、对话，并对自己的教学、学习等进行合理性反思。基于此，从观察者与学习者的“台前”合作实践与“幕后”反思建构作为教师互惠学习互动模式的分析框架(表 6-1)。当教师进入某种社会文化情境特别是异质性社会文化情境时，首先以观察者的身份对周遭事物进行观察、体悟，审视他们如何合作、互动与反思，再以学习者身份参与其中，与不同的个体进行交互式活动，并进行自我反思。为了凸显研究的信效度，本章主要将教师置于异质性社会文化情境中，并立足于教师当时所处的社会文化情境进行多样的类别化分析。

表 6-1　教师互惠学习互动模式的分析框架

维度	身份	
	观察者	学习者
“台前”合作实践		
“幕后”反思建构		

本章主要聚焦于以下四个问题：①教师作为观察者所看到的异国教师是如何互动合作的？②教师作为观察者如何审视异国教师的实践反思？③教师作为学习者如何在异质性社会文化情境中与其他学习主体进行互动？④教师作为学习者如何在互惠学习过程中进行自我反思？

二、跨文化统合视域下教师互惠学习互动模式的质性论证

将教师置于跨文化的学习情境中，教师以观察者与学习者的双重身份进行互惠学习，不同的身份产生不同的互动模式。就观察者而言，主要以教师之“眼”观察他人在教学实践中如何开展合作实践与自我反思，作为学习者的教师主要关注身在其中的自己如何与他人合作及自我反思。可见，两种身份的互惠学习均涉及“台前”合作实践与“幕后”反思构建。为了明晰地探析跨文化统合视域下教师作为观察者与学习者两种身份进行互惠学习时在“台前”与“幕后”的不同表

现，特将其加以类别化的质性论证。而在现实中，作为整体性发展的人，这两种身份是高度融合的，对于这种类别化质性论证分析应从整全的视角加以审视。由于教师的社会性互动与自我主体性建构是相统一的过程，因此，在对不同身份的教师开展互惠学习时的互动模式进行阐释时，主要将合作实践与自我反思作为一个整体进行论述。

(一)作为观察者的互惠学习互动模式

教师在异质性社会文化情境中，观察异国教师与学生、学生与学生、教师与教师、教师与家长等多主体间的合作互动及自我反思，并将其与本国教师进行迁移性对比。不管是探析国外还是国内教师的合作互动与自我反思，教师均以观察者的身份观察多主体间的合作互动，并以此促发自我的专业反思。

1.师生交往

作为一切社会关系总和的人总是与他人在相互作用中实现着共同成长与发展，这种相互作用是一种交往活动。教师与学生的交往是学校生活与学习的基本方式，使置身于其中的每一个体过有意义的生活是学校教育中师生交往的深层次意义[10]。师生交往涉及教师与学生交往的方方面面，不仅体现为完成教学任务的工具性价值，更体现为培养健康全面发展的人的目的性价值。同时，师生关系是师生交往的静态表达，在论及师生交往时不可避免地需要论述交往过程中所形成的师生关系。

首先，师生交往中的专业伦理。师生交往是教师专业伦理关注的主要方面，因为专业伦理是评判专业成熟与否的重要指标，且专业伦理实质上是一种“角色”伦理，即按照社会赋予教师的基本角色和教师在整个社会分工中担负的主要职责来确定其基本的伦理规范[11]。而教师角色是在与同事、学生、家长等群体的相互交往中逐渐确立与形成的，相互交往的过程便构成了多元的“关系群落”，师生关系是众多“关系群落”中最为重要的关系，师生交往有明确的行为交往规范与基本的专业伦理要求。“我们开始在温莎大学上课时，一次讲座上老师讲了关于教师专业伦理的内容，放了一段视频，视频的内容大体是一位年轻的女教师因小男孩不来上学，很着急，于是尽职尽责地跑去小男孩家里找了小男孩并要求他上学，过了几天，女教师发现男孩的一个朋友有诸多不良行为，担心会对小男孩造成不良影响，遂要求小孩男孩跟这个‘坏’朋友划清界限……这位年轻的女教师最终被举报了，理由是‘她试图操控那个男孩’。这个案例在加拿大被当作反面案例进行讲解，以起到警示作用。这与中国教师对学生的严格管束有着较大的区别。与学生交往时，‘友好而不是朋友’是他们经常说的一句话”(PT6-20141109F)。在加拿大，各种教师专业组织对教师专业伦理有明确规定，教师绝不能逾越专业界限，不允许与家长及学生在没有提前联系的情况下有任何私下的接触。中国教师与学生所形成的师生关系有着与加拿大师生关系不同的文化底蕴，教师承担着除本职工作之外更多的育人功能，但在其中师生遵循着相应的规范。“中国教师有多种角色身份，不仅具有教师的身份，也具有学生的父母、朋友、同伴等多种角色身份，学生在与教师的多元交往中健康成长。但这并不表明教师可以无限制地满足学生的要求”(PT3-20150429T)。教师对于哪些行为“可为”及哪些行为“不可为”是外在学习的过程，也是自我省思的过程，教师在专业实践中需要时刻提醒自己恪守专业准则，在教师专业界限的范围内，开展合理的被认可的师生交往活动。可见，教师的专业自由是在一定限定条件下的自由，不存在没有限制的自由。

其次，师生交往在课堂教学中的体现。课堂是师生交往的重要场所，课堂教学中师生交往体现出教师的学生观与教学观。中国与加拿大关于课堂教学中的师生交往表现出一定的差异性。“加拿大的小班教学要求教师关注到每一个学生，否则便是不负责任的教师，而中国教师则主要从关注整体到个体，能在大班额教学中保证每一位学生的知识获得、能力锻炼与品质提升，促进学生全面发展，这让我很佩服”(PT4-20150507T)。PT4 教师赞叹中国教师在大班额教学对学生整体的普遍关注，并从关注整体位移到关注个体，课堂教学秩序良好且高效，这与加拿大小班额教学有着较大差异，这种差异促使其进行反思，并对自己的教学实践进行合理化改进与调适。而中国职前教师到异质性文化学习场域的加拿大进行互惠学习时，在见习、实习过程中对课堂教学情境中师生交往模式进行观察与反思，这一观察行为影响着他们的教育理论知识结构与职后专业发展的知识建构。“加拿大教师在教学中，几乎要让所有的同学来发表自己意见，每一位学生对老师的提问都很积极地回答。这一过程中，同学们对错误的回答进行更正，老师最后进行相应的补充。师生交往不完全是关注知识习得的结果，更关注知识获得过程中思维的训练及刨根问底的研究精神”(PT5-20160418T)。PT5 教师的观察使其看到了不一样的课堂教学，也更加明晰教师如何把握学生对知识的掌握程度，及如何根据学生的反馈信息及时地调整自己的教学进度及行为模式，这一过程往往是内隐的，如何调整取决于教师自我主体性建构的效度与深度。

最后，静态表达的师生关系。师生关系是学校教育中的主要人际关系，良好的师生关系是教育教学活动顺利开展的保障。中国与加拿大师生关系的差异体现出中西文化传统的差异。“在中国，有尊师重教的优良传统，到我们这一代人，已经不再像古代那样唯师命是从，但中国学生对老师仍旧非常尊重，这对于弘扬尊师重教的社会氛围非常重要”(PT7-20160418T)。中国师生关系更多地体现为教师对学生“润物细无声”的熏陶，儒家文化对教师形象的世代诠释使教师对学生的管理更加注重内省与慎独，进而形成了学生尊重教师的优良传统。而倡导

“儿童中心”的加拿大教育要求教师将更多的学习主权交给学生。“我发现中国的学生很敬重教师，师生关系是尊重式的平等；加拿大的教室常挂有写着‘Respect’的海报，教师们都高喊着‘Show me respect’。教师要与学生特别是低年级段学生建立信任关系(If we don’t believe our students，why we be a teacher？)，对学生做到最大限度的理解与尊重”(PT3-20150429T)。在此过程中，“教师以饱满的热情使学生感受到教师对职业及对学生的热爱，我觉得这是两国教师的共性”(T8-20150318T)。文化的交锋使中加职前教师参与跨文化互惠学习时看到了两国师生关系的差异性表现，师生关系是师生交往过程中所形成的一种人际关系，良好的师生关系有利于促进教师专业发展与学生健康成长。两国由于教育体制的不同，师生关系呈现不同的类型，师生关系的两种不同表达方式使职前教师在文化碰撞中比较、反思与理性思考。

2.生生互动

互动是人际关系的本质所在，学校情境中学生与学生间的互动是极为重要的，学生间在相互作用中按照阶段性目标采取行动并努力达成目标[12]。可见，生生互动是基于一定目标(或目的)的互动，为了完成某一学习任务或习得社会经验知识系统均需要与他人的相互作用[13]。

首先，小组合作学习是生生互动的主要形式。教师将学习的主导权交给学生，教师成为退居幕后的指导者与帮助者，只在必要的时候出现。“中国教师的课堂管理能力很强，课堂秩序很好，学生都很遵守规则，教师讲解的时候相对多些，教师关注全体学生对知识的理解与掌握，学生交流以小组合作为主；加拿大课堂没有固定的格局，会根据教学内容有所改动，便于学生在活动式教学、参与式教学及探究式教学中开展形式多样的合作与对话”(PT3-20150429T)。小组合作学习有利于学生自由充分地展现自我，共同完成小组任务，相较而言，从职前教师参与观察来看，中加课堂形态中生生互动的频率与深度因学习内容与学习任务的差异而有所不同。“由于学生要分小组动手制作轮船，班里的气氛自然不是很安静，但是并不吵闹，我不知道该怎么形容这种感觉，是一种很让人心安的喧闹感。因为大家都在着手完成这一件事情，都在为自己小小的轮船而努力，每个人都和自己的搭档专注于自己手上的工作，两三个人一组或装零件或讨论改进的办法，没有一个人是无所事事的，没有一个人是在课堂之外的，每个人都很享受这种学习的过程”(PT2-20151120F)。职前教师对异质性文化学习场域中课堂教学的生生互动进行了深入观察，并结合自己的教学理念与主张，有目的地内化为自我的教学理论，在职后教学实践中外化为相应的教学行为。

其次，“互联网+”背景下生生互动的新形式。在“互联网+”的时代背景下，多媒体逐渐成为学校教学的辅助手段，学生小组合作学习也有了新的形式。

“在W学校，12：10至1：00为兴趣/爱好练习时间，MS.Rose为所教的六年级每人发一部iPad，以小组为单位，查找感兴趣的知识，并配上文字、图片发到自己的博客上，内容涉及科学、体育、社会等。Ms.Rose向我展示了她的博客，她加了所有的同学，所以可以很清楚地看到他们发布的动态。当问及学生是否会用iPad玩游戏时，Ms.Rose肯定地说出了‘不会’，她进一步地解释：‘教师给他们提供了这样的时间与资源让其做自己真正感兴趣的事情，他们怎么还会愿意玩游戏呢’？她向我展示了一个学生的博客，上面是关于二战的文章，他首先提出了自己的问题，然后去找资料来回答自己的疑问。Ms.Rose说：‘我不能教给他们所有的知识，因为这些知识就好像大海一样，我们所了解的仅仅是海里的一滴水。但是我可以教他们如何去学习。而且通过这样的办法，也能够让他们学会怎样去检索自己所需要的知识’，并且，这一过程会使学生间在互帮互助中成长”(PT1-20160328T)。如何教学生合理运用多媒体设备是“互联网+”背景下对教师专业能力提出的新要求。教师能否有效运用多媒体设备开展课堂教学，形成新的教学方法是教师信息素养的重要体现。教师借助多媒体设备开展小组合作学习，是对已有教学方法的创新与突破，使学生以自主学习与合作学习相结合的方式开展生生互动，获取知识，实现问题的圆满解决。这一过程，不仅在于锻炼学生解决问题的能力，也在于培养学生的自律意识、探究精神与团队协作能力。这样的观察对职前教师有积极的启发意义，促使其思考未来的自己在进行多媒体教学时如何传达给学生合理运用多媒体设备的能力，提升自己与学生的信息素养与探究能力。

3.教师合作

在教师专业化的改革推动下，世界各国愈来愈重视教师合作在教师专业发展中的积极作用，教师合作已逐渐成为国际通例。教师合作是一种特殊的人际合作，人际合作是至少两个相互平等的主体以直接互动方式，为了共同的工作目标而自愿地参与共同决策[14]。教师合作是人际合作的一种，主要指教师以自愿平等的方式，就共同感兴趣的问题，共同探讨解决的办法，从而形成一种批判性的互动关系，教师合作搭建起教师专业发展与学校教育变革的桥梁[15]。教师合作的良好形态有利于良性教师文化的塑造，教师合作与教师自我反思相辅相成，共同促进教师专业发展。但由于文化差异，各国间的教师合作形式存在一定程度的差异。“在加拿大有教师专业发展日(Professional Development Days)，学区规定学校每周选取一天提前为学生放学，以便教师集体开展研讨活动；同时，学区选取部分节假日并统一规定为教师专业发展日，教师间开展教学研讨活动、课堂观摩、经验交流等专项活动以促进教师专业素质的提升，当然，这一过程也离不开教师的自我反思”(20151012G)。加拿大教师专业发展日是在教师专业化的国际运动趋势下产生的，从组织上为教师教学之余进行合作互动提供充足时间，为教师创造合作共享与自我反思的平台，教师在教师专业发展日的特定时段进行社会性协商与自我对话，实现彼此的共生共长。中国虽然没有教师专业发展日，但有着较为悠久的教研室研讨活动。“中国的教研室或教研小组在长期的社会实践中积累了优秀的经验，除开展教学研讨之外，还会开展集体备课，集体备课一方面是为了年级任课教师对教学重难点等有明晰的把握，另一方面可保证年级教学进度的大体一致。而加拿大教师更倾向于独自安排教学，自己掌握教学的进度”(T7-20151110T)。教师专业发展日与教研室等是将教师以组织的形式集结起来，在共同发展目标指引下共同解决问题的活动形式，教师在其中开展合作共享与实践反思。“学校范围内的教师合作，在加拿大主要以教师专业发展日的形式表现，中国以教研室活动的形式表现，主旨均在于营造良好的学习氛围，实际上都是教师学习共同体的表征；跨越学校或国界的教师合作，如我们现在所进行的姊妹校合作交流，符合教师学习共同体的特征，在一定发展愿景指导下促进教师专业发展与学校变革”(T7-20151110T)。当然，教师合作不限于教师专业发展日与教研室活动，教师的自我反思更是伴随教育教学活动的全过程。

不管是学校范围内的教师合作还是校际的教师合作，均致力于解决教师在教育教学实践中遇到的问题与困惑，是将教师个人智慧转化为共享性资源，形成教育合力，实现教师群体的互惠发展与学校教育的整体提升。由此可见，教师合作是在教师自我反思基础上的一种有长度的合作，注重教师持续发展意愿的激发与强化，保证教师专业发展的可持续性；教师合作是在教师自我反思基础上的一种有宽度的合作，不仅关注教师个体的发展，更强调通过合作提升教师整体的专业水平；教师合作是在教师自我反思基础上的一种有深度的合作，教师专业发展在一定程度上推动学校教育变革与创新[16]，教师合作是教师专业发展与学校教育变革的一体化推进，促进教师专业水平的提升与学校教育质量的整体提高。

4.教师与家长互动

教师与家长的互动指教师与家长的交互作用和影响，是教师与家长各自人际互动系统中的特殊形式[17]。教师与家长互动主要是以学生为纽带的制度性关系，两者均着眼于学生的全面健康发展。家长会是教师与家长互动的惯常途径。“在加拿大，家长会一般每学期进行一次，采取一对一的‘聊天’方式，议题主要是孩子，涉及孩子的语言发展、阅读及交友等方面。这样一对一的家长会能很好地保护孩子的隐私，对孩子的发展造成的负面影响相对较小”(T1-20151118T)。一对一的“聊天”能使教师与家长进行深度互动，有利于双方彼此提供有关学生发展的全方位信息，教师与家长分别根据对方的反馈信息对学生(或孩子)进行有针对性的教育。与加拿大相比，“中国家长会一般每学期开展

1～2 次，教师与全体家长在一起主要围绕学生发展状况展开交流，并对表现优异学生进行表扬，对后进学生提出建议与忠告，家长根据家长会上老师的反馈信息对孩子进行有针对性的教育。集体式的家长会主要以教师的信息反馈为主，并不能保证每一位家长为教师提供有关孩子的成长信息，但家长与教师会通过其他途径(如电话、QQ、微信等)，相互沟通，互通有无。”(T5-20160418T)。集体家长会能使教师与全体家长进行互动，并能促进家长间的积极互动与交流，教师将关于学生、班务等相关信息向全体家长传达，而关于每个学生的发展特色则采取独特的互动方式进行，或是面对面交流，或是采取新媒体进行即时互动。

在家长与教师的互动频率与配合程度上，两国表现为较高的一致性。“在加拿大较为偏远的地区，家长对孩子学习不会很关注，家长也不会很配合老师的意见，学生的作业只得在学校完成；而条件较为优越的家庭对孩子的关注度较高，会与教师保持较为紧密的互动关系，也会积极配合教师的教学要求。现阶段，中国家长对孩子的健康成长普遍较为关注，他们积极地与教师保持互动，了解孩子在校状况，并依据教师的教学建议合理地开展家庭教育。但家长与教师的互动表现出较大的地区差异，与农村家长相比，城市家长普遍地能投入更多的时间与精力与教师进行互动交流，与教师互动的频率及配合程度也较农村家长高”(20161107G)。家长作为学生的法定监护人，学段越低，教师与家长互动的频率越高，教师与家长的互动关系是教育中的辅助关系，但其重要性不可低估，是教师、家长彼此获取信息的重要途径，教师与家长的良性互动是家校合作的基础前提。

(二)作为学习者的互惠学习互动模式

在社会文化情境中，教师不仅是观察者，更是学习者。作为学习者的教师在异质化社会文化情境中与指导教师、中小学生及同伴等多主体进行合作交流，并基于差异性比较对本国教育、对当下及未来的专业自我进行建构性反思。教师主体在特定时空与多主体进行互动交流，与不同主体互动有着不同的互动内容。鉴于教师发展的专业性，主要选取与教师专业发展密切相关的互动主体进行论述，其他未述及的主体并不说明教师在异质化社会文化情境中未与之进行互动交流。

1.与异国教师互动

教师特别是职前教师在异质性文化学习场域中的学习包括高校的理论学习及中小学见习、实习。中国与加拿大职前教师参与交换互惠学习过程中，他们总是与教师进行着合作、交流与共享。由于他们在异国互惠学习包括高校理论学习及中小学见习实习，因此，与其互动合作的教师主要包括高校教师与中小学教师两大类。

首先，在与异国高校教师互动方面，主要从如何教、如何进行研究等理论层面展开，但同时兼顾理论与实践的紧密结合。与高校教师的深度互动使职前教师从理论层面对异国教育有更加真切的感知与理性的认识。“X 大学教师关于中国免费师范生政策的详细解读使我们对中国教师教育有了更加理性的认识。我会主动地与教师交流沟通关于中国文化、风土人情、教育政策、教师发展等方面的内容，老师们也很有耐心地解答，让我看到了不一样的中国。同时，也使我不断地修正我原有的、相对不合理的偏颇认识”(PT3-20150429T)。中国 X 大学教师为加拿大职前教师详细讲解了中国的民族教育、免费师范生政策、教师资格认证制度等方面的内容，使他们对中国的教师教育政策不再停留于外界宣传上的偏颇认识，而有了更加理性与全面的理解。PT3 教师在听 X 大学教师讲解后，主动与教师交流自己感兴趣或有疑惑的方面，逐渐形成对中国文化、中国教师教育政策的合理认识。PT3 教师与中国 X 大学教师的交流，是对中国教师教育加深理解的过程，同时也是将本国优秀经验与中国大学教师及同学相互交流、分享的过程，这是在文化对比与反省中对中国教师教育进行的理性认知与深度理解。中国职前教师在加拿大交换互惠学习也是在文化对比与反省中认识自我与形成正确认知的过程。“我以前一直认为有实验参与的教学才是探究性教学，与 W 大学 Mr.George 沟通后，我发现我的认识是不甚合理的。很多时候我们所上的实验课算不上是探究性教学，物理实验课从预习实验器材、实验内容到实验现象的解释都是按部就班地进行，并没有探究新的东西。在谈到以何种态度面对实验时，Mr.George 说，在教学过程中，学生需要通过感性思维帮助其理解某一物理概念或定律，建立起整合的思维过程，这个时候就需要学生通过实验来探究。当然，探究性教学也不是一定要用到实验。通过交流，我认识到教学中只要学生积极主动地发现问题、解决问题便可理解为探究性教学，而且，针对不同年龄阶段的学生探究教学所采用的方法也有所不同，这对我以后的从教有着莫大的帮助”(PT7-20160418T)。PT7 教师在与加拿大 W 大学教师如切如磋的互动交流中，纠正了原有的关于探究性教学的偏颇认识，对自己的教学实践有积极的指导作用，将会在 PT7 教师的见习、实习中得以印证，并在其职后的教学实践中得以发挥，内在的隐性的理论知识经其外在合作互动与实践性反思外化为自己教学的实践性知识。两国高校教师以理论与实践相结合的路径从教育文化、教师教育政策、教学法、教师专业伦理、师德等视角使两国交换互惠学习的职前教师逐渐消解了因文化差异而形成的偏颇认识，使其结合自身实际，开展深入的自我反思，文化差异越大，越能引起教师的自我反省与思考，这些自我反思的内容将不断充实其专业知识结构。同时，姊妹校教师与两国高校教师也进行着互动合作，通过视频交流、国际会议或互访学习等形式增进了解，促进学校变革与发展。“与中加高校教师及姊妹校教师的合作交流，我们两校都努力在原有校本课程建设的基础上加入国际化的元素，这样的课程视域更加宽广，内容更丰富，有利于提升两校师生的跨文化意识与国际理解能力”(T7-20151110T)。在教师教育协同发展的时代背景下，加强高校与中小学的协同发展成为国际发展趋势，中小学教师可以从高校获得理论支撑与技术指导，高校可以从中小学获得实践性素材，实现彼此协同互惠。

其次，在与异国中小学教师互动方面，主要从微观层面展开，涉及如何与学生相处、如何进行教学管理、如何做教学设计等方面的内容。职前教师交换互惠学习时，以准教师的身份参与中小学见习、实习，中小学教师是职前教师的指导教师，职前教师就观察到的教育事实或教育疑惑等与中小学指导教师对话，相互交流。“Mrs.Meo 告诉我在她接六年级这个班的第一天，她下午下班回家后忍不住痛哭了起来。这是她教书二十多年来第一次因为学生哭。因为这个班上的学生太难管教，上一学年基本没有学到什么，基本上全是‘问题’学生。她难以想象如何教这个班，如何和他们相处一年的时间。她的描述使我非常惊讶，因为我现在看到的班级已与她说的一个月前的情况有天壤之别。现在的班级，学生上课都很认真，待人也很礼貌。我迫不及待地问她是怎么做到的。Mrs.Meo 告诉我，理解和激励学生是最好的方法。如针对学生不能在家完成作业的状况，Mrs.Meo 制订了‘Happy Friday’计划，每周作业按时完成的学生可以享受‘Happy Friday’，即周五下午在教室里自由玩 iPad 或电脑，而其他没有完成作业的学生则要去另一个教室补作业……我很钦佩 Mrs.Meo 没有放弃这些‘问题’学生，而是努力为学生健康成长创设好的外部环境，给予学生成长的希望。这让我很受裨益”(PT8-20160418T)。这一访谈中，PT8 教师与指导教师的互动交流主要集中于教育理念、有效的班级管理及良好的师生关系等方面。在教育理念上，虽然 PT8 教师通过教育理论知识学习深知爱与理解是教师必需的专业素质，但在与 Mrs.Meo 班上的体验及与指导教师的交流，使其从实践中更加深刻地体会到对学生的爱、理解、信任与鼓励的重要性。PT8 教师把在加拿大中小学的所见所闻所感与其学习经历中的本国中小学教师的所作所为进行比较，在文化反思中体悟到中加教师教育理念的共通性，即对学生的爱与理解是各国教师应具备的共同的专业素养。构建良好的师生关系与有效的班级管理是相互影响的，教师给予学生足够的爱与理解，逐渐建立起和谐的师生关系，和谐的师生关系是基于一定的规则构建起来的，合理的规则是进行有效的班级管理的基础。PT8 教师将与指导教师互动的内容在自我反思的基础上，内化到自我知识结构体系中，促进自我专业素养提升与成长；同时，PT8 教师与指导教师的交流也引发指导教师的自我反思，推动其进一步优化教育实践活动。

2.与学生互动

师生互动作为一种特殊的人际互动，是在师生之间发生的各种形式、性质和各种程度的相互作用和影响[18]。与学生互动是教师作为学习者学习如何与学生交往，实质上是对学习目的国文化传统的适应与遵从。对学生的理解与尊重在任何国家都是适用的，但如何与学生构建良好的师生关系，却有着显著的文化差异。对中加职前教师而言，在异质性社会文化情境中与学生互动是体验教育文化差异的重要途径，使其在文化差异对比中对自己的行动进行反思，即反思如果回到本国在自己的教学实践场域中“我该如何去做”，通过对“我该如何去做”的全面反思获得的智慧产生可能的教学行动。对行动的追溯反思可通过与他人的对话进行，正是在与他人的对话中能最好地对一个具体情境的意义进行反思，进而实现理论升华[19]。教师在与学生的相处、沟通、对话的同时也在进行着自我的内在反思。对职前教师而言，如何与学生构建和谐的师生关系不仅需要专业技巧，也需要对异国教育文化及教师专业伦理的遵守。“因陪伴 Mrs.Angi 班里的一个小男孩去洗手间，之后的阅读等活动他都会走近我。在接下来的几天，为了在班里站稳脚跟，我和这个小男孩玩得很开心，他会带我陪他一起玩班上的各种游戏，我也想通过他和更多的孩子玩在一起。结果我错了，小男孩会直接告诉别人：‘She is my friend！’拒绝别的孩子和我做游戏，有时甚至会吵起来……Mrs.Angi 告诉我‘you are a teacher of my whole class，you are not just belong to him’。之后我采取鸵鸟般的躲避策略，刻意去别的班听课，但是学校有一节同一时间段的体育课，躲也躲不过去，又忍不住和孩子们玩起来，站队回教室的时候，班上的小女孩跟我说：‘It’s not fair！ You just like him！ And you just play with him！’说得很气愤，手臂交叉双手夹在胳肢窝底下，下巴抬得很高很不满地跟我说。小孩子的话就像烈酒，直直地辣进了心坎儿里，内心挣扎的感觉让我不想再这样逃避，我应该好好面对，勇敢去解决。第二天的户外运动课，Mrs.Angi 班上的学生都想和我玩，于是我拉着昨天那个小女孩的手，告诉小男孩：‘我不属于你，你要学会轮流，今天我想和 Lila 玩，明天和你玩好吗？’意想不到的是，男孩直接趴在草地上哭了起来，我很努力地安慰他，希望他可以理解我，但他哭个不停让我心里酸得厉害，真希望我压根没有出现在他的世界里……”(PT1-20151025F)。由于缺乏经验与对教育的美好设想，PT1 教师在刚开始就陷入困境，如何突破困境解决问题，PT1 教师经过“我该如何去做”的不断反思，认识到师生关系具有社会文化性，与学生相处是基于相应的社会文化传统而展开的，在理性认识的基础上以行动逐渐化解窘境；同时，PT1 教师深刻地领悟到师生关系不是教师对学生顺从或讨好，而是出于对每一位学生的爱与关注。这次经历使其体悟到教师与学生相处应与学生保持合理的距离，考虑教师个体与学生整体间的协调平衡，更应考虑师生互动交往的社会文化传统，这些将对其专业发展产生重要的积极影响。

3.与同伴互动

现有关于同伴互动的研究主要将同伴界定在儿童与青少年间的互动，主要包括同伴辅导、合作和协作三种类型[20]。同伴主要指年龄、角色等相仿的主体，从这一层面来看，同伴不限于儿童与青少年群体，可以扩展至更大的人群。本章中的同伴主要指研究对象相互之间及与其相类似的主体间的互动对话，同伴互动是"显性"的人际交往行为，但它同时又具有"内隐"的文化特征[21]。"显性"的人际交往是教师间进行社会建构的形式保障；"内隐"的文化特征是教师主体进行自我反思的内在建构活动，体现出社会互动与自我主体性建构的统一。

首先，同伴互动提升备课的教学设计。职前教师深知课堂教学的关键在于课前的教学设计，因此，他们在学习目的国进行教学实习时将大量的精力用于课前备课的教学设计。他们积极主动地与同伴沟通交流，讨论如何设计教学导入、如何与学生互动、如何保证教学内容的完善性等内容。"我会和我的同伴一起备课，共同讨论学生的问题与可能遇到的状况，并一起对教学内容与教学设计进行修改与完善；同时，我也会与中国的职前教师交流意见，深入了解中国中小学教育。当然，同伴的意见不一定完全都适合自己的教学，我会结合自己的教学设计合理性吸纳，并不断反思如何才能做得更好"(PT3-20150522T)。PT3 教师在中国互惠学习期间到中小学见习实习，她在备课中与同伴共同协商教学设计，这里的同伴既包括一同前来中国学习的加拿大职前教师，也包括中国职前教师。与加拿大同伴一起就教学内容进行周密的设计，并且每个人轮流试讲，试图克服知识性与结构性的错误。但为了保障教学顺畅有力地进行，他们需要对中国的中小学学生、中小学教育文化等进行详细了解，这方面的内容他们会主动与中国同伴沟通，并在彼此互动沟通的基础上，结合自己班级的情况对教学内容在课前进行自我建构。

其次，同伴互动促进教师课后反思。课后反思是教师对自我教学实践活动进行"回放"式思考的过程，是对自我教学实践行为及由此产生的成效或结果进行自我审视与冷静分析的过程[22]。这一自我审视与分析的过程不是孤立地进行，而是教师与其他教师在课后就教学设计、教学行为等方面存在的问题相互交流、平等协商的互动过程，教师从听取他人意见与建议的基础上理性而冷静地审视自己教学的优势与不足，这是外在的社会性互动与内在的自我反思相结合的同一过程。"我为 G12 Enriched 学生上了一节物理课，我选择讲了开普勒三大定律。课后与同伴交流中，他们对我提出了很多中肯的意见：应强调定律及公式的适用情况，加深学生的理解；上课过程中改变一些语言表达，不应在上课过程中反复提及'这些内容你们上了大学会再次学习，现在你们学的都太浅了，不是真正的物理……'，这对培养学生的科学精神很不利，也会打消学生学习物理的兴趣与积极性。这次讲课使我深刻地理解到教师不仅需要具备坚实的专业知识，也需要对知识进行合理的设计以利于学生的理解与掌握，更应该具有相应的专业能力，灵活应对学生的随机提问。在我所希望创建的探究性学习的课堂氛围中，更要求教师具备足够的知识与能力去面对学生的各种疑问，引导学生树立正确的科学态度。在以后教学中我要夯实专业知识基础，熟悉知识的历史背景、思想及学科间的联系，不断加强专业素养，不能因为担心回答不上来学生的问题就抹杀他们提问的权利，而是尽量做好准备工作，以积极的心态投入到教学过程中”（PT7-20160418T）。PT7 教师虽然深知自己教学存在不足，但在课后并无法将之清晰地表达出来，这是一种可意识到的但无法言传的实践性知识。而同伴为 PT7 教师提出了诸多改进的建议与意见，使其对自己的课堂教学行为有种豁然开朗的感觉。一方面，与同伴互动交流使 PT7 教师明晰教学内容的讲解应更加关注知识的趣味性、系统性与应用性，这使其深感夯实专业知识的重要性，讲课不应只关注内容本身，还应关注教学内容产生的历史背景及与其他知识的联系。另一方面，教师语言表达是教学艺术性的表现，也是教师专业素养的体现。教师口头语言的抑扬顿挫、书面语言的舒展严谨、肢体语言的得体有章及表现在课堂气氛调动的群情激昂，这些语言表达上的“美”需要在长期的教育实践中历练，也是职前教育阶段重要的学习任务，PT7 教师与同伴互动交流使其清楚教师语言表达对学生发展及教学效果的影响。与同伴互动、沟通、分享中，引发 PT7 教师对自己的教学行为进行深层次思考与反省，实现隐性的实践性知识的外化，促进教师专业素养的逐步提升。

最后，姊妹校教师同伴间的互动合作。姊妹校是校际间的友好合作，国际性的姊妹校是校际合作的一种模式。姊妹校教师的互动合作实质上是一种校际合作伙伴关系，是两校教师在平等自愿、相互信任的基础上，为实现彼此间共同的目标和任务而进行长期的精诚合作，在求同存异中实现彼此的利益共享[23]。中加姊妹校教师在长期的互动合作与社会性协商中确立了共同的目标与任务，双方就此展开一系列的深入互动交流。“每次与加方姊妹校的教师们交流总会有收获，我们就校本课程开发相互交流意见，对彼此都有很大的帮助。就我们学校而言，我们在反复的论证交流中逐渐形成了立足于本校特色融入姊妹校共同元素的具有国际视野的校本课程体系，这是姊妹校双方教师集体互动合作的结果，也是我们不断反思求证的智慧结晶”（T7-20161107T）。T7 教师所在学校与加拿大一所小学共同创建的姊妹校立足于双方学校的共同发展目标，结合各自学校发展的实际需要，在相互研讨中确立了彼此共同需要解决的问题，即校本课程开发。在校本课程中彼此融入对方国家或学校的元素，增强学校的国际性，拓展国际视域，提升师生的跨文化意识。姊妹校教师努力克服时空、语言等方面的障碍，通过视频会议、互访学习等形式增加了解，努力寻求双方校本课程开发中的共同元素。姊妹校教师进行着有意义的社会性协商与平等的对话合作，构建贴合本校实际又融入姊妹校元素的校本内容，这一过程中，姊妹校教师也同时进行着自我建构与反思，如何在文化差异较大的两所学校开发校本课程，这不仅需要教师间的合作对话，也需要教师自我的思考与建构。

由此可见，不管是职前教师还是在职教师，在与同伴进行互动的同时也以自我反思、内省等形式自觉地进行着自我主体性建构，是外在互动与内在建构密切联系的同一性过程，共同促进教师专业成长。当然，教师与同伴互动的过程不仅对教师自我专业发展有益，而且同伴在互动中也进行着自我反思性的内在建构，促进同伴的专业成长。彼此间的互动合作实现教师间的互惠共赢，激发教师互惠学习的动力，深化教师专业发展的意义。

三、跨文化统合视域下教师互惠学习互动模式的保障

教师以观察者身份看待特定社会文化情境中的师生交往、生生互动、教师合作及教师与家长互动，并结合自己的学习、专业成长经历开展自我反思；以学习者身份审视自己与特定社会文化情境中教师、学生及同伴的互动与反思，从“台前”的合作实践与“幕后”的反思建构的同一过程论证教师互惠学习的互动模式。通过访谈、文本分析及参与观察进一步发现教师与多主体间的互动不是随时产生的，而是有一定的条件限制，受制于主体间相处的时间长短、教师互惠学习的自主性、教师的教龄、任教学科、职位、教育理念及个性特质等因素；教师互动模式是基于平等关系而形成的教师实践共同体，促发教师深层次的自我反思；教师主体间对话交流的互动内容上表现出求同存异的特性，有诸多共性的内容值得相互交流与探讨；教师互动模式是社会互动与自我主体性建构的统一，反思有助于教师实践性知识的转化，教师的社会互动与自我反思的目的在于通过解决教育教学实践问题促进学生的全面发展、教师专业素养提升与学校变革，彰显一定的教育意义。

（一）教师与主体间的互动有一定的条件限制

不管是在同质性还是在异质性的社会文化情境中，教师与其他主体的社会性互动有一定的条件限制，与彼此间相处的时间长短、教师自我的学习自主性、教师的教龄、教师所选读的专业或任教学科及教师的个性特征等因素有一定的关联。第一，在相处时间上，互动主体间相处的时间越长，越熟悉的情况下，其互动的频率与程度均会增强。不管是中加姊妹校还是中加职前教师的互惠学习，他们在互惠学习初期，沟通对话的内容以相互介绍为主，以此增加彼此的认识并为

进一步的持续合作交流奠定基础，这样的互动是一种表浅性的概貌性认知；随着互惠学习的日渐深入，他们交流的频率逐渐增加，交流的内容体现出深度与广度的特质，这种深层次的互动交流是建立在彼此相互了解的基础上，而相互了解需要双方有较长的相处时间，且有相互学习的主动意愿。第二，教师互惠学习的自主性影响互动的开展。就教师个体维度而言，教师自主性首先着眼于教师个体在教育教学中的主动性程度与理性独立思考能力[24]。当教师能以积极主动的姿态进行互惠学习时，更倾向于将学习视为自己的内在要求，乐于与他人对话沟通，也会主动地开展自我反思。第三，教师的教龄影响着主体间互动的内容与效率。职前教师、普通教师及教龄较长的教务主任、校长等与其他主体进行互动时，会有不同的互动方式，关注的内容也有所不同，这与其经验积累有关，实质是内隐于心的实践性知识对外部社会性建构的影响。第四，不同的任教学科使教师在互动中表现出较大的不同。在中国，语文、数学、英语等学科的教师与学生、同行、家长等的互动频率高于其他学科，加拿大多以活动式教学为主，各科教师均会设计形式多样的活动与学生互动。学科间的互动内容有较大差异，如语文较为关注学生阅读能力、理解能力、情感态度等综合素养的交流，体育教师将互动重点放在动作技能、人身安全、团体精神等方面，数学与物理等学科的教师就如何加强学科知识与生活的联系展开对话，英语教师关注知识教学与听、说的实际操作能力运用的交流。最后，教师的个性特征也会影响教师主体间的互动。研究发现，外向活泼的教师善于与外界沟通交流，而内向的教师更善于在观察中省思自我。

(二)教师互动基于平等关系展开

每个教师都不是孤岛，教师可以与那些对学生学习有所帮助的人进行合作，在遵循简单的交往原则基础上构建起平等和谐的合作伙伴关系[25]。作为观察者身份与学习者身份进行互动的教师，其中有诸多的人际互动关系，这些人际互动构成了教师专业发展的实践共同体。实践共同体是教师互惠学习的重要组织形式，教师与其他主体间基于平等民主、相互信赖并齐心协力地商讨问题[26]，营造良好的教师合作文化。不管以何种身份进行互动，主动的人际互动关系是基于平等关系而展开的，平等关系是互惠学习开展的基础前提与保障；但针对不同的主体间互动，平等的类型有所差异。首先，在中小学教师与高校专家的互动中，双方以平等的姿态相互对话、协商，专家是平等中的“首席”，双方在平等中协商，共同实现教学实践问题的解决。其次，教师与同行的互动，由于教师与同行在知识经验、能力水平等方面旗鼓相当，双方间以平等的关系相互合作、沟通。再次，教师与学生的互动致力于构建平等的师生关系，教师与学生在社会学意义上是民主平等的关系，但在教与学关系上教师是教学活动的主导[27]，教师与学生互动表现出平等中的主导关系。最后，教师与家长互动是以学生为纽带将其联系起来，双方彼此在平等关系中相互尊重，彼此间及时反馈学生的相关信息，共同指向培养健康发展的人。总之，教师互惠学习互动模式是基于平等关系而展开的，以平等关系为纽带的互动模式有利于促进教师与多主体间的深度合作与对话，使双方在相互合作与自我反思中实现彼此间互促共进的共赢发展。

（三）教师间的互动内容表现出求同存异的特性

教师互惠学习是使教师在区域或国际交流中看到别人优势的同时不忽视自身的优势，彼此间取长补短、求同存异，实现“共惠”。由于文化传统、教育体制等方面的差异，中国与加拿大从宏观层面的教师教育政策、中观层面的教师培养培训、微观层面的教师知识教学等领域均有诸多不同，但彼此间也有共性的内容。例如，就两国教师评价政策而言，双方存在诸多共性的内容，均有教师评价、奖励发展的相关制度，将师德、教学能力、专业知识、学历水平等作为重要的评价指标，对教师“德”的评价，都采取平时观摩与他人评价相结合的方式，对教师“能”的评价都有量化评价指标；校长都会直接参与教师评价工作；地方相关教育组织机构针对教师发展均会开展相关的专业学习或培训。双方的差异主要表现为：中方的教师评价每学期或每学年进行一次，由校领导班子带头与各分管部门协同完成评价，加方的教师评价每五年进行一次，基本由校长和副校长完成；对教师教学评价方面，中方以量化数据为参考，加方以通过课堂教学观摩等途径获得的数据为参考；中方的教师奖励分为精神奖励和物质奖励，物质奖励多为奖金；加方主要是精神奖励。通过深入互动合作，姊妹校双方校长发出一致的感慨：“双方确实有很多的共同之处，并且相信随着我们交流的日渐深入，会发现更多的共同点，也能获得更大的提升”(20150528G)。差异为教师彼此增进互动提供了可能，也促发教师深入反思差异产生的缘由，并在相互汲取中思考如何对其进行合理的本土化改造。求同存异的互动内容是教师互惠学习进行外在社会性建构与内在自我主体性建构的内核，实现教师互惠学习的高效推进。

（四）反思有助于教师实践性知识的转化

在教师的知识体系中，除了静态的显性知识，还有动态的隐性知识。隐性知识往往内含于实践性的操作技能中，可以说，隐性知识需要在实践中得以实现，是教师实践性知识的重要内容。教师的隐性知识一部分以内隐的状态存在，还有一部分表现在教师的实际教学中。这里的实践性知识强调不同于书本上的理论知识，实践性知识来源于教学实践，指向教学实践，并为教学实践服务，是验证真实的生活世界，应对课堂生活中各种问题和挑战最有效的指导原则，它对教师的生活世界具有实质的应用价值和解释效力[28]。教师对某一教育困惑的反思与体悟是教师专业发展的必要环节，也是教师知识管理的重要途径，促进教师处于内隐状态的实践性知识外化，进而成为有意识的教学行为，提升教师的理论水平与专业能力。当然，这需要一定时间的积累才能实现“量变”到“质变”的转化。“反思使我成长，当遇到让我感触很深或对我成长很有帮助的事件时，一定会记录下来，以后回过头看的时候可能是另一种收获，我想反思也可以锻炼人的批判性思维，使人变得更理性”（T4-20151208T）。“反思”是在对昨日事件回顾与审视基础上的升华，是教师对当下教育实践活动的理性省思，是教师实践性知识转化的途径，更是教师专业发展所必需的品性，有利于教师构建理性的专业自我。

（五）社会互动与自我反思的目的彰显教育学意义

人的社会性互动以语言表达、书面表达与形体表达等途径进行，借助表达，人的内在精神体验可通过外在符号的形式得以表现，并且在表达时人与人之间的交流逐渐在时间维度与空间维度上扩展[29]。教师运用多种表达手段与多主体进行交互式沟通、对话与共享，不仅关注知识本身的传授，更关注如何将学生的创造性与潜能激发与诱导出来，激活主体的生命价值。教师互惠学习的互动模式，无论是作为客体被观察到的教师与主体间的互动模式，还是作为主体参与到主体交互的互动模式，互动的目的均是基于教育教学问题的解决以有效促进学生的健康全面发展，这体现出教师互动的教育学意义。不管是未从事教师工作的职前教师还是已有多年工作经验的在职教师，他们均秉持科学的育人理念，借助观察内省或对话反思的手段解决自己的教育困惑，试图努力地认识与了解人的多面性和无穷尽性，以升华的教育艺术发挥每个学生的潜在可能与力量，将学生培养成有思想、有感觉、有体验的人，使学生的知、情、意、行等方面从生命层面延展开来。职前教师与在职教师均致力于促进学生在其原有基础上获得最大程度的成长与发展，并善于时刻通过学生的形象看到自己[30]。这是教师社会性互动的过程，同时，也是教师借助他人进行自我反思的契机。在此过程中，教师始终将育人作为首要职责，如何有效地教学、如何进行课堂管理、如何建立融洽的人际关系等不仅需要教师与外在社会情境的互动沟通，也需要教师的内省与反思。教师这种同一性的、持续不断的学习落脚于学生的健康成长与全面发展，彰显教师作为专业人的教育理念与人文情怀。

参考文献：

[1] Merriam S B, Caffarella R S. Learning in Adulthood: A Comprehensive Guide[M]. 2nd ed. San Francisco: Jossey-Bass. 1999: 428.

[2] 雪伦·B. 梅里安. 成人学习理论的新进展[M]. 黄健, 等译. 北京: 中国人民大学出版社, 2006: 68.

[3]赵健. 学习共同体: 关于学习的社会文化分析[D]. 上海: 华东师范大学, 2005.

[4]佐藤学. 学习的快乐: 走向对话[M]. 钟启泉, 译. 北京: 教育科学出版社, 2004: 58.

[5]J. 莱夫, E. 温格. 情境学习: 合法的边缘性参与[M]. 王文静, 译. 上海: 华东师范大学出版社, 2004: 45.

[6]Nonaka I, Tadeuchi H. The Knowledge-creating Company: How Japanese Companies Creat the Dynamics of Innovation[M]. New York: Oxford University Press, 1995: 284.

[7]Schon D A. The Reflective Practitioner: How Professionals Think in Action[M]. New York: Basic Books Inc., 1983: 50.

[8]程良宏. 经验传承、实践反思与人生教育: 论教学活动的三种形态及与教师发展的关系[J]. 华东师范大学学报(教育科学版), 2014, (4): 50.

[9]约翰 • D. 布兰思福特等. 人是如何学习的: 大脑、心理、经验及学校[M]. 程可拉, 等译. 上海: 华东师范大学出版社, 2002: 20-21.

[10]蒲蕊. 师生交往在学校教育中的深层意义[J]. 教育研究, 2002, (2): 53.

[11]徐廷福. 论我国教师专业伦理的建构[J]. 教育研究, 2006, (7): 50.

[12]黄希庭. 简明心理学辞典[M]. 合肥: 安徽人民出版社, 2004: 140.

[13]冯小清. 合作学习中生生互动的内涵与价值分析[J]. 基础教育研究, 2014, (10): 24.

[14]Friend M, Cook L. Interactions: Collaboration Skills for School Professionals[M]. New York: Longman Publishing Group, 1992: 5.

[15]饶从满, 张贵新. 教师合作: 教师发展的一个重要路径[J]. 教师教育研究, 2007, (1): 14.

[16]饶从满, 张贵新. 教师合作: 教师发展的一个重要路径[J]. 教师教育研究, 2007, (1): 16.

[17]吴华钿. 论教师与家长的互动[J]. 内蒙古师范大学学报(教育科学版), 2004, (2): 76

[18]叶子, 庞丽娟. 师生互动的本质与特征[J]. 教育研究, 2001, (4): 30.

[19]马克斯 • 范梅南. 教学机智: 教育智慧的意蕴[M]. 李树英, 译. 北京: 教育科学出版社, 2001: 154.

[20]伍新春, 管琳. 同伴互动类型对三年级小学生写作水平的影响[J]. 心理科学, 2008, (6): 1361.

[21]陆根书, 胡文静. 师生、同伴互动与大学生能力发展: 第一代与非第一代大学生的差异分析[J]. 高等工程教育研究, 2015, (5): 51.

[22]吴小玲. 课后反思是提升教师专业能力的有效途径[J]. 宁夏师范学院学报(社会科学), 2009, (2): 133.

[23]薛海平, 孟繁华. 中小学校际合作伙伴关系模式研究[J]. 教育研究, 2011, (6): 36.

[24]苏尚锋. 个体与组织: 教师组织性的二重维度[J]. 教师教育研究, 2007, (6): 2.

[25]L. 费奥斯坦, P. 费尔普斯. 教师新概念: 教师教育理论与实践[M]. 王建平, 等译. 北京: 中国轻工业出版社, 2002: 52.

[26]张平, 朱鹏. 教师实践共同体: 教师专业发展的新视角[J]. 教师教育研究, 2009, (2): 59.

[27]丛立新. 平等与主导: 师生关系的两个视角[J]. 教育学报, 2005, (1): 29.

[28]任英杰. 知识管理视域下的教师专业发展[M]. 沈阳: 东北大学出版社, 2009: 51.

[29]和学新, 焦燕灵. 试论表达的教育学意义及其实现[J]. 教育研究, 2006, (9): 24.

[30]B. A. 苏霍姆林斯基. 给教师的一百条建议[M]. 周蕖, 王义高, 等译. 天津: 天津人民出版社, 1981: 159.

“潜伏学习”能完全成功地发生，与以后将成为不正确的反应相比较，对以后将成为正确的反应来说，无须任何可感觉到的更大“效果”。[1]

——[美]爱德华·C·托尔曼

第七章　跨文化统合视域下教师互惠学习的影响

任何教育活动中都存在人对人影响的双向力量，学习作为一种教育领域中的重要活动，对参与其中的人均产生着影响。从影响效果来看，这种影响可能是积极的，也可能是消极的；从影响方向来看，这种影响是一种双向的、非线性的，而不是一方对另一方线性的单向影响。教师身处特定的社会文化情境进行互惠学习时，从“作为人的教师”层面来看，教师首先是以“人”的身份进入某种社会文化学习情境中，在与情境的交互中对教师的“人”的心理、行为、情感、态度等方面的发展产生影响；从“作为教师的人”层面来看，人总是承担着一定的社会职业，从事“教师”职业的人总是会积极地从某种社会文化学习情境中汲取与专业发展密切相关的内容，促进彼此的专业成长。教师是具有发展性与超越性的社会性存在，对其学习影响的考察应全面与立体，本章以动态、立体的视角探究跨文化统合视域下教师互惠学习影响的分析框架，确定研究问题。借助可靠的数据“说出”互惠学习对“作为人的教师”与“作为教师的人”产生的综合性影响。

一、跨文化统合视域下教师互惠学习影响的分析框架

“影响”指个体以显性的直接方式或隐性的间接方式对他人或事物所起的作用，“所起作用”可能引起受影响一方的人或物做出相应的改变。学习影响是学习情境中的学习者在交互活动中促进彼此发生改变的过程，学习影响不仅注重静态的学习绩效，更强调动态的持续的影响力；不仅引起学习者行为上的变化，更关注学习者的心理变化。从学习影响的成效来看，学习影响有积极与消极之分，为了防止学习的低效乃至无效，学习引导者需帮助学习者尽量减少消极的学习影响，放大积极的学习影响。在绩效目标导向下，学习仅是为了获得某种显而易见

的结果，并以此作为评判学习优良与否的重要标志。这样的目标导向是一种静态的、短期的评价，不利于人的全面发展。教师互惠学习将教师看作是发展中的、未完成的个体，教师在社会文化情境中与他人进行交互式互惠学习，相互影响，共同促进，这原本就是动态的过程。因此，在探讨教师互惠学习影响时，应摒弃传统的绩效目标导向的评价方式。教师互惠学习影响不仅具有学习绩效上的表征、行为变化上的表述，更具有"潜伏学习"的三重意蕴，对"作为人的教师"和"作为教师的人"两种角色从过程性影响与结果性影响、显性影响与隐性影响两个维度构建本章的分析框架，确定跨文化统合视域下教师互惠学习影响的研究问题。

(一)教师互惠学习影响不是单一的终结性学习结果表征

在泰勒原理的指导下，目标与结果有着紧密的关联，应确立明确的目标以评价结果的达成度，因此，学习结果(learning outcomes)是与学习目标密切相关的两个概念，是教育评价的重要参考指标。学习目标具有积极的导向作用，可明晰地说明教师希望通过教学让学生学会什么并如何组织下一轮的教学[2]，"教师希望"是预设的目标，"学会什么"是目标指向下的学习结果，从这一概念表明目标与结果的直接关联。布鲁姆(Benjamin S.Bloom)从认知、情感与操作三个领域对教育目标进行分类，将学习结果的差异归于认知特征、情感特征和教学质量三个变量的不同[3]，成为指导教育评价理论研究与实践的重要成果。美国教育心理学家加涅(Robert M.Gagne)在布鲁姆研究的基础上根据不同的学习层次，将学习结果分为态度、动作技能、语言信息、智力技能及认知策略五种类型，并用以解释学习目标。他认为学习结果是引起学习者习得性能(Capability)发生相对持久的变化[4]。联合国教科文组织(UNESCO)认为学习结果是学习者经过一段时间的学习，能将习得的知识展示出来或将掌握的技能表现出来，强调学习者的收获。美国教育评价标准联合委员会认为学习结果是学习者在特定的学习、发展及表现等方面将会获得的各种结果，通常包括知识与理解力、实际技能、态度与价值观及个体行为。我国学者将学习结果界定为学习者经过一段时间的学习，在认知与非认知方面的收获[5]。从国内外关于学习结果的界定中包含了学习主体——学习者，学习对象——认知、技能、情感等，学习条件——一段时间内的指导与协助，学习预期——认知、技能、情感等领域的收获。强调"收获"的学习结果是一种终结性的评价模式，关注最终的学习产出，而较少关注学习的发生过程。然而，学习结果不可作为教育评价的唯一指标，学生的学习过程及在过程中的情感、体会、经验习得等是不可忽视的重要方面。

毋庸置疑，人类的学习指向某一结果，但人类的学习更关注获得结果的学习过程，具体到教师的学习，亦是如此。教师作为成人学习者，有改善工作与生活、更新知识经验、提升能力、完善自我等诸多的学习目的。这些学习目的部分可在短期内实现的，如改善工作与生活，这类学习目的可与结果性评价相连接；但大部分学习目的是持续终生的过程，自我的完善与实现是没有终点的学习过程。在终身教育理念指导下，教师学习是在自我的生命长度中不断学习与提升的过程，某一段的学习结果是这一过程中的收获与体验。这样一来，教师学习就不再是静止的、封闭的，而是循环的流动链。教师学习的影响不能只依赖于终结性的结果评价，而更需关注过程性的影响。

教师互惠学习是在相互信任与尊重的学习氛围中，通过对话与合作，实现共享性发展的活动过程。这一过程，不仅强调教师在不同学习场域中因学习内容的差异而导致的不同的结果性获得，更强调教师在学习过程中的心理体验与互动模式。积极的心理体验促使教师主动参与互惠学习，在持久的学习动力下与学习情境、学习者之间及自我形成积极的互动模式。教师互惠学习是在共同发展愿景导向下展开的，愿景是过程性的，虽然也指向一定的结果，但更强调教师个体在达成愿景过程中的行为表现与心理体验。换言之，教师互惠学习愿景的达成与教师的收获成正相关，但教师学习收获的多少并不能直接说明愿景的达成度。因此，在考量教师互惠学习影响时应将绩效目标导向与发展目标导向相结合，不能仅以终结性的学习结果作为评价教师互惠学习影响的指标，还要考量教师在互惠学习过程中的心理体验、认知完善与自我发展等过程性的指标。

(二)教师互惠学习影响不是简单的外显化的行为变化

不同的学习理论从不同的研究视角对学习行为进行了不同的界定，形成了见仁见智的学习行为的理论解释。提到学习行为，首先联想到行为主义学习理论研究学习的目的，认为行为是在S-R的“刺激—联结”下产生的，主要研究可观测的外显行为，认知、意识等心理因素不在研究范围之列；重视强化在行为塑造中的作用，美国心理学家斯金纳(Burrhus F.Skinner)认为逐步强化可塑造良好的行为，而消退则可消除不良行为[6]。行为主义学习理论强调外显行为在学习中的重要作用，但人类学习的外显行为还与认知、情感、环境等诸多因素密切相关，不是孤立地存在。与此，认知主义学习理论强调学习不是要观察外在的联结行为，而是要在已有经验基础上形成认知结构。美国心理学家班杜拉(Albert Bandura)在行为主义与认知主义相结合的理论基础上，提出观察学习的概念，认为人类除直接经验的学习外，还有间接经验的学习，即通过观察他人行为而学习，这是人类行为的最重要来源[7]，继而提出个体、行为与环境相互影响的三元交互理论。人本主义所倡导的有意义学习不仅仅是增长知识的学习，而且是一种人的各种经验相融合的学习，引起个体的行为、态度、个性等诸多方面的变化[8]。除行为主义学习理论强调单纯的外在行为反应外，其他学习理论均将个体行为与心理性因素紧密联系起来，认为外显的学习行为不能独立于心理而单独存在。美国教育家拉夫尔·泰勒(Ralph Tyler)认为行为不仅是一种外显反应，也包括思维、态度和问题解决[9]。美国心理学家爱德华·托尔曼(Edward C.Tolman)认为学习不仅引起外显行为的改变，还引起一些中介变量的变化[10]。我国有学者认为学习行为是学习者在主客观因素的影响下在学习过程中表现出来的动作和心理反应的总和，是学习者的意识、情感、态度、动机、能力等心理因素的外在表现[11]。总之，学习行为是外在行为表现与内在心理品质及心理活动的有机统一。在教学实践中，由于心理活动与心理品质的内隐性，外显的学习行为便成了考察学习者学习状态的重要依据。由此可见，一种学习活动对人产生的影响是全方位的，而不仅仅局限于外在的行为表现上。

教师参与跨文化互惠学习势必会对教师个体产生或积极或消极的影响。以积极的学习影响为例，这种学习影响使教师具备了更加主动地参与学习活动、注意力集中、解决问题速度快、获得较好的学习成绩等外显行为表现，还具备了更加主动的学习意愿、持久的学习动力、高涨的学习兴趣与热情、积极的自我反思等内隐心理影响。显然，内隐心理影响是主要方面，由内而外地调控着外显行为表现。因此，教师学习影响不仅强调外在的行为表现，更主要的是对内在心理因素的影响，是一种全方位的立体式的影响。

互惠的学习文化情境促进教师间的共享交流，实现共长共进。教师通过互惠学习对自我、他人及情境造成积极的影响，这种影响包含学习更加投入、人际关系更加和谐、能力得以提升等外在行为的变化，也包括经验的不断丰富、认知结构的逐步完善、学习意识更加主动、学习动力更加持久、自我反思更加深入等内在心理的变化。虽然，在评价教师互惠学习时主要以外在行为作为考评指标，但不可忽视内在心理活动对外在行为表现的激发与调节作用。教师通过与社会互动及自我互动实现着互惠学习，教师学习意愿更加强烈，学习动力更加持久，并形成了对多元文化的理解与包容，树立了文化自觉意识，在共同参与和共建中营造更和谐、融洽的学习情境，这一学习过程对教师产生的影响不仅是行为上的，更是心理和文化上的。跨学校和学区合作的横能力构建使教师在获得新知识和更大范围的承诺方面已经有了极大的回报[12]，这样的横能力构建是可超越国界的，跨越国界的跨文化的教师互惠学习使教师彼此间收获包含行为、心理、文化、情境等多维一体的学习影响。

(三)教师互惠学习很大程度是一种“潜伏学习”

“潜伏学习”(Latent Learning)是托尔曼与他的学生在大量实验基础上提出的。他们认为学习不仅有可观察的外显行为变化的学习，也有未表现在外显行为上的学习，后者便是潜伏学习。潜伏学习主要指有机体在学习过程中，每一步都在学习，只是某一阶段其学习效果并未明确显示，其学习活动处于潜伏状态。由此可见，影响学习的因素不仅包括外在的物质强化，还包括学习者的认知与需求等，而学习活动对学习者产生的影响不是立刻通过外在行为成为显性的，而是有一个“潜伏期”。美国学者赫根汉（B.R.Hergenhahn）和奥尔森（M.H.Olson）认为学习行为是考察学习者学习结果的重要指标，学习结果必须总是能够被转换成可观察的行为，这种行为变化不必在学习经验之后立即发生，学习可能会导致行为潜能发生变化，这种潜能可能在后期才转变成行为[13]，学习影响不是终结于某点，而会对学习者产生持续而深远的影响。

托尔曼指出要使学习显示出高的操作水平，学习者不仅需要有知识，而且还要有走出迷津的要求[14]。就教师互惠学习而言，“知识”不仅是教师原有的知识经验，还包括在与他人、自我及学习情境交互式作用时获得的知识、认知、感受、体验等经验性知识，这类知识包括显性知识与隐性知识两大类，显性知识中又有系统的专业知识与零散的生活化经验，这些经验性知识的习得并不会立马表现出显著的学习效果与影响。“要求”主要指教师在互惠学习情境中，为实现共同愿景的意愿、动机、兴趣、态度等心理品质及状态，教师学习的心理品质与状态具有迁移效果，会迁移地影响到教师在相似情境的互惠学习或教师学习与工作的更广层面。从这两个层面来看，教师互惠学习的影响都不是立马显现的，具有潜伏性与迟效性，其影响效果总会在某种不期然的适当时刻出现，而这种不期然又是偶然中的必然，因为人类的学习包含教师学习总是“量”的积累过程，积累到一定程度才会达到“质”的突破，其效能会在必要的时机凸显出来。

教师互惠学习的影响不仅关注教师在互惠学习中的结果性获得，更关注教师互惠学习过程的心理体验；不仅观察教师外显的行为变化，更注重考察教师的情感、态度、动力、兴趣等内隐性的心理因素，学习的隐性影响使教师互惠学习表现出较强的“潜伏性”，需要一定的时间才能得以明确考察。因此，本章对教师互惠学习的影响主要从两个维度四个方面展开，即过程性影响与结果性影响、显性影响与隐性影响。学习影响的积极与消极之分主要阐明的是结果性影响的维度，为了保持研究的原态性，将结果性影响分为积极影响与消极影响两类进行分类探讨（表 7-1），以此分析互惠学习对“作为人的教师”和“作为教师的人”所产生的多重影响。

表 7-1 教师互惠学习影响的分析框架

<table>
<tr><th colspan="3" rowspan="2">维度</th><th colspan="2">角色</th></tr>
<tr><th>作为人的教师</th><th>作为教师的人</th></tr>
<tr><td rowspan="2">不仅是结果性表征</td><td colspan="2">过程性影响</td><td></td><td></td></tr>
<tr><td>结果性影响</td><td>积极影响
消极影响</td><td></td><td></td></tr>
<tr><td>不仅是外显化行为</td><td colspan="2">显性影响
隐性影响</td><td></td><td></td></tr>
</table>

一定的社会文化会对主体产生影响，首先是对其作为人所产生的影响，当教师进入某种社会文化情境时，教师作为一个人体验着这一情境中的社会文化历史传统、民族风俗习惯，对其产生全面的影响；其次，社会文化对主体的专业身份也会产生不可避免的影响，不同的专业身份进入某一社会文化情境中，所看问题的视角、立场等有所不同，作为教师主要从自我专业角度进行有目的的学习，对其专业身份产生影响。基于此，在构建分析框架时，主要从“作为人的教师”和“作为教师的人”的双重身份展开。

本章主要聚焦以下三个问题：①互惠学习对“作为人的教师”会产生哪些影响？②互惠学习对“作为教师的人”会产生哪些影响？③互惠学习对“作为人的教师”和“作为教师的人”的双重身份产生的影响有何差异？

二、跨文化统合视域下教师互惠学习影响的类别化分析

对参与跨文化互惠学习的教师而言，跨文化互惠学习之前的国内学习已对其知情意行与专业素养产生了全面的系统影响，参与跨文化互惠学习因文化差异对其产生了冲击式的影响，两种学习影响交汇式对教师主体产生立体化的影响合力。教师在互惠学习中有双重角色，是“作为人的教师”与“作为教师的人”的合体。“作为人的教师”体现教师“师之为人”的角色特征；“作为教师的人”体现教师“人之为师”的角色特点[15]。两种不同的角色使教师进行互惠学习时关注点与视角将有所差异，产生的影响也会有所区别，最后这种学习影响将共同统合于作为主体的教师身上。为了深入探究互惠学习对教师产生的全面系统影响，将从“作为人的教师”与“作为教师的人”两个层面进行类别化分析。“作为人的教师”与“作为教师的人”具有角色一致性与差异性，本章的研究将主要着眼于角色间的差异性，指向角色一致性。而“作为人的教师”与“作为教师的人”又是合二为一的整体，统一于教师主体的心理行为。为了体现教师互惠学习的双向互惠性，对教师互惠学习影响进行探究时，注重互惠学习对“作为人的教师”与“作为教师的人”产生影响的双向性。双向性影响主要指互惠学习不仅对前去某一社会文化情境进行学习的教师产生影响，同时也对身在这一社会文化情境中的教师产生影响。

（一）互惠学习对“作为人的教师”的影响

随着国际教师教育改革的日渐深入，教师被赋予除知识传授者之外的更多角

色。但需要明确的是，不是教师的角色在进行相应的教学工作，而是这个角色中的“人”[16]，但教师角色中的“人”在实践中常被忽视或消解。实际上，教师首先以“人”的角色进入教育实践场域，并在其中受到或显性或隐性的影响。跨文化互惠学习同样首先是对“作为人的教师”产生影响。较大的文化反差与对比，对“作为人的教师”的认知、学习观、自我效能感等方面产生显性与隐性的影响，这些影响将会在以后的生活、学习实践中渗透式地影响到“作为教师的人”身上，促进其专业发展，这种影响是过程性与结果性的统一。在此主要论证跨文化互惠学习对“作为人的教师”的认知、学习观及自我效能感等方面所产生的过程性影响。而“作为人的教师”的行为及心理改变是跨文化互惠学习所带来的结果性影响，因为过程性影响必然指向一定的结果性改变。

1.对“作为人的教师”的认知影响

认知是个体认识客观世界的信息加工活动，包括感知觉、记忆、想象、思维等内容。个体通过学习不断提升自我的认知水平，使认知的各项内容趋于成熟稳定。作为成人的教师，经过系统的理论学习与实践训练后，在感知觉、记忆、想象、思维等方面均已趋于稳定，但当教师参与跨文化互惠学习时，教师进入到异质性社会文化学习情境中，强烈的文化对比与冲击，对教师的认知系统产生影响，锻炼与提升语言交际能力，使教师在文化反思中逐渐树立理性思维，客观地看待两国的文化与教育；同时，担任文化使者的角色向对方宣传自己国家的优秀文化与教育传统。

首先，锻炼与提升教师的语言能力。语言作为符号系统，是一定社会文化的象征与代表。因此，在考察语言学习的用途时不能仅关注语言交际能力的运用与提升，更应关注通过语言学习了解该国的文化、风俗禁忌及思维方式，在更高层次上把握文化间的差异[17]。跨文化互惠学习提高了教师的语言交际能力，同时他们借助语言交流体会着学习目的国的文化与传统。“我现在会说一些简单的汉语，是向我的中国朋友、学生学到的。中国汉字让我深刻体会到中国文化的博大精深，一个汉字可能就是一段故事。我会和我的学生利用课余时间讨论汉语的意思与汉字的写法”（T2-20160329T）。众所周知，英语是国际通用语言，T2 教师与中国同行及学生可以通过英语进行沟通与合作，但当其与同行及学生通过深入的互动交流，慢慢体悟到中国语言背后的文化魅力，便激发其学习中国语言与了解中国文化的动力，这一过程同时也加深了相互间的情感。了解语言背后的文化差异更能达到情感上的认同与共鸣，“圣诞欢送会那天我们交换生一起做了关于这三个月在加拿大互惠学习的展示，我负责最后的‘感谢’板块。三个月互惠学习中值得日后细细品尝的回忆是由很多人共同创造的，不是一句简单的‘Thank you’所能表达的……反复思考后，我想借助语言的文化差异来做文章。中文

‘再见’和英文‘goodbye’在某种程度上可以表达相同的意思，但又不完全对等，中文的‘再见’其实是个很‘积极’的词，蕴含着告别之后还会再见到的意思，可英文的‘goodbye’就更多地意味着告别，有一种决绝感。如果我们不说‘goodbye’只说‘再见’，可否很好地表达出我们因感谢而不舍的心情？很高兴的是，那天的展示结束之后，很多外国朋友来跟我说她们很感动，在分开的时候也都是跟我说‘Zai Jian’，这让我觉得很温暖”(T4-20151208T)。将教师置于特定的社会文化情境去体会语言背后的文化意义，使其真切地感受到语言背后的文化差异，并在此层面上实现国际理解与文化交流。

其次，使教师理性看待他国的文化与教育。长期以来，文化绝对主义秉持自我文化优势的观点，认为东方与西方之间存在根本的差异，两者永远不可相遇[18]。而实际上，若以包容、理解的态度看待各自的文化，会发现每种文化都存在独特的美，这就需要走进对方的文化并理性体验，改变惯常的偏颇认识。跨文化互惠学习使教师以观察者与学习者等多重身份走进异国文化，亲身感悟，并逐渐形成对该国文化与教育的理性认识。“中国并不是我以前想的那样，来到中国后我体验与享受着中国的茶文化、饮食文化、风土人情及教育，使我深深地爱上这片土地，中国文化确实源远流长、博大精深。以教育而言，中国班额很大，但教师的课堂管理井然有序，这是很值得我学习的地方”(T1-20160329T)。T1 教师通过参与式体验，发现中国文化、教育的优秀内涵，并试图去学习其发现的优秀经验。这样的学习不仅对自己的生活有所影响，也会为其专业发展提供充足养料与资源。为了进一步增强彼此间文化的理解与认同，“我们担任了‘文化使者’的角色，使加拿大的教师与学生对中国有了全新的理性认识。我们为加拿大教师介绍了中国教师的优秀经验，他们对有些优秀的做法很认可并说值得学习；向学生讲解了他们感兴趣的中国话题，很多学生说以后要去中国看看。我们发现了加拿大教育的诸多优秀做法，并尝试将其运用到自己的教学实践中，同时，我们也认识到加拿大教育并非我们想象中或媒体宣传的那么美好，也存在一些问题”(PT1-20160325T)。借助跨文化互惠学习，PT1 教师不仅能理性地看待本国的文化与教育，也能客观理性地审视他国的传统与教育，并在相互借鉴与求同存异中实现自我成长。互惠学习的意义在于使彼此都看到各自的优势，并在相互尊重中互惠共生。

2.对“作为人的教师”的学习观的影响

学习心理学的不同学派从自己的研究视角论述什么是学习，形成了不同的学习观。学习观是学习者在学习过程中形成的关于学习的看法与观点，主要回答为什么学习、学习什么和如何学习等问题，学习观是学习者进行学习的指导思想[19]。不同的学习观会有不同的学习方式，同时也会产生不同的学习效果。作为不管从事何种职业的人而言，都需具备基本的学习能力，树立对学习的积极看法与主动态度。在终身学习理念指导下，人是一个没有完成而且不可能完成的主体，他永远向未来敞开着大门，现在没有，将来也永远不会有完整的人[20]，“未完成性”为“作为人的教师”的学习提供动力与方向指引。在日新月异的今天，面对知识经济的洪流，“作为人的教师”应该摒弃原有的一次性学习的观念，树立起终身学习的理念并认真地践行终身学习。“我发现中国人很好学，不懂的问题会向人求教或查找网络，我觉得我们每个人都需要持续不断地学习。在中国，我慢慢地学会了简单的汉语，会写简单的汉字，了解文化习俗与传统，开始学着做简单的中国菜。同样，作为教师，我也以学习者的角色与我的朋友、同事及学生相互学习。这里的教师学习热情都很高，我深深地被影响着，并且越来越热爱这份职业”(T2-20160329T)。教师的学习是“人”的学习与“教师”的学习相统一的过程，并且相互影响与渗透。信息时代，终身学习的形式多种多样，没有明确的时空限制。中加两国教师都特别注重终身学习，注重自我提升，“我们在加拿大交换学习时，那些老师无时无刻不在学习，他们通过各种途径学习各种知识，他们会与学生相互学习、与同事相互研讨交流；向书本学习、向网络学习、向生活学习……从教以来，我更加深刻体会到终身学习的重要性，生活处处都有值得学习的地方，我会与不同职业的人沟通交流，充实与丰富自己的生活经验知识”(T3-20150318F)。在学习目的上，教师终身学习不仅是生存的需要，更是自我价值实现的需要；在学习对象上，有在课间与学生的互动学习、有在教师共同体中的学习；在学习的途径上，有向直接经验的生活学习，也有向间接经验的书本等媒介学习。教师在持续不断的终身学习中实现着专业发展与自我的生命价值：因为学习，使教师内心充满阳光；因为学习，使教师的存在获得意义；因为学习，使教师的生命焕发光彩[21]。“互联网+”时代对教师的素质提出更高的要求，教师不仅需要为学生传授知识，更重要的是为学生传授如何学的知识。这些知识需要教师首先以“人”的角色进行持续不断地学习，从中获取有用的知识经验，以优化自我的知识结构，并将其巧妙地迁移到自己的教师职业中。跨文化互惠学习使教师深刻意识到终身学习对自我成长与专业发展的重要性，“作为人的教师”的终身学习观作用于其职业角色的学习观，使“学不可以已”的学习观由理念切实走向实践，使教师以积极主动的学习姿态进行学习，产生正向的积极学习效果与影响。

3.对“作为人的教师”的自我效能感的影响

自我效能感的概念最早由美国心理学家班杜拉(Albert Bandura)提出，指人们对自己能否成功从事某事的主观判断[22]。班杜拉认为期待是人进行行为的先行因素，除结果期待之外，他提出了效能期待的概念，是个体对能否有效地从事某行为的能力判断，这意味着是否确信自己具备从事这一行为的能力。从这一角度来看，高的自我效能感能激发人的学习动机，使人树立学习的自信心，形成学习的良性循环模式。“作为人的教师”如果在学习中形成较高的自我效能感的话，教师便会相信自己具备解决问题的能力，教育教学中树立起较强的自信心，使自己具有强烈的学习动机与意愿。参与跨文化互惠学习的教师是经过严格选拔出来的卓越教师，在未参加互惠学习之前，他们或许没有意识到自己的能力与优势，在参加互惠学习后，他们不仅在其中交流学习，而且还以文化使者的身份向外宣传本国的优秀文化与经验，在文化反省中认识到本国及自己的优势与长处，“目前看来，这次的跨文化学习经历对我在专业上的影响还不是很大，但对我的心理影响很大。我以前比较内向，不喜欢跟人交流，不自信……现在我会主动与人交流，变得自信多了。现在回头想来，三个月的跨文化交换学习对我的影响确实很大，我现在能自信从容地应对教学中的各种问题，同时有意培养学生的自信品质。因为只有自信的老师才能培养出自信的学生”(T5-20160418T)。T5 教师的变化并不是学习本身造成的影响，而是特定的社会文化情境带给其较高的自我效能感，使其充分体验到自我在从事某一行为时的潜能，表现出自信的心理特征。而自我效能感的增强是在渐进式的自我体验中实现与达成的，对某一行为的确定与否需经过实践的验证，如果实践证明教师具备从事该行为的能力，那么教师会表现出较高的自我效能感与自信心，“通过互惠学习喜欢上中国，并来这里工作。面对 50 多人的班级，要是没有来过中国，我不知道 50 多人的班级如何有效管理，但是我在与中国教师交流中我逐渐找到了有效管理的方法，通过放音乐等方式让学生安静下来。这使我相信自己有能力胜任教师职业，并让我学会了如何与学生建立和谐的师生关系”(T1-20160419T)。这样一来，人作为整体性的人，跨文化互惠学习对“作为人的教师”产生的影响会渗透地作用于对“作为教师的人”，形成相辅相成的影响态势，使教师在教学实践中具有较高的自我效能感，从而保持强烈的学习意愿与持久的学习动力。

(二) 互惠学习对“作为教师的人”的影响

“作为教师的人”承担着教书育人的主要职责，是教师角色的集中体现，这一角色在社会生活与教育教学实践中常被理解为“教师”。“作为教师的人”强调教师“人之为师”的专业性[23]，在教师专业化的国际推动下，各国对教师专业性的要求不断增强，对教师专业素质制定了相关的标准与要求。教育部于 2012 年关于《教师专业标准》坚持学生为本、师德为先、能力为重和终身学习的基本理念，从专业理念与师德、专业知识与专业能力三个维度对幼儿园、小学、中学段的教师任教标准进行了界定与规范[24]。互惠学习对“作为人的教师”所产生的影响以弥散的方式对“作为教师的人”在专业信念、专业理想、专业知识与专业能力等方面产生较为全面的影响。基于此，对“作为教师的人”的影响以《教师专业标准》对教师专业素质的三维度划分为借鉴性参考，深入分析互惠学习对教师的专业理念、专业理想、专业知识与专业能力等方面的影响，从中窥析互惠学习在促进教师专业发展方面的作用。

1.对“作为教师的人”的专业理念的影响

人是理性存在的动物，人的行为总是在一定理念指导下进行的，教师的教育教学行为是在专业理念指导下展开的。专业理念是教师专业素养的组成部分，是教师对教育本质理解的基础上形成的理性观念与认知[25]，专业理念是教师的教育实践行为的理论先导。换言之，教师的教育实践行为总是反映着某种专业理念。参与互惠学习的教师会对学习目的国进行文化对比与反思，同时进行自我专业建构，努力地对教师的教学观、教师观及评价观等学习内容进行着本土化改造。

首先，对教师教学观所产生的影响。教学观是教师在教学实践中所形成的关于教育理念、教学行为及教学本质等的基本观念与看法，影响着教师在教学实践活动中的具体行为与教学态度，进而间接地影响着参与教学实践活动的学生的学习状态[26]。职前教师的教学观尚处于形成发展阶段，他们在参与观察、合作对话与内在体悟中逐步形成自我教学观的雏形。“在加拿大看到与学到的内容，对我触动比较大，我当时就思考如何把加拿大学习到的教育理念运用到我的教学实际中。从回国后的教学实习到现在的中学任教，我秉持着关注每位学生的理念，尝试通过讨论、小组活动、合作学习等教学方式改变传统的课堂氛围，使课堂教学充满乐趣，促进学生高效学习。我希望每位学生都能享受到学习的成就感，化繁为简地优化学生的家庭作业。”(T3-20160418T)。跨文化互惠学习经历使 T3 教师将理论上的教学理念与实践中观察到的教学理念进行合理对接，并结合自我实际灵活地运用到教学实践中。当然，在运用的过程中，会遇到诸多的现实问题，这些问题在教师的积极努力下将会得到有效解决。加拿大教师在中国的互惠学习及从教经历对其教学观也产生了极大影响，使其在教学实践中积极做出适应性改变，“加拿大强调关注每一位学生，否则是不负责任的教师。中国的大班额教学如何关注每一位个体呢？我逐渐变得越来越细心、越来越有耐心，鼓励学生发表自己观点的同时关注整体，与全体学生一起探讨问题也是非常享受的过程，我慢慢地学会从关注整体的角度进行教学设计，从全局出发开展教学”(T1-20160419T)。教育并没有孰优孰劣之分，2009 年加拿大在 PISA 考试中的成绩排名下滑[27]，加拿大在关注个性基础上逐渐开始关注整体，从学校教育层面全面推进学生的综合素质，大力开展优质教学。中国在关注整体的基础上逐步开始关注个体，帮助学生个性的形成与丰富，促进教师展现独特的生命自我，实现在学生的学与教师的教两个层面的相互渗透、相互融通与共长共进[28]。

其次，对教师的教师观所产生的影响。教师的教师观是教师在实践中形成的关于教师是什么的人、教师应承担何种角色的看法与认识。在教师教育改革的国际趋势推动下，教师的角色已发生了重大变革，教师不仅仅是知识传授者，“好的教师应该也是好的研究者，通过加拿大的互惠学习，我养成了写反思日志的习惯，我觉得反思是一种研究”(T4-20151208T)。“在教学实践中，我自己设立了一些公益性的活动组织，如‘春燕游学’‘路面’‘观微书屋’等，借助这些活动，我思考和践行着对学生的‘成人’教育，培养学生待人友善的品质，尊重学生的多样性。当然，每一次与学生一起组织策划的活动并不是无目的的，在与学生积极地分享和讨论中，我们都在进行着自我反思，并要求学生记录自己的成长足迹，帮助我们共同成长”(T5-20160518T)。根据教育与生活相辅相依的观点，教师是在本真的教育情境中进行内在的道德性的努力，引导学生过一种道德的生活，并在其中成长为真正的有德性的人[29]。T4 与 T5 教师均在中加互惠学习中养成了写反思日志的良好习惯，思考着如何做研究型教师。他们不仅在学校情境中进行教学研究，并将研究场域扩展到学校之外，与学生一起共同策划组织各类活动，在争辩批判中使学生学会理性思维，在反思中养成自我慎独的良好德行。

最后，对教师评价观的影响。教师对学生的评价体现出一定的社会文化差异性，但从评价方法来看，注重发展性的过程评价与终结性的结果评价相结合是世界各国的通例。“课堂总是在变动中，教育也具有更多的不可预期性，与加拿大不同的是，中国较为看重分数与竞争，强调标准答案。我在教学实践中，会创设具有创造性的问题与学生共同讨论，也会鼓励学生好好考试，考出好成绩，将过程性的表现与终结性的成绩密切结合”(T2-20160419T)。为了更好地适应中国教育现状，T2 教师刚开始对中国过于注重结果的教育评价感到困惑，他在自己的教育实践中逐渐将结果性评价与过程性评价相结合，这是文化选择与文化适应的结果，是教师专业发展过程中对外在影响的自我调适。当然，本土化改造的过程中势必会有诸多的矛盾与问题，如何使校领导更好地接纳，如何与其他学科教师共同改变等问题不是一朝一夕能够解决的，而参与互惠学习的教师为中国学校教育带来的新做法如同一缕清风吹过每一个角落，相信会在某一天终将开出芬芳的花朵。

2.对“作为教师的人”的专业理想的影响

教师的专业理想是教师在实践中对教育的体验、理解基础上所形成的关于教育目的、教育价值和生活的信念与价值系统[30]，是教师对教育事业的执着追求与践守。

首先，对教师专业信念的影响。教师专业理想的培养从职前教育阶段便已开始，严格意义上从高考填报师范专业的志愿就已开始。职前教育阶段通过理论课程学习、师范技能锻炼等环节使职前教师逐渐树立坚定的专业信念。教师专业信念是教师对所从事的教育工作的专业认同与价值深信，是教师坚持专业理想的精神内驱力[31]。职前教师的专业信念来自系统的专业训练，“我深爱教师职业，填报高考志愿时以师范大学为主要选择。‘教师’是我为之奋斗终身的事业，我坚持这一教育理想，培养学生良好的学习习惯，让其掌握科学的学习方法，帮助学生做最好的自己。当然，三个月的交换学习对我的影响与文化冲击也比较大，使我在更宏大的文化对比下洞悉中加教师对教育的执着坚守，在这种影响力量感召下我还有什么理由放弃呢？”(T4-20141208T)。在专业训练中，职前教师不仅习得专业知识，更通过观察等间接学习与感悟由教师身上所展现出的专业价值与信念，以隐性的影响方式对职前教师专业发展产生弥久的持续影响。

其次，对教师专业行为的影响。教师专业信念对教师的专业行为有价值导向作用，坚定的专业信念有利于教师特别是新教师更快地专业适应与专业认同。“我国师范教育注重培养师范生坚定的专业信念，到加拿大后，才发现对教师专业信念的关注是各国通例。中国与加拿大教师对教育的执着追求与坚守，让我更加深信对教师职业的无悔选择。回国后的教育实习让我初步感受到教师职业的喜与忧，现在的教学我每天都全身心投入，不放弃每一个学生，每天也有不一样的收获与体验，每天都是累并快乐着的幸福甜蜜”(T6-20160418T)。专业信念具有行为导向的指引作用，T6 教师在坚定的专业信念下养成了积极的教学行为，使其养成积极的专业追求，逐渐形成良好的专业习性，成为自我专业生命的重要组成部分。

最后，专业理想的实现有一个历经数年的周期，这一周期内，积极地奉行自己的专业信念，以强烈的教育激情影响学生与其他人，在有意义的生活中逐步实现专业理想。“在中国实习时，看着那群可爱的孩子与辛勤工作的老师，我喜欢上了这片土地，更喜欢教师这份职业。我相信‘爱’是开启任何工作的金钥匙，现在我很享受在这里(指中国 C 市某国际学校)的工作，我爱着我的工作和学生，这样的生活是有意义的”(T1-20160329T)。“享受过程，寻求生活的意义”是教师实现专业理想过程中的精神状态，教师的工作是精神性的生活，一切真正的精神性都涉及整个生活投入其中的一种成就，这是不断创造的过程[32]。教师专业理想体现出教育无国界的素质特征，各国教师都有着积极的教育追求与强烈的教育坚守，这是对教师职业的普世性认同。但由于各国国情与教育体制的不同，在具体的做法上有差异，这种差异对参与互惠学习的教师专业发展产生影响，使其对自己进行了明确的职业发展规划，“走专家型路线”“做优秀的人民教师”“做学生喜欢的好老师”等是访谈中多次被提到的，这也是职前教师专业发展的目标与理想。

3.对“作为教师的人”的专业知识的影响

教师所拥有的专业知识是一个结构体系，舒尔曼 1986 年对教师知识进行了分类，认为教师具备学科内容知识、一般教学法知识、课程知识、学科教学法知识、有关学生的知识、有关教育情境的知识及其他课程的知识[33]。我国学者林崇德等将教师知识分为本体性知识、条件性知识和实践性知识[34]，学者陈向明将教师知识分为理论性知识和实践性知识两类[35]。纵观这些分类，可以将西方学者有关学科教学法知识、一般教学法知识、情境的知识、有关学习者的知识等类型的知识及中国学者的条件性知识与实践性知识划归到教师教育类知识中。教师在职前教育阶段已经习得了较为系统的条件性知识与本体性知识，即理论性知识，但由于其尚缺乏参与教学实践的经历，实践性知识还在进一步形成中，特别是关于教学法知识及有关教育情境的知识。因此，互惠学习对教师专业知识的影响主要是在教师教育类知识方面。跨文化互惠学习为其打开新的视野，使其从另一角度观察、体验与领悟教师教育类知识，促进知识的转化与提升。

首先，对教师有关教育情境知识的影响。教育情境是相对较为宏观的概念，若从课堂教学的视角看教育情境时，其主要指与教师的教及学生的学密切相关的物理情境和心理情境的总称。有关教育情境的知识要求教师在进行课堂教学时不能仅进行知识的传授，还需关注情境的物理状况及身在其中的个体反应，主要表现为教师的课堂管理能力。“面对中国 40～50 多人的大班额教学，教师能采用合理的课堂管理方式让学生安静下来，这对我启发很大。我在与中国教师交流、观察与体悟中逐渐学会了运用中国教师的方式，比如放音乐让学生静下来、小组活动或提问等方式。这样的方法确实比较管用，也利于与学生建立和谐的师生关系”(T1-20160419T)。运用何种方式进行课堂管理需要教师对课堂情境的合理认知与把握，教师需要理性分析学生行为背后的原因，尊重与爱护每一个学生，这是教师情境性知识的实践运用。T1 教师来到中国任教，在文化不适感中，她与中国教师相互沟通与交流，寻求适合于自己的大班教学的实践性知识，实现课堂管理的秩序化，做到师生互动的张弛有度。

其次，对教师有关学生的知识的影响。有关学生的知识是教学活动中教师对学生的学习、行为、心理等状况的了解与把握密切相关的知识，是关于了解学生对知识学习的难易程度及不同年龄学生的知识经验等方面的知识[36]。“在 G 小学见习，让我最大的感触就是老师会尽力保护学生的创造性，当学生回答一个问题后，虽不是正确答案，也会以鼓励的语气说：‘It is not right，but it is a good answer’或者‘Good，it is a better answer’。现在，我在教学中会尽力保护学生的创造性，鼓励学生对问题的新奇思考”(T4-20141020F)。如何对学生的回答做出反馈是教师运用教师教育知识进行教学管理的重要内容，也是教师专业素养的直观体现。中加职前教师在相互交流、学习观摩与经验分享中使双方教师逐渐学会了机智处理学生的回答与疑惑，这是教师教育机智的体现，对职前教师的实践性知识转化具有积极作用。

最后，对教师教学法知识的影响。教学法知识分为一般教学法知识与学科教学法知识。一般教学法知识是理论旨趣导向下注重教学形式带有普适性规律的知识形态，来自一般领域的教学方法论知识；而学科教学法知识是实践旨趣导向下注重教学内容关注学科特殊性存在的知识形态，来自特殊领域的学科知识。而对于教师的教学实践而言，教师既掌握来自一般领域的教学方法论知识，又拥有来自特殊领域的学科知识，还具有将两者有机融通与整合方法论与操作技术，便能够创造出既扎实稳固又灵活多样的教学[37]。“探究性教学、活动性教学等教学方法在理论课上已经学过，经过在加拿大的理论学习与实践观摩，我更加深刻地理解这些教学方法的内涵。现在，我会根据教学内容设置一些探究性的问题，使学生明确学习重点与理解难点的基础上利用课余时间去完成，我发现这对学生的创造性与动手操作能力的锻炼很大”（T3-2016018T）。跨文化互惠学习对教师教学法知识的影响带有统合的性质，教师在职前教育阶段的理论学习、参与互惠学习的实践观察及参与后的教育实习等都以显性或隐性的方式影响着教师教学法知识的实践习得与运用。运用何种方法上好这节课主要涉及一般教学法的知识，一般教学法使教师学会通用性的教学方法，对教师教学实践进行理论指导。如何上好某一具体学科的课则涉及教师在课前对学科知识的组合与加工及对重难点的把握等，这是教师学科教学法知识在教学实践中的具体运用。

4.对“作为教师的人”的专业能力的影响

教师专业能力是教师顺利完成教育实践活动的必需条件，是教师的教育理念与教育理想的实现途径，是教师专业知识的外化形态，直接关系到学生的学习能力、实践能力和创新意识的形成与提升。我国《教师专业标准》中强调“能力为重”的基本理念，指出“把学科知识、教育理论与教育实践相结合，突出教书育人实践能力；研究学生，遵循学生成长规律，提升教育教学专业化水平；坚持实践、反思、再实践、再反思，不断提高专业能力”。不可否认，学习对教师专业能力的影响是全方位的，在这里不可能对其不一而足地展开论述。从与教师的访谈中，他们述及国内学习与跨文化互惠学习对他们在诸如教学模仿能力、师生交往能力、课堂管理能力及教学反思能力等方面的影响较为明显。主要就这几方面进行探究，分析互惠学习对教师专业能力的影响。

首先，对教师教学模仿能力的影响。教学的外部行为表征的实践特性为教师主体模仿他者的教学行为提供了可能。教师教学模仿是教师主体通过对他者教学的观察、效仿、内化、表现和创新，实现教师主体间的多重交往活动[38]。“记得在教学实习与刚入职时，我会将在我国与加拿大学习中觉得好的做法‘搬到’我的课堂上，这是一种有意地模仿。模仿我的老师们是如何与学生建立良好师生关系，模仿他们的课堂管理等。经过几年的模仿式实践，我逐渐地从模仿中提炼出属于自己的教学实践模式”(T6-20160418T)。教学模仿有利于教师特别是新手教师在多重交互中改进自己的教学，使教师有意识地借鉴他人的优秀做法并将之内化进自我的专业能力体系中，提升教师专业发展，促进教师队伍整体素质的提升。

其次，对教师的师生交往能力的影响。师生交往是学校人际交往的重要形式，师生交往的范围可以延伸到学校之外的更广场域，“参与互惠学习后，我更深刻地体会到师生关系的重要性。师生交往中加有不同的模式与准则要求，但爱与信任是两国的共性。在我的教学实践中，我毫不吝啬地给予每一个学生爱与信任，帮助学生‘成人’。我会为每位学生寄上生日贺卡，并在合适的时候家访，与家长一起促进学生健康成长”(T5-20160418T)。师生交往是情感性的交往活动，教师的言谈举止应激发起学生内在的精神力量，促使他们产生深层次的内在活动，理性认识自我，并实现自我完善[39]。

第三，对教师课堂管理能力的影响。课堂管理能力是教师对课堂教学情境的整体监控，是教师教育机智的体现。教育是一项需要机智的活动，机智包含敏感性，这种敏感性是一种全身心的、审美的感知能力，由一系列品质和能力构成[40]。“在教学实践中，我会尝试地将关注个体与关注整体相结合，不仅关注每一个学生的成长，同时使全体学生都在原有基础上有所进步，这是我在中国受到的较为直观的影响。这一影响引导着我的教育理念与课堂管理，大班额教学需要教师对班级情境的全面调控，以保护学生的自尊心为原则采取较为机智的做法进行管理是教师能力的体现”(T2-20160419T)。机智的课堂管理使教学焕发生命的活力，并且对于和谐师生关系构建具有积极意义。

最后，对教师教学反思能力的影响。每个思维单位的两端，开始于困惑和纷乱的情境，结束于清晰、澄清和解决的情境。前者是反思前的情境，它提出反思需要回答的问题；后者的情境中，困惑已消除，这是反思后的情境。反思的思维活动就是在两种情境之间进行[41]。教师的教学反思贯穿于教育实践活动的始末，教师的反思能力是教师专业发展的重要推动力量。跨文化互惠学习使教师养成了反思的良好习惯，并使反思的良好习惯得以持续保持。“交换学习对我最大的收获就是养成了反思的习惯，在教学开始前我会反省自己对教学内容准备情况及学生的认知水平；在教学中我会根据学生的表现与反馈即时反馈，及时调整教学进度；教学后我会对教学状况、学生的反应等进行反思，并以日志的形式记录下来，养成了写反思日志的习惯(边说边打开电脑，向研究者展示其交换学习至今所做的反思日志)。我所写的反思日志包括教学反思、对学生作业反思、自我成长反思等方面的内容，虽然我现在还不能完全做到我反思的所有方面，但这将是努力的方向”(T4-20151208T)。撰写反思日志是教师实践性反思的方式之一，也是教师开展教学研究的第一手资料。教师特别是新手教师借助反思日志将内在的隐性知识外化为指导教学的显性知识，促进教师实践性知识的转化与运用。在“教师作为研究者”逐渐成为时代主题的背景下，教师研究能力的锻炼与提升源于日常的教学反思与探究。跨文化互惠学习经历为教师提供了更加广阔的视野，使其作为“行动者”不断观察与体悟他者的教育教学，并将反思结果反求诸己地运用于自己的教育教学实践，促进自我有意识地进行知识管理，实现教师实践性知识的理论提升，从而为教师知识找到恰当的生长点和寻求专业发展的合理空间[42]。

三、跨文化统合视域下教师互惠学习影响的思考

跨文化互惠学习影响着“作为人的教师”与“作为教师的人”的不同方面，但这些方面并不是相互孤立地存在于“作为人的教师”与“作为教师的人”的身上，两者是相互联系的统一整体，是一般与特殊的关系。一般关系体现为“作为教师的人”从事教学时需要具备“作为人的教师”所具备的认知、道德、情感、自我效能感等方面的内容，特殊关系体现为“作为人的教师”从事教学时需要具备“作为教师的人”所要求的专业信念、专业理想、专业知识与专业能力等方面专业素养①。两者共同地统合于教师主体，跨文化互惠学习影响着教师主体“作为人的教师”的认知、学习观、自我效能感等方面的内容，这些影响进而作用于“作为教师的人”的身上，使教师主体对教师专业表现出极大的热情与坚定的信念，并对专业知识与专业能力产生全景式的深刻影响。研究发现，跨文化互惠学习的影响力度与教师的自我专业觉知度有关，跨文化互惠学习对教师专业发展产生弥散而持久的影响。当然，学习影响有积极与消极影响之分，跨文化互惠学习对大多数教师产生积极影响，这与学习预期成正相关。但是，跨文化互惠学习对极少数教师带来了不可预期的消极影响。同时，不可避免的时空等方面的障碍影响着跨文化互惠学习的进度。

(一)学习影响力度与教师的自我专业觉知度有关

自我觉知(self-awareness)是个体对自己有所认识或有所意识的内容的主观状态[43]。自我专业觉知是个体对自己从事的专业所认识或所意识的内容的主观状态，将觉知框定在专业范围内，对与专业相关的内容的认识与意识的主观状态。

---

① 该观点是哥伦比亚大学 James T.Hansen 教授于 3rd *Annual Conference Reciprocal Learning on East-West Reciprocal Learning in Education* 发表的观点，2016-4-18.

教师自我专业觉知是教师对自己或他人的教育教学相关内容认识或意识的主观状态。教师自我专业觉知能使教师在实践中明晰自己及他人的优势与不足，激发教师主动学习的意愿，这是一种来自内部学习动机与需求的学习意愿。教师不是系统地进行学习，而是有选择地模块式学习，主要在于弥补与完善自己的专业素养。一般而言，教师自我专业觉知与教师专业自觉成正相关，教师专业自觉是教师理性审视自身的专业水平与职业活动，能积极主动地提升自我的专业素养、创造性地解决教育实践问题，并拥有自足的精神世界[44]。当教师能积极主动地认识与反思自己及他人的教学，并从中意识到自己的专业不足时，教师便能自觉主动地学习以提升自我的专业素养，表现出强烈的学习意愿，精神世界充盈而富足，反之亦然。由此看来，跨文化互惠学习对教师所产生的影响是积极的还是消极的与教师自我专业觉知度密切相关，当教师能积极地觉知到自己的专业发展需求时，在明确学习目标指引下便能主动地向外界寻求学习资源，丰富自己的专业结构，实现自我专业成长，这种状态下跨文化互惠学习对教师发展的影响力度相对较大。当教师不能明确自己的专业需求时，学习便会失去明确的方向性，教师不能很好地在学习情境中主动地学习与反思，学习的成效便会降低，这种状态下跨文化互惠学习对教师发展的影响力度相对较小。

（二）跨文化互惠学习对教师专业发展的影响弥散而持久

学习内容的广延性与学习结果的迟效性是教育的重要特性，一种学习经历对人的影响是全方位的，其影响力度并不是立竿见影与显而易见的。首先，从影响的广度上看，跨文化互惠学习先是对“作为人的教师”产生全面而深刻的影响，进而作用于“作为教师的人”，两者之间的影响内容相互渗透与补充，对教师主体产生整体性的影响效应。当人进入异质性社会文化情境时，异域文化、风俗、历史传统等势必对个体产生文化冲击与影响，随即迁移地影响到“作为人的教师”的人格特质，并使教师选择性吸取对其专业发展有益的素材，对“作为教师的人”产生深远影响，促进教师专业素质的提升。换言之，跨文化学习经历对教师的影响并不局限于教师专业发展领域，对人的认知、学习观、自我效能感等方面产生立体式的全面影响，弥散间接地作用于教师专业发展。且，短期看来，由于某一学习行为的习得效果不可能立马显现，跨文化学习经历对教师专业发展产生的影响并不十分明显，“我深知跨文化互惠学习对我产生了较为深远的影响，我现在会有意模仿我国和加拿大教师的优秀经验，运用到我的教学实践中，但教学模仿是理念转化的初级阶段。我需要在以后的学习中深刻体会加拿大特殊教育的优秀做法与理念，并提炼出一套属于我自己的特殊教育理论体系，促进学生的快乐健康发展”（T6-2010418T）。从模仿到深刻领悟再到形成自己的理论体系，需要时间的积累，更需要教师的实践性反思。值得肯定的是，教师确实在跨文化互惠学习中受到或大或小的影响，在某种程度上而言，跨文化互惠学习是一种“潜伏学习”，其效能只有在“量变”的积累达到“质变”的突破才会在必要的时机凸显出来。

(三)跨文化互惠学习对极少数教师产生不可预期的消极影响

教师互惠学习的影响从作用方向看，具有双向性，对参与学习的主体均会产生影响，引发教师主体行为或心理的改变；从学习结果来看，互惠学习对主体发展带来的影响可能是积极的也可能是消极的。为了使互惠学习达到预期效果，在互惠学习的整个进程中，参与互惠学习的教师会接受到来自多方的积极指导，以促进其专业素养的提升，使其在职前发展阶段树立高远的专业理想，进行合理的专业发展规划。但由于大学生的价值观还未完全定型，极易受到外界各种因素的影响，使其在专业信念摇摆中逐渐放弃专业理想，而去追逐另一种生活。“去加拿大学习后，我觉得这是我喜欢的生活方式，我毕业没有选择教师职业，而是选择去加拿大的一所学院学习，虽然这所学院没有任何的学术知名度，我只是想继续体验那里的生活”。这是一位接受访谈的教师在参与跨文化互惠学习后谈到的，她也肯定了互惠学习对她人生所带来的积极影响。就这一个案而言，互惠学习对其“作为人的教师”可能带来的影响是积极的；但就“作为教师的人”而言所产生的影响则较为消极。作为人而言，她做出如此选择并没有错，每个人都有选择自己生活方式的权利，而对于教师特别是经过层层严格选拔参与互惠学习项目的卓越教师而言(且选拔的标准首先看重参与者的专业信念是否坚定)，这样的选择背离了互惠学习培养卓越教师促进教师专业持续发展的美好初衷。当然，这是极其稀少的个案，互惠学习总体对教师的影响是积极正向的，后续的教师互惠学习也会尽力减少消极影响对教师专业发展所带来的干扰作用。

(四)不可避免的障碍影响着跨文化互惠学习的进度

与同质性文化学习场域中的教师互惠学习相比，教师在异质性文化学习场域中所进行的跨文化互惠学习面临着诸多的障碍，一方面是由于空间距离而产生的时空障碍，另一方面则体现为东西方文化的差异引起的语言障碍及文化障碍，这些障碍在一定程度上影响着跨文化互惠学习的推进力度。首先，在时空障碍方面，中加两国教师以网络视频会议的相互研讨为主要形式，同时借助每年一届的中加国际会议和短暂的互访交流，努力克服因时空障碍所带来的交流阻隔。特别是在网络视频会议交流中，由于两国的时差限制，交流的时间不能过长，这样便导致每次的交流不能较为深入地开展。同时，交流过程中由于网络信号的稳定性及设备等多因素的影响，制约着两国教师间的顺畅交流。其次，在语言障碍方面，英语作为国际通用语言，双方交流主要以英语为主，为了保障双方信息接收的对称性与正确性，每次的网络视频会议及国际会议等活动均有专人承担翻译角色，这样一来，会耗用较为多的时间对交流内容进行翻译，且翻译者自身对交流内容的理解力与解释力在一定程度上也影响着其他教师的理解与交流内容的效度。最后，在文化障碍方面，中加教师互惠学习的文化预设是国际文化有相互值得借鉴与欣赏的地方，中加两国教师应在平等、尊重、理解、包容及共享中实现对各自优秀文化的相互吸收与借鉴。然而，由于中加两国在历史、传统、社会体制等方面均存在较大差异，教师间虽然树立了平等沟通与相互尊重理解的文化态度，但难免会对某些问题产生文化性的分歧，且这种分歧很难在短时间内得到圆满解决。虽然中加双方教师均在努力克服各种障碍，但这些障碍的不可避免性确实成为影响两国教师互惠学习进程的因素。如果说时空障碍与语言障碍可以借助多种保障条件得以缓解的话，那么文化障碍的克服则需要更加漫长的过程，需要两国教师以平等的姿态对彼此的文化相互尊重、理解与包容，实现教育文化间的求同存异与取长补短。

参考文献：

[1]爱德华・C. 托尔曼. 动物与人的目的性行为[M]. 李维译. 杭州: 浙江教育出版社, 1999: 396.

[2]科林・马什. 理解课程的关键概念[M]. 徐佳等译. 北京: 教育科学出版社, 2009: 31-32.

[3]白益民. 学习时间与学习结果关系模型研究述评[J]. 外国教育研究, 1999, (6): 2.

[4]R. M. 加涅, L. J. 布里格斯, W. W. 韦杰. 教学设计原理[M]. 皮连生等译. 上海: 华东师范大学出版社, 1999: 43.

[5]谢赛. 儿童学习结果取向的美国教师教育课程研究[博士学位论文]. 上海: 华东师范大学, 2012.

[6]冯忠良等. 教育心理学(第二版)[M]. 北京: 人民教育出版社, 2010: 105.

[7]冯忠良等. 教育心理学(第二版)[M]. 北京: 人民教育出版社, 2010: 131.

[8]冯忠良等. 教育心理学(第二版)[M]. 北京: 人民教育出版社, 2010: 145.

[9]施良方. 学习论[M]. 北京: 人民教育出版社, 2001: 8.

[10]施良方. 学习论[M]. 北京: 人民教育出版社, 2001: 293.

[11]向葵花. 中小学学生行为研究. 武汉: 华中师范大学, 2014.

[12]迈克尔・富兰. 教育变革的新意义[M]. 武云斐译. 上海: 华东师范大学出版社, 2011: 43.

[13]B. R. 赫根汉, 马修・H・奥尔森. 学习理论导论(第七版)[M]. 郭本禹, 等译. 上海: 上海教育出版社, 2011: 2.

[14]施良方. 学习论[M]. 北京: 人民教育出版社, 2001: 291-293.

[15]刘佳, 明庆华. 论“作为教师的人”与“作为人的教师”[J]. 中国教师, 2009, (13): 15-16.

[16]陈思颖, 马永全. 关注教师作为“人”的存在: 论教师教育研究的人文主义取向——第二届全球教师教育峰会综述[J]. 比较教育研究, 2015, (4): 110.

[17]张杰. 公共英语教学的专业化与专业英语教学的公共化——我国高校英语教学改革的必由之路[J]. 外语与外语教学, 2005, (11): 30.
[18]弗朗兹·马丁·维默. 文化间哲学语境中的文化中心主义与宽容[J]. 王蓉译. 浙江大学学报(人文社会科学版), 2010, (1): 181.
[19]苗深花. 论师范生"为教而学"学习观的构建[J]. 教育研究, 2012, (5): 91.
[20]潘知常. 诗与思的对话[M]. 上海: 上海三联书店, 1997: 112.
[21]王枬. 教育学: 行动与体验[M]. 北京: 高等教育出版社, 2013: 226.
[22]冯忠良, 等. 教育心理学(第二版)[M]. 北京: 人民教育出版社, 2010: 244-245.
[23]刘佳, 明庆华. 论"作为教师的人"与"作为人的教师"[J]. 中国教师, 2009, (13): 15-16.
[24]教育部关于印发《幼儿园教师专业标准(试行)》《小学教师专业标准(试行)》和《中学教师专业标准(试行)》的通知(教师[2012]1号)[EB/OL]. http: //www. gov. cn, 2012-09-14.
[25]周红. 浅谈教师专业理念素养的生成途径[J]. 中国成人教育, 2009, (14): 70.
[26]Trigwell K, Prosser M, Waterhouse F. Relations between Teachers' Approaches to Teaching and Students' Approaches to Learning[J]. Higher Education, 1999, 37(1): 57- 70.
[27]Corbett M. Toward a Geography of Rural Education in Canada[J]. Canadian Journal of Education, 2014, 37(3): 10-12.
[28]李伟. 个性化教学的教师之维与建构[J]. 教育研究, 2013, (5): 134.
[29]魏建培. 儒学教师观[J]. 教师教育研究, 2010, (1): 52.
[30]全国十二所重点师范大学联合编写. 教育学基础[M]. 2版. 北京: 教育科学出版社, 2002: 118.
[31]贾健, 刘赣洪. 论教师专业信念的功能[J]. 教育导刊, 2014, (7): 10.
[32]奥伊肯. 生活的意义与价值[M]. 万以译. 上海: 上海译文出版社, 2005: 69.
[33]Shulman L. Those who understand knowledge growth in teaching[J]. Educational Researcher, 1986, 15(2): 4-14.
[34]林崇德, 申继亮, 辛涛. 教师素质的构成及其培养途径[J]. 中国教育学刊, 1996, (6): 17.
[35]陈向明. 实践性知识: 教师专业发展的知识基础[J]. 北京大学教育评论, 2003, (1): 105.
[36]Shulman L. Those who understand knowledge growth in teaching[J]. Educational Researcher, 1986, 15(2): 10.
[37]徐学福, 金心红. 从领域一般到领域特殊: 教学研究范式的重心转移[J]. 全球教育展望, 2015, (9): 11.
[38]崔友兴, 李森. 教师教学模仿的多重特征与实践价值[J]. 课程·教材·教法, 2015, (9): 104.
[39]B. A. 苏霍姆林斯基. 给教师的一百条建议[M]. 周蕖, 等译. 天津: 天津人民出版社, 1981: 269.
[40]马克斯·范梅南. 教学机智: 教育智慧的意蕴[M]. 李树英, 译. 北京: 教育科学出版社, 2001: 165-166.
[41]约翰·杜威. 杜威教育论著选[M]. 赵祥麟, 王承绪, 编译. 上海: 华东师范大学出版社, 1981: 302.
[42]陈向明. 实践性知识: 教师专业发展的知识基础[J]. 北京大学教育评论, 2003, (1): 111.
[43]程蕾, 黄希庭. 自我觉知与情绪、心理健康的关系[J]. 西南大学学报(社会科学版), 2008, (1): 14.
[44]舒志定. 论教师的专业自觉[J]. 教师教育研究, 2007, (6): 13.

将教师从工具性的意识形态与技术统治论的专业技术训练中解放出来，使教师的教学实践把语言、文化、历史和身份的空间，与它们在更大的物理和社会空间中的部署联系起来，以扮演促进民主公共领域的转化性知识分子。[1]

——[美] 亨利·A·吉鲁

第八章　跨文化统合视域下教师互惠学习的实现路径

随着国际教育交流的日益密切，逐渐将教师学习置于跨文化境脉中加以考察。来自不同区域或国界的教师在彼此尊重中相互欣赏，在平等沟通、对话与合作中相互学习与借鉴，求同存异，促进知识的共享与融合，形成共同的知识基础，达成知识流动，实现互惠学习的美好愿景。情境交互理论、社会建构主义理论及互惠理论等为教师互惠学习提供了理论依据，教师的学习不是孤立的、封闭式的学习，而需综合考虑社会文化情境、历史传统等因素。因为所有的学习都是“情境的”，即学习发生在某个外部情境之中，该情境是学习的一部分[2]。这样一来，考察教师学习类似于“变焦镜头”，不仅需要对教师个体以外的社会情境展开整体性考察，也需要对教师学习的个体发生机制进行微观分析。因此，在分析教师互惠学习的实现路径时，需要以全盘意识，在综合考量跨文化统合视域下教师互惠学习的优势与阻碍等基础上，将教师学习的外部情境与个体内部状态结合起来。组织为教师互惠学习动力产生提供外部驱动力，彼此间在互动与内在建构生成中进行知识管理，促进情境中的教师、学生的改变及学校情境的改变。外部组织与内部组织相互关联，彼此影响，促进组织系统优化，协同实现教师间的互惠共长。教师学习情境的内外部任何一方面出现问题，均可能导致教师互惠学习的低效甚至无效(图 8-1)。

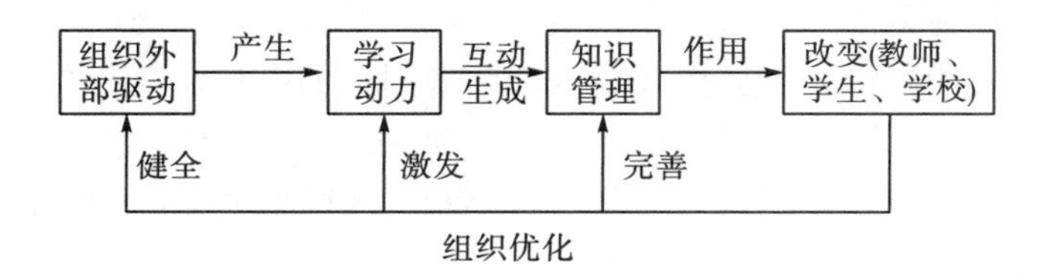

图 8-1　教师互惠学习实现路径的循环模式图

教师互惠学习是外部习得性互动与内部获得性建构的统一过程，主要从学习动力、学习内容、学习互动模式及学习影响四个维度展开。根据教师互惠学习四个维度的研究内容从组织系统优化、学习动力调控、学习内容生成及主体改变的学习影响等方面构建教师互惠学习的实现路径。构建优化运行的组织系统为教师互惠学习提供社会心理情境，激发教师内在持久的互惠学习动力，促发教师“台前”“幕后”生成互惠内容，进而促进主体改变的互惠学习影响。反过来，改变作为一种学习影响的外部呈现，依据互惠学习对教师、学生及学校产生的影响程度进一步推动组织系统优化，激发与调整教师的学习动力，完善教师的知识管理系统，形成教师互惠学习实现路径的良性循环模式。

需要说明的是，在本书中，教师互惠学习的实现路径是站在中国与加拿大两国文化统合的基础上展开的，两国教师在相互学习中合作、共享、共进。这样一来，以跨文化统合视域为宏观性文化背景，在构建教师互惠学习实现路径时，并不对跨文化统合视域进行额外的阐释。本章试图努力构建适合跨文化统合视域的教师互惠学习路径，由于教师互惠学习本质特性的同一性，所构建的这一路径在一定程度上也适用于同质性文化学习场域中的教师互惠学习。

一、构建教师互惠学习的优化运行的组织系统

教师互惠学习是在组织系统中进行的，组织系统分为外部组织系统与内部组织系统。外部组织系统是教师互惠学习的外围机构，包括教师学习的社会文化情境、教师内部组织之外的其他相关组织机构等，对教师互惠学习的顺利开展起到组织保障作用；内部组织系统是与教师互惠学习密切相关的组织机构间构成的系统，多主体间的平等合作有利于构筑稳定互促的内部组织系统。外部组织系统与内部组织系统相互影响，彼此联系，组织系统的优化有序为教师互惠学习的顺利开展提供物质基础。

（一）教师互惠学习组织系统的层次性表征

教师在循环往复的互动对话中，共享互惠，表现出积极的学习行为，提升其学习能力。现实中，由于受到外部或内部诸多因素的影响，存在组织间缺乏有机的协同发展、教师间不愿相互沟通、教师自我缺乏反思等低效无序的尴尬局面。这种局面对教师互惠学习的有效开展极其不利。教师低效无序的组织系统主要表现为以下几个方面：

第一，教师学习外部组织系统的封闭化。外部组织系统的封闭化主要指在考

察教师学习时，较少将社会文化情境作为影响教师学习的重要因素，也较少关涉相关组织机构与内部组织系统间的协同发展。于是，教师学习的外部组织间“各自为政”，互不影响，不利于教师互惠学习的达成，更不利于学校的变革与发展。

第二，教师学习内部组织系统的沉默化。“组织沉默”的概念于 2000 年被首次提出，主要指个体出于多种原因对改进组织绩效采取沉默的做法，包括保留、提炼和过滤自己的观点[3]。教师学习的内部组织是相对于外部社会文化情境而言的，根据其制度化程度可分为正式的行政命令性组织与非正式的协商性组织。在我国“枪打出头鸟”的传统文化习惯影响下，教师们为了明哲保身，特别是在正式的行政性质较强的组织中更倾向于听从上级命令安排，保持沉默，不发表言论。长此以往，教师学习便成了一种行政命令式的遵照与执行，缺乏信任的氛围与互动的热情。

第三，教师内在自我与外在世界的割裂化。按照社会建构主义的观点，教师的学习是内在自我建构与外部互动的有机统一，教师的学习是为了更好地指导教学实践，改进与提升教学效果。但现实中存在教师割裂学习与教学的现象，学习时就学习，教学时就教学，并未将二者有机结合，将学习过程与现实的教学科研工作剥离[4]。这种类型的教师学习实质上便是教师内在自我建构与外部互动的人为割裂，教师在学习时并未有机结合教学实践开展有针对性的反思，在教学实践中也并未针对学习中的疑惑与问题进行研讨或切磋。

教师学习组织系统的封闭化、沉默化与割裂化，是当前教师学习组织系统无序低效的显著问题。然而，随着国际教师教育理论的逐步丰富与国际教师交流实践的日益深入，教师互惠学习的特性日渐凸显，要求教师组织系统做出积极回应，对已有组织系统进行变革，使组织系统呈现出有序的层次性表征。有序的组织系统表现出一定的层次性：外部组织的和谐共生、内部组织的稳定互促及自组织系统的内外协调统一。这种组织系统的层次性表征指向教师个体学习能力的提升，使教师在和谐的组织系统中合作共享、互惠发展。

1.教师互惠学习外部组织的和谐共生

教师为解决某一问题相互切磋、对话、协商，共享成果的过程是达成互惠学习的过程。教师互惠学习的有序发展，首先得保证外部组织的和谐共生，以得到外部组织的有力支持。

首先，为教师互惠学习的开展营造支持性的学习氛围。支持性的氛围指为保证教师在组织学习中顺利解决困惑或难题，组织外围给予适当的政策、制度、人员等方面的支持与帮助[5]。这种支持与帮助对学习情境优化具有积极的推动作用，相关领导对教师互惠学习的支持与鼓励，为教师相互学习提供足够的时间与空间，让教师逐渐意识到学校不仅是教师工作的场所，更是教师专业成长的重要平台。学校出台相应的激励政策与措施，倡导教师积极参与互惠学习，并给予人力、物力、财力等方面的配套保障，在一定程度上能激发起教师学习的主体性与自觉性，使其逐渐将学习视为自己专业发展过程中的重要部分；同时，就宏大范畴上的教师学习文化情境而言，来自不同学校、区域乃至国界的教师，应在彼此尊重中取长补短，以平等的姿态了解彼此间文化与历史传统，做到兼容并蓄、和而不同。在这种文化情境中，教师才能更好地实现互利共进与自我突破。

其次，机构间的协同共生为教师互惠学习创设条件。在教师教育体制改革深入推进的今天，打破机构间“各自为政”的壁垒，实现高校、地方政府、教研机构与中小学的相互协同与整合，四方机构间以教师专业发展为愿景形成共生融合与协同发展的共同体，而不是形式上的简单联合[6]。机构间的协同共生能为教师互惠学习提供充足的发展资源。以中加姊妹校为例，姊妹校在两国间高校、相关教育行政主管部门、教师进修学校(教研机构)及中小学相互合作、彼此协同的基础上结成，相互间构成了共生关系，在共同愿景指引下开展形式多样的学习活动，共同致力于教学实践问题的圆满解决。从系统论的整合视角来看，仅凭某机构的单一力量不足以形成运行有序的组织，不利于促进教师互惠学习的顺利开展。

2.教师学习内部组织的稳定互促

教师学习内部组织是教师开展学习交流活动的机构，这种机构有实体与虚拟之分，也有正式与非正式之分。不管何种类型，教师与相关主体在共同愿景引领下，在相互协商、共享中解决实际问题，在参与中实现身份认同。为确保教师学习内部组织的稳定与相互促进，构建教师与相关主体间的有意义关系，形成友善而和谐的群体关系极有必要。在这种关系中教师间的个人关系与专业关系相互促进，个体义务和社会义务相统一[7]。在此，主要论述教师与专家及学者、教师、学生及家长等主体构成的群体关系，以论证加强教师学习内部组织的稳定性对教师互惠学习的积极意义。

首先，教师与同领域的专家学者的相互合作。专家主要来自中小学专家型教师、高校与教研机构的学科领域专家等，强调对学科领域的精专性；学者则主要来自高校与教研机构，强调其在教育教学领域的学术造诣[8]。同领域的专家学者是对教师的教学实践起到理论引领与实践指导的重要他人，教师与之合作对话，将自己的见解与专家学者分享，得到专家学者的指导与帮助，在相互合作中促进教师专业成长。

其次，教师与普通教师彼此交流。在内部组织中，教师与普通教师的相互交流与沟通是同伴互助的重要形式，同伴互助以配对的形式组建起来，彼此间相互给予专业上的关照，求得共同发展，构建起一种互惠型学习共同体[9]。在这其中，教师相互沟通对话，展开坦率而真诚的讨论，接受来自其他教师对自我教学实践的观察与指导，提出中肯的修正意见与建议，如此反复中逐步提升自我的教学行为。教师间在坦诚对话中实现社会性协商，解决教学实践问题，促进彼此间的专业提升与发展。

第三，教师与学生共同成长。在“以学生为中心”的教育理念倡导下，“合作教学”、“探究教学”及“反思教学”逐渐由理念层面走向教学实践领域，引发教师学习的积极性。提倡学生的主体性与教师的引导性成为教学模式转向的主流理念，教师与学生在相互沟通交流中逐渐在从组织层面实现教学组织形式向学习组织形式的过渡[10]。教师对学生不仅是学业上的指导，还有生活上的帮助，积极引导学生“成人、成事”。形式多样的师生互动方式，使教师在师生关系上逐渐由边缘走向核心，走向学生的内心，实现师生的共同进步与成长[11]。

最后，教师与家长相互反馈。国际教师教育改革要求教师逐渐转变传统角色，教师的角色不再局限于课堂，而是延伸到社区当中，了解社区的氛围、文化与精神风貌。与社区的民众特别是学生家长相互交流，为家长反馈孩子在校情况，同时从家长那里获知孩子在家庭中的成长状况，双方间积极地发送与接收信息，构建起双向交流反馈机制。教师不再是传统意义上的教师，而是“动态教师”[12]，是促学者、意义的探究者、校内外沟通的桥梁和主动变革者。

3.教师自组织系统的内外协调统一

社会建构学习理论所倡导的“学习具有情境认知性”得到愈来愈多的接受与认可，个体的学习是包含内外统一的两个过程：对外，个体与外界情境进行着互动，在对话协商中获得知识；对内，个体与自我进行着元认知层面的沟通，借助反思、批判等元认知策略，实现自我认知结构的完善。由此可见，学习是个体同客观世界对话的认知性实践、同他人对话的社会性实践及同自我对话的反思性实践而结成的意义与关系重组的实践性活动[13]。前两类属于个体与外界的交互式活动，最后一类属于个体与自我的交往活动。教师学习也是教师自组织系统内外部相统一的过程，教师积极地与外部情境交互并主动地进行内在自我沟通的同一性实践，以此促进彼此的专业提升，实现互惠共赢的学习愿景。

首先，教师积极与外部情境对话。作为社会性的人总是积极地与外界社会情境发生着互动交往，并从中获取相应的发展性资源。要达成教师互惠学习，教师首先要与外部学习情境展开积极的对话性实践活动。教师基于项目和改革的驱动，积极探求教学实践问题的解决方案，采取行动改革原有不恰当的规章或做法，最终为实现教师个体专业化与教师集体专业化提供可行方略[14]。在这一过程中，教师间就某一特定问题在相互沟通、对话与社会性协商中达成共识，推动社会情境的变革与发展。正如迈克尔·富兰所言：当有足够的同种的思想汇聚在一起，朝着同一个变革方向迈进时，制度便会发展变革[15]。可见，教师是在与学习情境的交互式沟通中共同探讨教学、课程、学生评价等问题，实现相互间的支持与成长，促成组织的变革与健全。这是一个双向互惠的交往过程，身在其中的学习主体均是受益者。

其次，教师主动与内在自我沟通。人与社会保持互动的同时，将从外部情境中接收“信号”，积极地建构自我认知系统，通过反思、批判等认知性活动，借助从经验中学习的方式，经常回顾自己以前的教学进程与结果[16]。教师与自我沟通促进教师与外部情境互惠学习结果的内化与吸收，同时为下一次开展互惠学习奠基良好基础，进而形成往复的良性循环。教师只有在积极主动的自我反思中纠正已有错误经验并不断丰富自己的经验体系，才能在下一循环的互惠学习活动中与外部情境有效对话。诚如美国教育心理学家波斯纳(G.J.Posenr)所言：没有反思的经验是狭隘的经验，至多成为肤浅的知识[17]。教师应养成及时反思的良好习惯，借助行动研究、教育叙事等形式保持自组织系统的良性运行。

(二)多举措促进组织系统的优化运行

优化有序的组织系统使其表征出显著的层次性，即外部组织的和谐共生、内部组织的稳定互促及自组织系统的内外协调统一。为了明晰每一部分组织系统的内在特性，对其进行了人为的“板块式”论证。但作为整体性的组织系统，是如何运行的呢？其运行的轨迹又是怎样的呢？一个良好有序运行的组织系统必定不是内部或外部某单一方面在起作用，而是相互间共同作用，彼此联系，相辅相成，实现组织系统“整体大于部分之和”的整体效应。

在教师开展互惠学习中，以教师个体作为一个独立的内在组织，互惠学习相关的组织机构及社会文化情境等均以外部组织的形式对教师个体产生作用。教师受外部社会文化情境激发与自我内在需求驱动，调控教师互惠学习动力；在学习动力的调控下，教师积极主动地参与各种交互式活动，并对自我知识结构进行恰当的管理；在教师与外部及自我的对话协商中，引起教师与学生的主体改变，也引起外部学习情境(如学校、学习共同体等)的相应改变。可见，教师互惠学习影响效应不仅内在于个体，而且延展到学习情境中；同时，诸多改变促使新一轮的互惠学习动力、互动模式及组织系统的改变(图 8-2)。

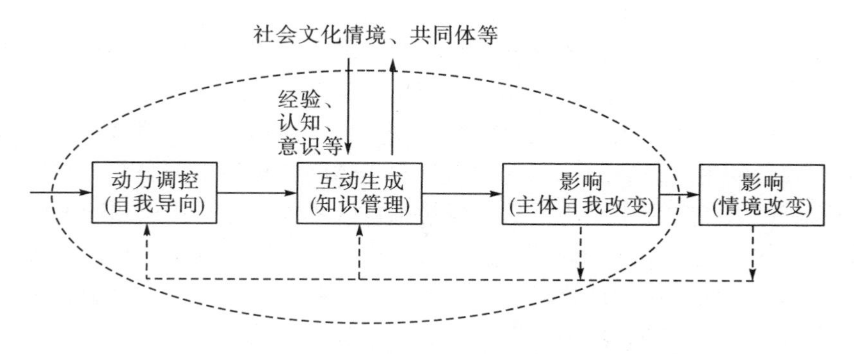

图 8-2　教师互惠学习组织系统优化的运行路径

1.从系统论的视角考察教师互惠学习

根据系统论的观点，系统是物质存在的方式，“系”是组成系统各要素间的联系，“统”是要素间联系成一个统一有机的整体。系统具有形成相互作用的关系网、整体大于部分之和、系统的每个部分都起作用、开放性、受到外部环境与内部结构的双重约束及趋向动态平衡等特征[18]。对于教师互惠学习而言，不能单从教师个体的学习状态来考虑，也应考察教师学习的组织系统。教师与他人构成了互动交流的学习共享网络，在这一共享网络中，每一个体都发挥着不可替代的重要作用，产生整体大于部分之和的效应；并且双方的互动交流要受到外在情境、学习共享网络稳定性、自我学习准备状态等多种因素的影响。

优化的组织系统包括内部、外部相互作用的两部分，外部的学习情境、组织形态等对教师互惠学习内部系统的学习动力的激发与调节、内容的互动生成模式及学习主体的改变均产生影响；同时，内部系统又对外部情境的状况进行调试以不断适应变化着的情境，形成了环环相扣的“反应链”，使组织系统处于动态的平衡之中。以系统论的视角考察教师互惠学习，改变以往教师学习的封闭化、沉默化与割裂化的状态，使其在开放、共享中实现教师专业发展与学校教育质量提升。

2.组织系统优化运行应立足于主体参与

教师的主体参与贯穿教师互惠学习的始末，是组织系统优化运行的立足点。只有当教师积极主动地参与到互惠学习活动中，教师的主体价值才有实现的可能。教师主体价值是教师主体在教育实践中动用自身的主体意识与主体精神，发挥自身的主体性，积极地投入教育中进行创造性活动，达成外在价值与内在价值的统一，实现主体需求与社会需要的共同满足[19]。教师主体价值的实现是教师主体参与的结果，如此一来，教师学习的动力更加强劲、学习的情感更加向上、与外界及自我的互动更加积极，对自己及他人产生更巨大的正向影响力。

教师互惠学习组织系统的良好运行得益于教师的主体性参与，教师自我的积极性是激发其产生学习意愿的源动力，而由外部情境引起教师的学习动力稍显微弱与短暂；教师具备积极参与互惠学习的动力后，如何与学习情境对话、沟通，同样要求教师的主动性参与，以促进教师与主体间的积极交流与合作共享，促发教师在原有经验基础上主动地反思与建构来自外界的“信号”，引起教师心理或行为等方面的改变。在这一循环“反应链”中，凸显着教师主体性，实现着各个环节的目标，并将其顺利地推向下一环节。如果教师在某一环节上缺乏主动参与精神，那么势必会影响该环节及以下环节的互惠学习效果。

3.组织系统优化运行应着眼于学习的循环链

任何学习均会为学习者带来相应的学习结果与效应，引起学习者外在行为与内在心理发生相应的改变，这便是一项学习活动带给学习者的影响。教师通过互惠学习对其“作为人的教师”的行为、心理及“作为教师的人”的专业信念、专业知识及专业能力等方面产生全面的综合性影响。教师所受到的影响又以某种形式对学生产生影响，引发主体改变。

作为结果样态呈现的教师互惠学习，不仅强调教师在活动过程中的彼此受益，更强调这种受益性的活动对参与其中的每一位个体所带来的影响。教师与专家学者、学生及家长结成目标取向不同的互惠共同体，遵循组织系统优化运行的原则，在不同的学习动力调动下，开展有目的、有针对性的互动交流、合作分享，凝聚成果，引发主体的自我改变并促使组织变革。可见，引发个体或组织发生改变的学习影响是组织系统运行的落脚点与开展下一次活动的起点。因为组织系统运行并不止于学习影响，学习影响对下一次的互惠学习活动具有调控作用，调节着个体与组织下一次互惠学习开展时的状态，实现组织系统优化、有序运行，以此构成循环往复的学习链条。

二、保持教师内在持久的互惠学习动力

教师作为成人群体，自我导向学习是其根据特定的实践问题，确立学习目标，有计划、有目的系统地找寻学习资源，运用恰当的学习策略与评价方法开展的实践性活动[20]。自我导向学习使教师改变传统的被动接受的学习方式，强调教师在学习中的主动性。该方式能有效激发教师互惠学习动力，外部保障与内在需求激发教师产生学习动机，产生与人合作共享的意愿；教师评估自我发展需求的基础促发教师互惠学习活力；教师通过感受积极情感体验，促进其学习行动（图 8-3）。

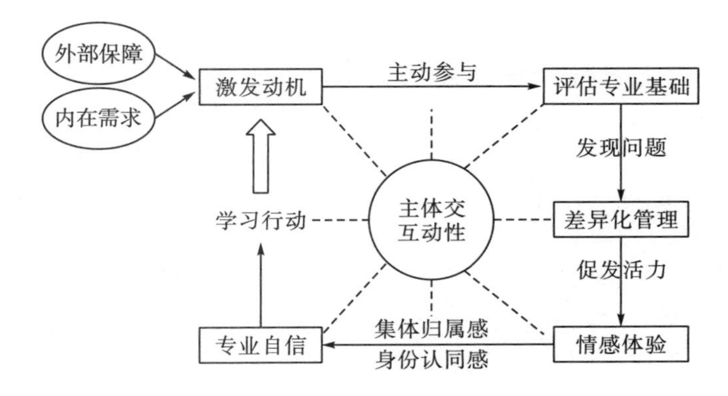

图 8-3　自我导向下的教师互惠学习动力

(一)激发教师学习动机，主动参与互惠学习

长久以来，成人教育研究者所信守不渝的原则是课程内容应与成人的需要和动机相一致。因此，关于成人学习动机的研究不管是在理论建构领域还是实践探索领域均被认为是成人学习上的重要问题[21]。美国教育心理学家桑代克(Edward L.Thorndike)通过科学的实验研究揭开了成人学习研究的序幕[22]，提出成人学习的普遍性与个体差异性。20 世纪 60 年代美国学者赛瑞尔·霍尔所提出的定向理论将成人学习动机分为目标指向的学习动机、活动指向的学习动机及学习指向的学习动机[23]。到 70 年代中期，美国教育之父马科姆·诺尔斯(Malcolm S.Knowles)认为成人具有自主学习的意识与需要，学习由内在动机驱动，以问题为中心进行学习，提出了自我导向学习理论[24]。我国学者关于成人学习动机的研究遵循西方的研究路径，主要从成人学习动机分类、影响因素展开，对成人学习动机理论的探讨主要借鉴西方特别是美国的成人学习动机理论，暂未形成本土化的理论。我国早期关于成人学习动机影响因素的研究主要从社会人口变量，诸如年龄、教育程度、职业水平、收入、性别、婚姻状况及居住地等方面展开；而心理变量则以自重感研究得较多[25]，主要从内在动机与外在动机进行分类[26]。还有学者在调查研究的基础上将我国成人学习动机分为求知兴趣、职业发展、服务社会和外界期望四种类型，后有学者研究成人学习动机受内在因素，如自我学习需要、兴趣等与外在因素的双重因素影响[27]。由此可见，成人学习动机有多种类型，总体上可分为内在动机与外在动机，成人的学习可能由内在动机激发产生，也可能由外在情境诱发。作为成人的教师，其学习动机同样可能源自外部，也可能来自内部，这与学习情境、学习内容、教师的心理状态等各种因素相关。

1.创设外部支持性保障，鼓励教师学习热情

教师互惠学习是自我主动积极与外界互动、共享的过程，也是获得外部组织系统支持与保障的过程。外部系统为教师互惠学习提供必要的政策支持、评价考核机制保障与学习顾问等保障措施以鼓励教师学习的热情与意愿。

首先，政策支持保障教师互惠学习的顺利开展。教师与多主体间开展互惠学习需要相应的政策支持。教育主管部门应与高校、中小学、教师培训机构(如教师进修学院等)形成协同发展机制，共同制定一致性的教师专业发展政策制度，给予教师互惠学习一定的精神性或物质性奖励，为教师参与互惠学习解决各种后顾之忧；学校行政领导应鼓励教师相互合作与交流，使教师不仅将学校视为工作的场所，更看作是自我专业发展的重要舞台，给教师学习提供足够的时间与空间，使教师避免不必要的专业压力，克服职业倦怠，提升教师队伍整体素质。政策支持在一定程度上保障教师互惠学习的顺利开展。

其次，公正合理的考评机制激发教师互惠学习的热情。公正合理的教师评价制度具有积极的导向和激励功能，是教师良性发展的重要保证[28]，在教师互惠学习中应采取多元化和发展性相结合的评价方式以保证评价的客观公正与合情合理。多元性评价主要指根据不同的学习内容有不同的评价标准，而教师学习涉及多方面的内容，因此对教师的评价应以多元的方式加以考量。发展性评价基于对人性的美好假设，将人视为自我实现的人[29]，其目的在于通过实施教师评价，促进教师个体专业发展，让教师了解自己教学的长处和不足，帮助教师制定具有针对性的个人发展规划，促进教师提高专业素质、教学技能，达到教师与学校共同发展的双赢结果。学校对教师进行发展性评价时，应将教师互惠学习作为一项参考指标，从考评机制上鼓励教师主动地互惠学习，激发教师学习热情。

最后，学习顾问给予教师外围性的专业支持。顾问是学校行政组织与学习共同体间的重要协调力量[30]，是教师互惠学习外部支持者。顾问并不直接参与到教师互惠学习的交流、对话的实际过程中，但对教师互惠学习的进程、活动开展状况等提出建设性意见与建议，是教师互惠学习有效开展的外围性支持要素，为身在其中的每一位教师个体提供专业上的支持与帮助。

2.构建和谐的学习氛围，激励教师主动参与

和谐的学习氛围有利于调动个体学习的主动性与积极性，教师互惠学习同样需要在和谐的氛围中开展。友好的人际关系与共进的发展目标使教师在互惠学习中团结一致、相互支持、彼此欣赏、共同进步。

首先，友好的人际关系是教师有效对话的保障。正如马克思所言：人是一切

社会关系的总和，人总是在他人构成的关系网中工作、学习、生活。教育情境的每一个个体都处于一定的关系网络中，并通过彼此对话、协商不断编织着新的关系网络[31]。以教师为例，教师在学习中与专家、同行、学生及家长构成了不同的关系网络，开展形式多样的互惠交流活动。在其中，专家应立足于教师专业发展的长期规划，与教师保持长久的持续的专业合作，教师不应仅接受专家的专业指导，同时也应将自己的可行见解与专家沟通，实现身份角色的转变；教师同行间应就具体的教学困惑与课堂管理等细节性问题展开深入交流与沟通，在相互支持中实现专业上的共同进步与发展；友好的师生关系是学生健康成长与教师专业提升的重要保障，教师应摒弃教师权威的传统观念，树立师生平等、学生是发展中的主体等现代教育观，“亦师亦友”地与学生开展丰富的活动，使教师与学生在彼此交流中，逐渐走进学生的内心，实现师生间的共同成长；家长是学生的法定监护人，是家校关系中的重要角色，教师应与家长特别是幼儿、中小学生家长建立良性的人际关系，及时向家长反映孩子在校的学习、人际等情况，使家长做好有的放矢地教育孩子，同时，家长也应客观、真实地向教师反馈学生在家的行为、心理状况，使教师能以此推断学生在校行为、心理等产生的原因。在互惠学习过程中，友好的人际关系有利于教师与“关系网络”中的他人开展有效对话，构建起合作型的教师文化，保障教师各方信息获得的对称性、客观性与有效性。

其次，确立共进的发展目标激发教师互惠学习的凝聚力。教师互惠学习的实质是基于共同体的实践性活动，共同体开展的活动是在共同愿景导向下开展的。共同愿景是共同体成员所共同持有的清晰的愿望景象，是关于组织发展未来的共同理想与规划[32]。共进的发展目标又可被分为共同愿景达成过程中的诸多阶段性目标，如同“灯塔”般为教师共同前行的道路指引方向。教师间必须结成紧密的友好合作关系，团结一致，相互沟通，在对话与分享中逐步实现个体发展目标与整体发展目标的一致性，从而达成整体发展目标的圆满实现。确立共进的发展目标以激发教师个体在互惠学习中的凝聚力与向心力，使教师在互惠学习中由“边缘”逐渐走向“中心”；逐步提升教师个体学习的主体性参与度，使教师在强烈的情感依附与身份认同中不断协调自我发展目标与组织发展目标的矛盾，共同实现个体发展目标与组织整体发展目标。

3.引发教师内在学习需求，保障对话顺畅有力

“需求”是在“需要”基础上产生的某种心理欲望，为了满足某些需要便产生了某种需求。马斯洛的需要层次理论系统论证了在满足人的生理、心理及社会性等方面需求的不同需要。需要是一种差距，是理想常模的某种概念与实际状况之间的差距，即是“应该是什么”与“实际是什么”间的差距[33]。就教师的学习需求而言，是满足“应然学习理想”与“实然学习状态”间的差距。现存的诸

多教师学习动力不足等问题，主要在于对教师内在学习需求的忽视，如何使教师从“要我学”向“我要学”转变是提高教师学习成效的关键[34]。当教师内在学习需求被激发后，教师能以主动的姿态进行学习，能与对方积极对话，并从对话中汲取有益经验，内化到自我认知结构中，促进教师专业发展，这样便构成了互惠学习的内外交互的统一过程。

首先，鼓励教师以“问题域”的形式开展实践行动。教师学习带有显著的成人学习特点，即以问题导向开展有针对性的学习活动。在学习交流中，每一位教师均有自身的教学困境与实践问题，在互惠共同体中所有教师的不同问题聚结在一起便形成了“问题域”。教师在与专家合作、同行交流中，对“问题域”进行整理分类，鼓励教师改变传统的被动接受的学习方式，采取实践行动的方式，群策群力，每次行动解决 1～2 个实践问题。实践问题不会完全终结，实践行动中还会不断涌现新的问题，教师实践行动将教师推向新的高度，这是教师专业发展的外部表征，也是教师通过实践行动相互对话、沟通、共享的结果。

其次，倡导教师合作学习激发教师积极参与。任何形式的合作学习都需要有学习者个体间的积极互赖、相互促进、个人责任、社交技能与自评等要素[35]。可见，合作学习首先要求学习者对自我学习需求有较为明确的认知，唯有此，合作学习才不会流于形式，才能卓见成效地激发学习者自主意识与主体精神，积极参与并主动对话。教师合作学习同样存在形式多样的特点，但其依然要求教师间的积极互赖、共担责任，以及在相互合作中展开平等对话、交流、沟通，积极交往，解决问题。教师在此过程中应激发主体发展需求，主动与外界互动交流，期待获得对自身专业发展有所裨益的经验；同时，在合作学习中分享自己的想法与智慧。

(二)评估教师专业基础，促发互惠学习活力

按照维果茨基的“最近发展区”理论，教师自我、学校及教育主管部门等对教师学习提出目标不能逾越教师原有的发展基础，教师互惠学习是在对自我专业明确评估的基础上展开的，是基于教师原有发展基础有针对性地提出的学习要求。教师自我、学校及教育主管部门应在明确教师发展问题基础上激发教师互惠学习动力，使教师在互惠学习中彰显活力。

1.立足教师专业基础差异，对教师进行差异管理

教师专业基础的差异主要体现为横向与纵向两个方面。在横向上，教师个体间的专业发展存在着差异，这是个体差异性在教师学习结果上的直观体现；在纵向上，教师自我在专业发展的不同阶段，其专业基础呈现出较大差异，新手教师

与专家型教师的专业基础有天壤之别。教师在横向与纵向上的专业基础差异，使每一位教师在学习进度、学习接纳度等方面均存在差异。承认教师间的发展差异，对教师学习提出有针对性的要求，需要对教师学习进行差异化管理。差异化管理是充分尊重与包容教师间的发展差异，使每位教师在学习中能充分发挥其才能，实现个体的最大化发展和最大化价值贡献，进而推动学生和学校优化发展[36]。差异管理不是抹杀教师间的发展差异，也不是贬低发展水平低的教师，而是强调在尊重与包容中发扬各自的优势区域，使教师间在相互学习时做到优势互补，这是对互惠学习的取长补短、求同存异思想的重要诠释。教师在互惠学习过程中，需要根据专业基础差异开展差异化管理。那么，对教师进行差异化管理的主体都有哪些呢？遵循前文的分析路径，试图从教育行政主管部门、学校领导、专家、教师等群体对教师的差异化管理展开论述。

首先，教育行政主管部门对教师的差异管理。教育行政主管部门对教师的差异管理主要是一种宏观层面的政策规范与方向性指导。教育行政主管部门应树立均衡、优质发展各级各类教育的目标，认识到各级各类不同的发展水平的教师均有自身的独特之处，鼓励教师开展形式多样的校际、省际乃至国际合作交流活动，并对教师的校际合作交流给予一定的政策支持与保障，从政策、制度等层面为教师互惠学习创设良好的条件保障。

其次，学校领导对教师的差异管理。学校是教师工作的主要场所，学校领导的管理理念关乎教师专业发展的程度。学校领导应该对全体教师以差异化原则进行分类，依此鼓励教师参加相应的培训与学习，要求教师对学习所得进行全校性汇报总结，最终以差异化原则对教师开展评价。这一管理模式促使学校领导改变传统的管理理念，树立每一位教师都是对学校发展有用的个体的正确观念，使教师在分析各自的差异中，找出自我发展的差距，对教师主动学习起到积极的推动作用。差异管理有利于营造良好的支持性学习氛围，激发教师愿学、乐学的学习动力，并使外部动力逐步转化为内部动力。

再次，专家对教师的差异管理。在教育协同发展的背景下，专家与中小学教师结成了不可分割的发展共同体，专家针对教师专业发展中存在的现实问题，给予其针对性指导，同一个专家对不同的教师会提出不同的要求与规定，不同专家对同一个教师也会提出不同的要求与规定。面对教师学习中专家与教师相对疏离的现实，专家的差异管理需要建立专家与教师协同发展的长期化、日常化与规范化的合作模式，专家应该熟悉每一位教师专业发展状况，以有效实现专家的差异管理。专家的差异管理有利于教师明确自我定位，激发内在活力，在与专家合作沟通中实现互惠发展。

最后，教师自我的差异管理。教师自我的差异管理，一方面要求教师对自我专业发展的“昨天”与“今天”进行相对比较；另一方面要求教师明晰自我与其他教师在发展水平上存在的差异。两方面的差异要求教师理性、客观地看待自我的专业发展水平，以主动的学习姿态在社会性协商中对话、沟通，实现在自我专业基础上的发展与提升。

2.明确教师发展问题，激发教师互惠学习动力

从学习的主体上看，教师学习是一种成人自我导向学习；从学习的性质上看，教师学习是一种专业学习，若将两者相结合便知教师学习是一种成人自我导向下的专业学习。教师学习具备成人学习的特点，以解决问题为主要目标，“问题导向”的学习特性十分突显。与儿童学习相比，成人学习更明晰自己为什么学、学什么、怎么学及学得怎样等问题[37]。在日常教育教学实践中，专业理论问题、教学实践问题和个人“认知”问题三类问题是教师互惠学习中常见的实际问题。这些问题的有效解决，有利于树立明确的学习目标与发展方向，激发教师参与互惠学习的强劲动力。

首先，专业理论问题。专业理论问题主要指教师在理解与掌握“教什么”和“如何教”两大类理论知识中的某一理论知识时存在的疑惑或困难。由于教师专业的特殊性，职前教师与在职教师在对这两大类理论知识的掌握与运用上存在着时间差。职前教师已获得较为全面的理论知识，但其实践锻炼的机会相对较少。应加强对职前教师实践环节的培养，使其在理论与实践相结合中实现知识的融合，构建结构合理、体系完善的理论知识；在职教师应与专家、同行、学生等群体加强交流、沟通，在实践中提升理论，生成自我的教学理论，实现教师教学实践是基于理论指导的理性实践，使教师的理论提升在实践行动中自然生发，做到理论与实践相得益彰。

其次，教学实践问题。教学实践问题主要指教师在教育教学中遇到的真切实践问题。由于职前教师以系统的理论学习为主，因此，其教学实践问题相对较少。但当其经历了国内外的教学见习、实习后，其深感理论学习与实践应用间存在落差。为了更好地解决这种落差，职前教师应多参与见习、实习等教学实践，促进自我实践性知识的生成与转化。在职教师的教学实践问题多呈现“碎片式”的细节性问题，如学生上课走神、学生“不听话”、上课小动作多、教学效果不理想等问题，在职教师在教学实践中需加强自我知识管理能力，对这些细节性问题进行归类，与他人通过教学研讨集中解决相应问题，并借助自我行动在教学实践中逐步修正存在的问题。当然，实践问题的解决会将教师互惠学习推向新的高度，产生新的教学实践问题，这就要求教师积极行动，在相互协商与对话中实现问题的解决与自我专业提升。

最后，个人“认知”问题。教师个人“认知”问题主要指教师学习过程中思维方式与心智模式受传统习惯的影响，导致其对某些教育理论问题或实践问题缺乏理性认识。教师学习包括三个基本层次：为何学—学什么—怎么学[38]，其

中，“怎么学”与教师学习过程中的思维方式、心智模式密切相关。教师在日常学习中应勤于与他人交流沟通，“独学而无友，则孤陋而寡闻”，在此过程中养成反思性对话的良好习惯，积极对自我的知识结构进行知识管理，借助反思性建构促进实践性知识转化，改变自己传统的偏颇观念，形成正确的思维方式与合理的心智模式。这一过程是教师主动反思的结果，得益于互惠交流中教师间通过“头脑风暴”所形成的多元理解与合理认知。

(三)感受积极情感体验，促进教师学习行动

教师通过平等合作与对话，彼此分享与支持，相互激励与成长，共同承担与解决面临的困难与疑惑，带有浓厚的情感因素。教师在其中体验着一种特有的情感支持，这种情感支持是一种积极的情感体验，使教师职业认同感达到高度一致和强烈共鸣[39]，使教师与他人多主体间建立起关心与被关心的双边或多边关系，促进彼此间的成功沟通与互动[40]。教师互惠学习中的积极情感体验，有利于增强教师的集体归属感与专业身份认同，提高教师互惠学习成效。

1.增强教师集体归属感，激发教师相互学习

教师在开展互惠学习之前，是以个体的“我”进行着学习，互惠学习逐渐使教师由个体的孤立“我”转型为集体的“我们”。在教师集体构成“我们”后，每一个成员都是集体有意义的关系网络中的重要元素，“我们”通常分享着共同的意义、情感与传统[41]。增强教师集体归属感，促使教师全身心地互学互助。

首先，维护稳定的组织系统使身在其中学习的教师产生“我们感”。稳固的组织系统需内部组织与外部组织相互支持，包括外部组织系统的政策支持与保障、内部组织系统的人际关系和谐及内外部组织间的协同等。当外部系统的政策保障、机构间协同一致时，若内部系统的人际关系不和谐，成员间不能达成共同的发展愿景，教师间便很难凝聚为整体，教师间“我”与“你”的界限非常明显，仍是零散的个体，不利于教师开展有效的互惠学习。只有当教师间在共同愿景指引下，形成和谐友好的人际关系，相互间的情感依赖较强烈时，才能形成较为稳固的组织系统。在这里，教师间是相互帮助、互相学习的友好关系，“我—你”相互隔离的关系逐渐被“我们”的密切关系所取代。每一位教师将自我视为组织系统中不可替代的一员，在共同协商与对话中致力于问题的解决，每一位教师都能体验到问题解决的成就与喜悦，深切感受到问题解决过程中生发出的深厚情谊。

其次，以主人翁的姿态主动融入互惠学习中。教师是学习的主人，在互惠学

习中，每一位学习者都是平等的个体，合作与共享着彼此的想法与智慧。因此，教师应树立主人翁意识，主动地融入互惠学习中，积极地感受与体验学习集体所带来的成就与愉悦。教师在互惠学习中越具有主人翁意识，越能激发其集体凝聚力与向心力，集体归属感就越强烈。身在其中的每一位教师都应以向集体学习的心理预期融入组织系统中来，在相互帮助中增长学识与增进友谊。

2.建立教师身份认同，提升教师专业自信

教师身份认同带有意义赋予的功能，影响着教师对其周边学习情境赋予相应的意义，进而影响教师的后续行为与身份认同[42]。当教师赋予周边学习情境积极意义时，教师表现出主动向上的教学行为与学习行为，其对教师职业的身份认同感相对较强，具有积极的情感体验。因为“情感”是通往教师专业生活与认同的关键因素[43]，积极的情感使教师在互惠学习中增强“我是谁”的身份确认与“我能行”的专业自信。

首先，“我是谁”的身份确认。多数情况下，教师将学习视为外在强加给自己的任务或要求，并没有激发起教师内在的心理意义。当教师将学习视为游离于自身的外在任务或要求时，教师也只是“形同虚设”地参与学习，而并不明确自我在其中的意义与价值，对于“我是谁”这一身份存在模糊认识，而出现专业身份认定摇摆的状况。也就是说，若教师通过学习有了些许的收获感，他们认为“我是其中一员”；而若研讨的话题自己不甚了解时，便将自己人为地抽离出来。但若将对教师学习的外在要求转化为内在动力时，教师便能主动地参与互惠学习，产生积极的情感体验。这时，教师对“我是谁”会有明晰的认识，“我是其中一员”的身份确认使其不管在何时均能与组织系统中的其他主体“患难与共”，合作协商，共同完成某一任务。因此，教师应将各种外在学习要求积极转化为自我专业发展的内在动力，对自我有明确的认知与理解，并能在互惠学习中时刻保持清醒的自我反思与主动的集体融入的意识，以提升教师互惠交往的成效。

其次，“我能行”的专业自信。教师的专业自信有外部与内部之分，但专业内部自信是其核心，使教师个体在同行面前拥有自信[44]。教师互惠学习所树立的专业自信主要是教师个体的专业内部自信，是教师通过自我的努力探索，积极应对互惠学习中的话题研讨，得到多主体的认可与赞许，逐渐树立起“我能行”的专业自信，同时，也获得新的专业身份，这是教师自我努力学习的结果，自然会产生由内而外的专业自信。这种专业自信反过来会激发教师学习的积极情感体验与自我身份认同，形成良性的循环链。学校应为教师创设良好的互惠学习平台，鼓励教师结成自愿性的学习小组或研究小组，在互惠合作中增强教师的专业自信。教师应在日常的工作与学习中提升专业素养，并积极投入互惠学习中，分享自己的见解与思考，以期获得外界的肯定，收获积极的情感体验。

三、促发教师“台前”“幕后”生成互惠内容

教师职前教育阶段经过系统的理论知识学习与初步的技能训练，形成了教师专业知识的认知图式。然而，教学实践并不是掌握了理论知识与初步的技能便可胜任的，学会了教学的所有技术仍不适合做教师，这是有可能的[45]。教师如何将所学的知识转化为指导教学实践的“智慧”，要求教师在知识共享网络中加强知识管理能力，通过行动研究、教育叙事、反思性实践等途径，实现“台前”合作实践与“幕后”自我反思的统一，在与学习情境及自我认知互动的基础上促进互惠学习内容的生成转化。“台前”合作实践经由教师行动研究与“幕后”自我反思经由教育叙事汇总为教师的反思性实践，共同促发教师互惠学习内容的互动生成，推动教师专业成长(图 8-4)。

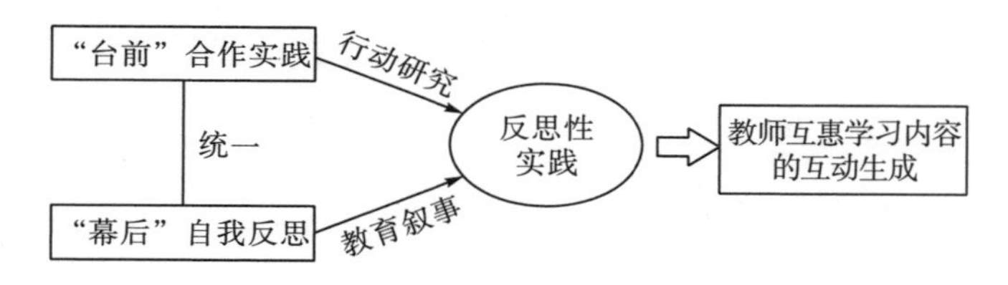

图 8-4　促发教师互惠学习内容的互动生成

(一)通过行动研究阐释教师学习的互惠品性

在教师教育改革的国际趋势下，“教师即研究者”的倡导使教师特别是中小学教师实现角色转型，参与实践开展行动研究逐渐成为教师教学工作的组成部分。行动研究的积极倡导者艾略特(J.Elliot)认为，行动研究是对社会情境的研究，是以改善社会情境中行动质量的角度来进行研究的一种研究取向[46]。行动研究作为一种研究范式，其关键特征在于参与、改进、系统和公开[47]。行动研究呈现出“动”的研究样态，以前的被研究者转变为研究者，要求其以研究者的身份主动地参与与校外研究者相互合作的“行动”与“研究”的双重活动中，这种双重性质的活动实质上是一种合作研究，是由以往的教师个人化的、孤立的研究转向教师群体间的合作性研究，积极地汲取“他人智慧”而系统地开展研究，并将研究成果向公众公开，以期挣脱“制度束缚”而赢得观念与实践上的“改进”[48]。“他人智慧”包括从相关文献中寻求研究线索及与他人对话获得思想的启发，与相关文献的对话引发教师思考，促使教师对某一研究问题展开深入研

究，从理论上或实践上丰富该研究领域的研究体系，从这一角度上看，与文献的对话可理解为一种互惠学习；与他人对话中双方均获得思想启发，双方都是学习的受益者，这样的合作性研究带有显著的互惠性质。因此，行动研究作为一种合作研究，强调作为研究者的教师间的合作与互助，使其在相互研讨的对话沉思中分析问题、解决问题，达成互惠。

1.教师应实现角色转型

"教师即研究者""研究型教师"等改革理念要求教师角色转型，教师不再是传统的知识传授者，更是教学实践的关注者、研究者。研究有基础理论研究与实践应用研究之分，结合中小学教师的实际，教师行动研究多以实践应用研究为主，通过教师参与教学实践研究，改进教与学，促进教师专业发展。因此，教师应改变传统的角色定位，以研究的姿态进入教学实践，自我反思与相互研讨教学实践中的问题，从而提升教师的教学策略，扩展专业知识结构，并在一定程度上使教师获得专业自主[49]。教师角色转型是开展行动研究的第一步，当教师对自我的研究者角色有明晰的定位时，教师才能主动地投入行动研究，共同致力于问题的解决。

2.教师应在情境中把握问题

既然行动研究是对社会情境的研究，那么教师开展行动研究就须立足于情境化的教学实践，脱离了情境的研究是空洞的无根的研究。教师结成行动研究的共同体，相互研讨某一具体实践问题，并寻求行之有效的解决方案，促进教师教学行为的改进。教师应通过行动研究学会针对研究问题收集数据，并能运用教学情境中的具体案例论证自己的研究[50]。教师应具备教育情境中挖掘问题的研究意识，仔细观察与留心体会教学情境中的事件，从问题着手，开展有针对性的行动研究。这一过程并不是教师单独完成的，是集结行动研究团队的集体智慧，在一次次的深入研讨中不断找准研究问题，并对之聚焦。但同时，教师应该对"研究"进行理性认识，形成合理的看法。虽然教师对研究需要保持必要的"敬畏感"，但基于教学情境的行动研究并不是高不可及的科学探索，而是对日常教学实践问题的思考与探究，是教师日常工作、学习的重要组成部分。

3.教师应正确理解研究与行动的关系

行动研究与其他的研究的区别在于研究与行动的相互渗透，"行动中研究"与"研究中行动"是不可分割的同一过程。教师应改变"研究离我们很遥远"的偏颇观念，树立起正确的、合理的行动研究意识，在教学实践进程中带着研究问题观察、关注、收集数据，并在此过程中完成教学实践。教学实践中的研究应该是结合教学有意识地开展，以便于收集到第一手的研究资料，这一过程是作为研究者的教师不断反思的过程，反思的结果可促进实践的转化，而实践又反过来激发反思理性和实践知识向前发展[51]。在开展行动研究前，教师需正确理解研究与行动的关系，使研究与行动间实现互惠，在问题解决中开展实践行动与研究活动，以彰显学习的互惠品性。

（二）借助教育叙事书写教师学习真实样态

教育叙事是身在教育情境中的教师将自我的教育感受、收获、思考等以叙述的方式记录下来，使教师在这些叙述中对自己的教学行为等方面的问题进行回顾式反思，并可用作教师间交流研讨的重要素材，起到改进与提升教师教学行为的目的。教育叙事不同于教育叙事研究，教育叙事是叙事主体将自我或他人的故事讲出来，供人学习借鉴与反思，而教育叙事研究则是研究者通过描述个体教育生活，搜集和讲述个体教育故事，在解构和重构教育叙事材料过程中对个体行为和经验建构获得解释性理解的一种活动[52]。但两者也有关联，当教师长期地坚持有目的的教育叙事时，便为其开展教育叙事研究提供了丰富的研究素材。教育叙事是教师对互惠学习成果进行知识管理的有效途径，教师在日常教学实践中将与学生课堂交往、与同行研讨、与专家合作及与家长沟通的点滴想法通过教学日志、教学案例分析、成长档案等教育叙事形式书写出来，使教师在反思中丰富与完善自我的知能体系，促进教师专业发展。

1.教师应养成撰写教学日志的良好习惯

教学日志是教师对教学实践中有意义、有价值的事件所进行的翔实记录，是教师定期回顾和反思日常教学情境与教育事件的重要途径。教师通过教学日志的浏览能更好地了解自己及他人，学会更好地组织教学，增强教师对教学问题的认知和情感洞察力，改进与提升教师的自我实践性知识。教学日志可以是纸质版的教学日记、反思记录等，也可以是电子版的博客、反思日志等。教师应养成定期撰写教学日志的良好习惯，在教学活动、研讨活动、经验交流活动等结束后，及时地记录活动场境，以情境复原模式与反思感悟模式相结合的方式对活动进行深度描述，使教师在情境回顾时引发其认知策略改组、行为提升与情感升华，这是教师对自我专业知识进行有意识管理的过程，也是教师积攒教学研究素材的重要途径。

2.教师应有意识地搜集与整理教学案例

教学案例是包含问题或疑难情境在内的真实发生的典型性教学实践[53]，是集中于某一中心论题的在教育实践过程中的故事，强调对实际情境的描述，使人有身临其境之感。教学案例的写作虽然需要设计，但其与教学设计有显著不同，教学设计主要是教师在教学活动开展前对教学活动的整体性预设与规划，而教学案例则是将已经发生的教学事件以特有的格式呈现出来。教学案例的搜集与整理是教师间进行经验交流总结、研讨学习的过程，也是教师对自我或他人的教学进行学习与反思的过程，教学案例是教师集体开展教学研究的成果形式之一。因此，教师应有意识地搜集与整理教学案例，相互间分享与研讨，探究案例与教学内容间的关联度与教育性，提升教学案例的质量与针对性。对教学案例的探究与分析是教师开展教学研究的重要途径，体现出研究的集体智慧；对教学案例的探究与分析也是教师自我反思的手段，促进教师元认知策略的重构与提升，是教师外在社会性互动与内在自我建构相统一的密切过程。

3.教师应善于记录与收集自我成长档案

教师成长档案是教师开展自我评价与他人评价的重要依据，更是教师自我“回顾”式反思的重要素材。教师成长档案可以是纸质类与电子类相关资料的结合，主要运用计算机、扫描仪、打印机、照相机、录音机等设备记录教师成长，以文字、录像带、光盘、录音、照片等形态呈现[54]。教师成长档案的管理者是教师本人，记录与教师专业成长密切相关的内容，其中有关于教师的工作经历、专业梦想与实践成果，也有教师专业发展中产生的困惑与感悟、收获与感动、自我评价与他人评价等，是教师成长进程中“自我”的真实反映[55]。教师成长档案与教师行动研究有着密切关系，教师成长档案的所有资料是行动研究的内容与成果形式。教师成长档案袋是教师反思的“引擎”，旨在培养教师勤于发现、乐于分享、善于反思的良好学习习惯[56]。教师应善于记录自己的教学行为与感悟，并收集他人为自己记录的各种类型的资料，使其在回顾时能了解自我成长中存在的问题与优势，通过集体研讨、个体反思等方式实现自我成长与共同进步。

（三）参与反思性实践促发教师知识形态的转型

“反思性实践”引发教师实践活动方式的重大变革，即在行动的过程中对行动进行批判性反思的行为，其目的之一是提高对自我思维和行动的自觉[57]，是教师元认知策略提升的重要途径。反思性实践强调教师主体的参与性与实践性，教师在实践活动的前、中、后都进行着不同形式的反思性实践，在参与实践活动前，教师为参与活动精心拟定主题，并结合自身实际对主题展开深入思考，为深度参与实践活动做好铺垫与预备；在参与实践活动中，教师间相互合作协商，借助面对面交流、视频等途径分享自己的见解与思想，并尝试解决各自的疑惑，解疑答惑的过程也是自我反思的过程，这是外部习得性互动与内部获得性建构的统一；在参与活动后，教师积极主动地将实践活动中的收获以反思日志、成长日记等形式记录下来，这种记录本身就是教师自我开展的内在反思，有利于充实教师的知识结构体系，淬炼专业能力，提升专业品性。合作对话不仅要求教师对学习情境进行感知与体验，更要求教师对自我内在的认知结构与经验系统进行反思与重组，可以说，教师的反思性实践是一种经验理论化的过程[58]，是教师与情境的社会性互动及与自我内在建构的同一过程，是教师进行知识管理的过程，引发教师知识形态的转型，使内隐于心的未被觉知的知识转化为显性知识，促进教师实践性知识的生成与教学智慧的提升。

1.教师应善于提炼自我的实践性知识

教师实践性知识是教师个体对教学实践的理解、感悟及反思而形成的相关知识，是对自我教学经验的积累基础上的提升与有意识的挖掘。教师实践性知识是连接教师理论世界与教学实践的桥梁，是教师教学风格与教学智慧的显著体现，对实践性知识的提取与转化要求教师长期有意识地参与教学实践。从新手教师教学时的“无措”到专家型教师的“熟稔”是教师专业成长的过程，更是教师实践性知识逐步丰富与体系化的过程。教师的实践性知识是在日积月累的教学实践与合作探究中经由教师有意识的反思活动逐渐习得的。长年累月的“教书匠”与专家型教师的显著差别便在于是否进行了反思性的活动；是否有目的地将实践经验提升为教育理论，内化为自我知识体系的一部分。

首先，教师应有意识地对实践经验进行反思。教师的实践经验能否转化为教师独具特色的实践性知识，取决于教师对实践经验的主体性觉知与反思度。主体性觉知是教师知识管理的起始，使教师有目的、有意识地对实践经验进行提炼，从亲历经验与他人经历中汲取专业成长的养料，但这些养料不能仅停留于经验层面，教师需在持续地反思、研讨与总结基础上将其上升到理论层面。反思度是教师对实践经验进行反思的频度与深度，反思的频度要求教师养成勤于反思、善于反思的良好习惯，在合作探究中实现经验的内化与转化；反思的深度要求教师对实践经验从产生的原因、存在的问题、解决方式等方面进行深入的思考，以充分了解与挖掘某一实践经验的实质，为经验向理论提升奠定基础。

其次，教师应在反思的基础上对知识进行整理归类。经由教师反思所形成的知识暂时还处于零散状态，教师需要在内化知识的过程中对知识进行整理与归类，这一过程的完成不仅要求教师进行独立反思，更要求教师间的合作探究。教师在相互探讨与交流中对知识经验进行有层次的认知，分清知识间的界限，同时又明晰知识间的关系，构建完整的知识图谱，使其与原有知识进行有机对接，不断改进与完善原有知识结构。实践性知识使教师在面临教育困境时能灵活地运用已有经验建构或调用已有实践性知识，以行动应对困境，强化实践性知识模块或重新建构实践性知识模块直至成功解决问题[59]。这要求教师学习过程中养成整理归类知识的习惯，提高知识的体系化，便于知识的提取与运用。

2.教师应开展有目的的内置可见的学习

“内置可见的学习”是现任澳大利亚墨尔本大学教育研究所主任约翰·哈蒂(John Hattie)教授在其著作《可见的学习》提出的核心概念，而其主要讨论的是学生的学习。本文借助“内置可见的学习”的核心属性，将其运用于教师学习中。可见属性的学习进程是内置可见学习的属性，“可见”主要指让学生的学对教师可见，同时教师的教对学生可见，确保教育者与学习者明晰学习过程中各自的影响[60]。将教师作为学习者，“内置可见的学习”对其依然有参考价值，教师的学习应该对其他人(包括自己)可见；同时，在互惠学习中，他人的学习也同样对教师可见，使双方都明晰学习的过程与影响。这种学习属于元认知策略的学习，有利于改善教师的认知策略，促进教师知识的深层次内化与转型。

首先，教师应在互惠中看到他人的学习。在国际化背景下，教师是处于知识共享网络中进行学习的，这种学习是开放、互惠的，离不开与他人的合作与协商。教师需要关注他人的学习，这种学习是一种内置的学习，通过观察他人在学习过程中的所为、所思、所获，借助主体性参与和自我反思等途径建构自我知识体系的意义和有价值的经验，与他人进行深层次沟通，为之提供有意义和适当的反馈，促进每一位教师学习者均能获得持续的进步[61]。教师互惠学习中观察他人的学习实际上是向他人学习经验的过程，学习他人如何思考问题、运用何种策略解决问题，并将这种观察所得内化到自我认知体系中，促进教师认知策略，特别是元认知策略的改进与完善，这一过程是教师自我反思的过程，也是教师专业成长的过程。

其次，教师应使他人看到自己的学习。教师在看到他人学习的同时，也应该使其他人看到自己的学习。在互惠学习中，教师应使其他主体仔细观察到自己的学习行为，并进一步了解自己如何思考与解决问题。同时，教师自己也应同步地观察自己的学习行为，及时做好对学习的自省与反思。这样的学习过程，学习的主体与客体不是固定的，不断地发生转换与变化，当他人观察一位教师的学习时，他人是学习主体，而那一位教师则是学习客体；同时，当教师审视自己的学习时，教师自己既是学习的主体也是学习的客体。教师应在互惠学习中积极主动地将自己的想法、构思、意见等表达出来，供他人学习借鉴，与他人协商对话，实现双方的互惠共赢。

四、借助主体改变彰显互惠学习影响

互惠学习带给身在其中的学习主体诸多影响，引起其行为、情感、态度等方面的改变。学校作为师生学习与成长的社会情境，身在情境中的主体改变自然会引起学校情境的改变，并以此做出相应的变革，学校情境的改变势必也会引起其中的主体发生相应的改变。教师互惠学习应促动教师转变角色与变革学习方式；主要从学习行为优化与国际理解力提升等方面推动学生改变；积极行动达成学校变革，这是教师互惠学习的整体效应性影响(图 8-5)。

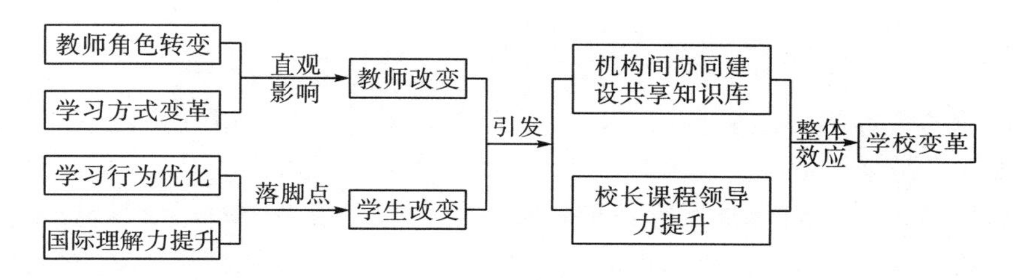

图 8-5　促进主体改变的互惠学习影响

(一)转变观念促动教师改变

跨文化统合视域下教师互惠学习对教师产生巨大的文化冲击，在文化对比与文化反思中考量教师专业成长路径，对教师行为、心理等方面产生全面影响，促使教师转变观念，做出改变。教师改变泛指教师在日常专业实践中发生的各种变化[62]。通过教师互惠学习推动教师角色的改变，引发教师学习方式的变革，将教师专业发展推向新的高度。教师改变是教师互惠学习的直观影响，这种改变是一种相互性的改变，双方教师在互学中积极调适与改进自己的教学行为与学习方式。

1.积极推动教师角色的转变

英国著名的课程理论家劳伦斯·斯腾豪斯(Lawrence Stenhouse)提出著名的“过程模式”课程理论，强调知识的不确定性与生成性。在这种课程观指导下，传统意义上的教师角色发生了重大转变，教师不完全是课程实施的忠实遵守者，而主要是课程的有效开发者与直接参与者，将教师的教育理念与育人理想渗透到课程开发与重建过程中。教师参与课程的开发与建设要求教师承担多重角色身份，除原有的知识传授者之外，教师还应承担研究者、设计者等角色，以诸多角色身份加入互惠学习队伍中，与其他教师共同协商教育实践中的问题与困惑。

互惠学习为教师角色转变提供了重要平台，教师应在互惠学习中细心观察、坦诚交流与对话，不断比较与反思自我的教学理论和技能，并在教学实践中验证与矫正教学行为；同时，接受其他教师对自我教学的观察与指导，展开坦率而真诚的讨论，不断修正与提升自己的教学行为，这一过程是教师集体智慧生成的过程，也是教师集体创设课程的过程。教师应以研究者、设计师、文化使者等多重角色融入互惠学习中，促进彼此间在平等合作中实现相互理解与文化包容，获得全方位的学习内容，实现自我知识结构的完善、教学技能的提升与教育视域的拓宽。

2.深度引发教师学习方式的变革

目前的教师学习主要是以“培训者”主导及“专家”引导话语下的“被培训”模式，是强势话语“设计”下的运行结果，缺乏“平等性”、“互动性”与“成功体验”[63]。这一模式存在于各级各类教师学习中，教师学习也沿用了以往的“被培训”模式，由外而内的设计和教化，将教师视为被动的知识与技能接受者，无法完成教师作为学习者实现真正意义上的学习变革[64]。这一模式主导下，教师学习方式主要是一种被动单向的封闭式学习，缺乏与他人的积极互动交流，缺失自我的生命体验，将自我囿于孤立发展的境地。

互惠学习强调教师积极主动地参与其中，共享经验与生成智慧。互惠学习赋予每一位教师学习的主体地位与权利，激发其学习的积极性与主动性。在互惠学习中，专家与研究者不再是学习内容的单一传授者，教师也不再是“强势话语”主导下的被动接受者。教师与专家及研究者应根据学习目标与教学实际需求，进行平等交流，相互研讨，实现双方优势互补，构成双向互动的交流模式。这一模式主导下，教师的学习方式转变为主动双向的开放式学习，在共享对话中促进彼此情感体验、知识生成和问题解决，达成互惠共赢的发展目标。教师学习方式的变革有利于为教师营造愿学、乐学的良好学习氛围，带动全体教师参与学习，在合作共享中互进共长与集体提升。

(二)采取措施促进学生改变

学生改变是教师互惠学习的落脚点与归宿，是教育目的的直观彰显。教师互惠学习所讨论与协商的诸多主题主要从如何培养人、培养怎么样的人等内容展开，具体涉及课程知识、教学管理、师生互动、教学评价等方面，而这些问题背后则是学生有效学习与健康发展的主旨性问题。全球化背景下应采取多种措施促进学生学习行为优化及国际理解力提升，推动学生改变。

1.全面促进学生学习行为优化

师生交往是教师与学生互惠学习的过程，教师与学生双方在教育活动中以平等的姿态对话协商，致力于问题的解决。这一完满过程中，师生间开展积极、有效的互动，两者间处于平等的地位，教师关爱理解学生，学生尊敬教师，群策群力，相互汲取问题解决的“养料”，这是知识共享网络中师生交往的互惠模式。在这一互惠模式中，教师应从学生那里获得丰富的信息以有针对性地开展教学活动，使学生养成健康的心理品质与良好的学习行为。在跨文化统合视域下，教师与学生互惠学习模式超越了现有的师生交往模式，跨国校际的教师与教师、教师与学生、学生与学生通过多元途径开展深度合作对话，将会对学生的学习产生深远影响，全面促进学生学习行为的优化。首先，语言表达方面，两校学生逐渐体会到对方语言的魅力，以中加姊妹校为例，加拿大学生在中方教师与学生的带动下，开始学说中文、学写汉字、了解中国文化，中国学生的英语口语由最初的不敢说、说得不流畅，在彼此相互交流中慢慢得以提升。其次，学习的自我效能感方面，学习的自我效能感是调节学生学习动机的重要因素，是学生学习投入的情感性指标。跨文化互惠学习使两国学生在彼此间的交流中反省自己的优势与不足，做到学习上的针对性与目的性，提高自我学习效率，激发学生的学习热情，进而提升学生学习的自信心。最后，学习视界方面，学生在与国外师生互动合作的过程中，真切地了解到国外学生的学习需求、学习兴趣及国外的文化传统、风俗习惯等方面，加深学生的感性认识，拓宽其学习的视界，进一步激发学生学习的动力与兴趣。

师生双方在相互理解中寻求合理的生活方式和探求有价值的生命过程，这是师生间在相互理解和领悟中获得成长与进步的过程[65]。跨文化互惠学习模式使教师清晰地意识到人是在社会情境中寻求成长的意义与价值，学生的健康成长同样离不开良好的学习氛围，教师应平等地对待每一位学生，尊重与关爱学生，与学生构建起积极的人际关系，双方积极营造主动乐学的学习氛围，以激发学生学习的欲望，使身在其中的学生与教师均能积极投入学习中来，促进师生、生生间的良性互动与平等合作。在这一氛围中，学生应积极地体验学习所带来的快乐与成就，提高学习的自信心与自我效能感，逐渐养成健全的人格、积极的情感与良好的社会适应能力，促进学生核心素养的全面养成；学生应与教师、同学养成持续学习、勤于反思的良好习惯，学会学习，彼此在互惠学习中收获“新知”。

2.大力实现学生国际理解力提升

在教育全球化的国际推进中，如何在教育中提升学生的全球意识与文化表达能力成为国际理解教育的重要内容，对学生国际理解力的培养逐渐成为世界各国教育改革不可回避的重要议题。1946 年联合国教科文组织(UNESCO)首届全体大会上提出了“为国际理解而教”(Education for International Understanding)的理念构想[66]。1974 年联合国教科文组织在第十八届大会上通过了著名的《1974 年教育建议》，以全球的国际视野为出发点，强调民族间的多元文化理解及彼此间相互依存关系，提出为保证不同民族、国家间的相互认识与理解，需要对教科书进行一定的修订，以保证教科书内容的合理性、平衡性、不带偏见性等，从而实现不同文化及价值间的和平共处[67]。培养学生的国际理解力逐渐被列为各国人才培养的核心素养，经济合作与发展组织(OECD)关于核心素养的三个维度中的一个维度便是要求培养的学生能在异质社群中进行互动。我国以培养全面发展的人为核心，从文化基础、自主发展和社会参与三个维度建构起学生发展核心素养的框架，其中社会参与包括了社会责任、国家认同和国际理解等方面的内容[68]。

教育的全球性与国际性将世界各国置于相互联系、彼此关联的命运共同体中，在这样的命运共同体中，世界各国在教育思想、教育实践等方面具有一定的相似性，各国面临的各种教育问题需要彼此间协同合作加以解决，要求彼此间相互学习对方的文化智慧[69]。跨文化统合视域下教师互惠学习使国际间学生与教师、学生与学生通过视频、互访学习、学术交流等途径拓宽学生的国际视野，增强其对本国及学习目的国文化传统、教育体制等方面的理性认识，纠正以往的偏颇看法，在理性思考与反思中体悟到本国及学习目的国的文化异同及彼此的优势，进一步增强学生的文化思辨力与跨文化意识。教师应教会学生在国家认同基础上进行合理的文化表达，树立学生的全球文化意识，承担相应的社会责任，具备一定的国际理解力，使学生在和而不同的“共生”中学会共存。

(三)积极行动达成学校变革

通过互惠学习促进教师改变、推动学生改变，在整体性效应上积极行动达成学校变革。从学校层面关注互惠学习带给教师专业发展的积极意义，促进校际以开放、协同的姿态致力于共享知识库建设为教师互惠学习提供良好平台；推进校长课程领导力提升，使教师积极参与到课程研究与开发中来。学校改变有利于教师队伍整体素质的提升与学校的深度变革。

1.协同建设共享知识库

温格在《实践共同体：学习、意义和身份》中明确提出实践共同体三个彼此相关的结构要素分别是：共同的参与(mutual engagement)、共同的事业(joint enterprise)、共享的知识库(shared repertoire)[70]。共享的知识库的表现形式有很多，如教师的教学日志、专家讲座视频、教师公开课视频、教师与学生的各类教学成果及教师的个人成长档案袋等各类纸质文本或数字化文本。知识库是一种总结性成果，是教师在集体中互惠学习的智慧结晶。建立知识库的主旨在于将教师互惠学习的日常行动实践以固化的形式保存下来，便于推广与扩大影响力。共享知识库突破了时空限制，倡导中小学与高校、政府等机构在平等合作与协商对话中协同发展。这样一来，教师可与高校专家、中小学同行、学生及家长形成多元类型的互惠学习组织，将专家讲座视频、指导方案、同行交流的心得与感悟、幼儿的作品、家长的反馈与意见及自我的教学反思与日志、专业成长档案等分类整理，装订成册，用于交流学习。在信息技术支持的全球化背景下建设教师互惠学习共享知识库，应借助信息技术，将各种资料数据分门别类地上传到知识库相应的栏目，为教师共享性学习提供便利，促使其与他人展开超越时空限制的对话、交流与合作。

教师在互惠学习中应养成收集、整理、撰写记录的良好习惯，这些记录可以纸质的文本形式呈现，也可以视频、音频、照片等电子形式呈现。这些记录是教师互惠学习的重要成果，也是教师开展教学研究的第一手资料。教师在浏览、学习知识库资源时应自觉地开展自我反思，对比自己教学实践中的问题与困惑，在相互学习中逐步积累与完善专业知识结构与能力，充实自身的专业意义。同时，这些记录应被视为互惠学习对教师产生积极的显性影响，以过程性的成果记录教师在不同专业发展阶段的困惑与疑问、收获与成绩，是检验互惠学习效果的可视化材料。

2.有效提升校长课程领导力

校长课程领导力是校长领导力的核心，主要指校长领导学校全体教师在明确的课程理念指导下，制订和实施学校的课程规划，调控课程管理行为，实现课程目标，全面提升学校教育质量的能力，从课程理念、课程素养、课程团队、课程开发、课程实施、课程评价六个维度对校长课程领导力进行科学考量[71]。教师互惠学习是有校长参与的团队式互惠学习，有利于提升校长自我的领导力特别是课程领导力。因此，互惠学习使校长具备更加开阔的课程意识，课程开发能力逐渐增强，总体上促进校长课程领导力的提升。校长课程领导力提升促进学校管理变革，使学校领导团队合理分工与合作，领导团队与教师团队一起致力于课程研究与开发，营造良好的学校文化氛围。校长课程领导力对教师互惠学习效果起到组织内部的保障作用，校长课程领导力有助于教师角色的转变与学习方式的变革，而教师的改变又反过来提升学校课程团队的研究力与学习力。

校长课程领导力应充分考虑学校领导团队与教师团队的优势互补，使其在团队协作中达成互惠学习的目的。在课程理念上，校长应结合学生核心素养的培养要求，将国际理解与文化自觉融入课程中，以全局意识将培养具有国际视野、国家责任和民族情感的公民作为课程目标；在课程素养上，校长应具备整合课程的能力，带领全体教师对国家课程、地方课程与校本课程进行整体规划与统整，在传统文化与现代文化的张力中从国际视野的高度实现课程间的高度融合与衔接；在课程团队上，校长应具有一定的号召力与影响力，学校领导团队与教师团队形成合力[72]，使教师相互聚结在一起，共同研讨协商学校课程的整合与开发；在课程开发上，校长应具备敏锐的课程感知力，将国际元素与学校文化及学生培养目标融入校本课程开发中，提升校本课程的质量；在课程实施上，校长应对教师积极鼓励，加强教师的教学执行力，促进教师间的合作，结合课程开发的内容，开设反映学校特色的课程，并使其课程实施与培养目标相契合；在课程评价上，校长应以发展性眼光看待教师发展与学生成长，对教师、学生、课程本身的评价均以发展性的形成性评价与结果性的总结性评价相结合，以鼓励为主，促进学校情境中的相关主体的互惠成长。

参考文献：

[1]亨利・A・吉鲁. 教师作为知识分子——迈向批判教育学[M]. 朱红文, 译. 北京: 教育科学出版社, 2008: 147-155.

[2]克努兹・伊列雷斯. 我们如何学习: 全视角学习理论[M]. 孙玫璐, 译. 北京: 教育科学出版社, 2010: 231.

[3]王颖, 潘茜. 教师组织沉默的产生机制: 组织信任和心理授权的中介作用[J]. 教育研究, 2014, (4): 106.

[4]李政涛. 论教师的有效学习[J]. 教育发展研究, 2008, (Z2): 64.

[5]郧婧芸, 梁成艾, 朱德全. 职业教育教师学习情境: 表征、架构与创设[J]. 职教论坛, 2012, (9): 23.

[6]刘义兵, 付光槐. 教师教育一体化发展的体制机制创新[J]. 教育研究, 2014, (1): 115.

[7]沈佳乐. 教师共同体的要素及其情境分析[J]. 课程・教材・教法, 2015, (4): 106.

[8]徐红, 董泽芳. 批判与超宇: "专家型教师"概念再探析[J]. 教育科学, 2011, (1): 65.

[9]左璜, 黄甫全. 试论同伴互助学习的涵义及研究的主要课题[J]. 课程・教材・教法, 2008, (9): 17.

[10]高文, 裴新宁. 试论知识的社会建构——心理学与社会学的视角[J]. 全球教育展望, 2002, (1): 11-14.

[11]李兴洲, 王丽. 职业教育教师实践共同体建设研究[J]. 教师教育研究, 2016, (1): 20.

[12]莎伦・F・拉里斯, 等. 动态教师——教育变革的领导者[M]. 侯晶晶, 译. 北京: 北京师范大学出版社, 2006: 96.

[13]佐藤学. 学习的快乐——走向对话[M]. 钟启泉, 译. 北京: 教育科学出版社, 2004: 399.

[14]沈佳乐. 教师共同体的要素及其情境分析[J]. 课程・教材・教法, 2015, (4): 109.
[15]迈克尔・富兰. 变革的力量——透视教育改革[M]. 中央教育科学研究所, 加拿大多伦多国际学院译. 北京: 教育科学出版社, 2000: 167.
[16]舒尔曼. 实践智慧: 论教学、学习与学会教学[M]. 王艳玲等, 译. 上海: 华东师范大学出版社, 2013: 225.
[17]吕达, 刘婕. 超越经验: 在自我反思中实现专业发展[J]. 教育学报, 2005, (4): 65.
[18]霍绍周. 系统论[M]. 北京: 科学技术文献出版社, 1988: 24-29.
[19]石娟, 刘义兵, 沈小强. 生命哲学视野下教师专业发展的愿景[J]. 中国教育学刊, 2015, (3): 88.
[20]徐君. 自我导向学习: 农村教师专业发展的有效途径[J]. 教师教育研究, 2009, (3): 18.
[21]黄富顺. 成人心理与学习[M]. 台湾: 师大书苑有限公司, 1989: 227.
[22]桑代克. 成人的学习[M]. 杜佐周等, 译. 上海: 商务印书馆, 1933: 20.
[23]高志敏. 成人教育心理学[M]. 上海: 上海科技教育出版社, 1998: 79.
[24]Malcolm S. Knowles. Self-Directed Learning: A Guide for Learners and Teachers[M]. New York: Association Press, 1975: 135.
[25]黄富顺. 成人心理与学习[M]. 台湾: 师大书苑有限公司, 1989: 249.
[26]冯丽华, 段建, 等. 成人学习动机调查及分析[J]. 中国成人教育, 2010, (16): 106-107.
[27]姚远峰, 潘沛沛. 基于 ARCS 动机设计模式的成人学习动机策略初探[J]. 成人教育, 2011, (12): 15.
[28]王京华, 李玲玲. 教师学习共同体——教师专业发展的有效路径[J]. 河北师范大学学报(教育科学版), 2013, (2): 41.
[29]张俊友. 客观对待教师绩效评价和发展性教师评价[J]. 教育学报, 2007, (1): 21.
[30]张平, 朱鹏. 教师实践共同体: 教师专业发展的新视角[J]. 教师教育研究, 2009, (2): 60.
[31]王红艳. 教师实践性知识的人际关系"初级化"策略[J]. 教育发展研究, 2009, (10): 79.
[32]袁维新. 教师学习共同体的自组织特征与形成机制[J]. 教育科学, 2010, (5): 60.
[33]拉夫尔・泰勒. 课程与教学的基本原理[M]. 施良方, 译. 北京: 人民教育出版社, 1994: 5.
[34]张兆芹, 王海军. 内在学习需求: 教师继续教育的切入点[J]. 教育发展研究, 2008, (Z2): 60.
[35]王鉴. 合作学习的形式、实质与问题反思——关于合作学习的课堂志研究[J]. 课程・教材・教法, 2004, (8): 31.
[36]祝长水. 以差异管理促教师发展[J]. 中国教育学刊, 2009, (6): 35.
[37]何菊玲. 数字时代教师学习观的变革[J]. 陕西师范大学学报(哲学社会科学版), 2016, (4): 165.
[38]张兆芹, 罗玉云. 学习型组织理论视角下的教师专业发展[J]. 课程・教材・教法, 2005, (11): 75.
[39]李兴洲, 王丽. 职业教育教师实践共同体建设研究[J]. 教师教育研究, 2016, (1): 18.
[40]内尔・诺丁斯. 学会关心: 教育的另一种模式[M]. 于天龙, 译. 北京: 教育科学出版社, 2011: 17.
[41]Sergiovanni . Building Community in Schools[M]. California: Jossey-Bass Inc. , 1994: 299-335.
[42]Maclure M. Arguing for Yourself: Identity as An Organizing Principle in Teachers' Jobs and Lives[J]. British Educational Research Journal, 1993, 19(4): 311-322.
[43]Hargreaves A. Emotional Geographies of Teaching[J]. Teachers College Record, 2001, 103(6): 1056-1080.
[44]丁道勇, 张锦玉. 教师的专业自信及其发展[J]. 中小学管理, 2012, (9): 33.

[45]马克斯. 范梅南. 教学机智: 教育智慧的意蕴[M]. 李树英译. 北京: 教育科学出版社, 2001: 14.
[46]陈向明. 质的研究方法与社会科学研究[M]. 北京: 教育科学出版社, 2000: 448.
[47]刘良华. 重申“行动研究”[J]. 比较教育研究, 2005, (5): 76.
[48]刘良华. 重申“行动研究” [J]. 比较教育研究, 2005, (5): 76-79.
[49]Henson K T. Teachers as Researchers[A]. Sikula John. The Handbook of Research on Teacher Education(2nd ed). New York: Macmillan Publisher, 1996: 53-64.
[50]Cain T, Milovic S. Action Research as a Tool of Professional Development of Advisers and Teachers in Croatia[J]. European Journal of Teacher Education. 2010, 33(1): 19-30.
[51]陈向明. 质的研究方法与社会科学研究[M]. 北京: 教育科学出版社, 2000: 458.
[52]傅敏, 田慧生. 教育叙事研究: 本质、特征与方法[J]. 教育研究, 2008, (5): 36.
[53]郑金洲. 基于新课程的课堂教学案例[M]. 福州: 福建教育出版社, 2003: 3.
[54]Stenhouse L. An Introduction to Curriculum Research and Development[M]. London: Heinemann Educational Publishers, 1975: 118.
[55]邱九凤. 教师成长档案袋: 教师专业发展的有效工具[J]. 教育探索, 2010, (8): 100.
[56]Edgerton R. The Teaching Portfolio: Capturing the Scholarship in Teaching[M]. Washinton, DC: American Association for Higher Education, 1991: 48.
[57]阳利平. 对“教师即研究者”命题的探析[J]. 教育发展研究, 2007, (10B): 7.
[58]程良宏. 经验传承、实践反思与人生教育——论教学活动的三种形态及与教师发展的关系[J]. 华东师范大学学报(教育科学版), 2014, (4): 50.
[59]林一钢, 潘国文. 探析教师实践性知识及其生成机制[J]. 全球教育展望, 2013, (10): 46.
[60]约翰. 哈蒂. 可见的学习: 最大程度地促进学习(教师版)[M]. 金莺莲等, 译. 北京: 教育科学出版社, 2015: 2.
[61]彭正梅. 寻求教学的“圣杯”——论哈蒂《可见的学习》及教育学的实证倾向[J]. 教育发展研究, 2015, (6): 4.
[62]尹弘飚, 李子建. 论课程改革中的教师改变[J]. 教育研究, 2007, (3): 23.
[63]孙德芳. 教师学习的生态现状及变革走向[J]. 教育研究, 2011, (10): 71.
[64]陈莉, 刘颖. 从教师培训到教师学习: 技术支持教师专业成长的途径与策略[J]. 中国电化教育, 2016, (4): 113.
[65]江芳, 查啸虎. 理解型师生关系及其建构[J]. 教师教育研究, 2006, (1): 49.
[66]邬志辉. 教育全球化: 中国的视点与问题[M]. 上海: 华东师范大学出版社, 2004: 228.
[67]UNESCO. Recommendation Concerning Education For International Understanding, Cooperation and Peace Education Relating to Human Rights and Fundamental Freedoms[R]. The General Conference of UNESCO, 1974: 150.
[68]中国学生发展核心素养发布[EB/OL]. [2016-09-14]. http: //edu. people. com. cn/.
[69]顾明远, 薛理银. 比较教育导论——教育与国家发展[M]. 北京: 人民教育出版社, 1998: 83.
[70]Etienne Wenger. Communities of Practice: Learning, Meaning, and Identity[M]. Cambridge: Cambridge University Press, 1998: 72-73.
[71]唐德海. 校长课程领导力考量的六个维度[J]. 现代中小学教育, 2013, (1): 72.
[72]孙向阳. 校长课程领导力: 从“个力”走向“合力”[J]. 江西教育科研, 2007, (11): 104.

有意义、基于行动的努力从未停止——它占据我们的一生。[①]

——[加]迈克尔·富兰

结　　语

全球化、信息化为教师学习提供了更为广阔的知识共享网络，使教师学习呈现出愈加开放的态势，教师学习场域不再局限于自己的学校或课堂，而是扩展到外部区域乃至国际的更大范围，教师唾手可得地与来自不同地区、不同国家的个体或团体进行交流和合作，使双方的互动变得更加方便。教师在与不同国家的个体或团体的合作对话中积极吸收有益经验，对其进行合理的本土化改造，同时也积极地将本国的优秀经验向外宣传，做到尊重差异、优势互补。因此，开放多元的学习场域要求教师改变传统的引进式“拿来主义”的文化姿态，而应平等、包容、共享地欣赏彼此间的文化，以形成共同的知识基础。这样的姿态转型为教师跨文化互惠学习提供了可能与条件，教师互惠学习是全球化背景下对世界文化可通约性的肯定与回应，使不同国家的教师在对话、合作与共享中相互汲取“营养”，促进教师与多主体间的多赢性发展，使我们及下一代在相互理解中求同存异、和平相处、互利共生。

教师互惠学习的思想古已有之，但在国际化的背景下对其进行深度诠释显得尤为必要，教师的跨文化品性有利于培养学生的跨文化意识与国际理解能力。当然，正如迈克尔·康纳利教授所言：即使对具备文化敏感性和文化意识的人而言，培养人正确看待国际文化的态度也需较长的时间[②]。初步的尝试是开启这一“美好”的第一步，初始阶段会困难重重，这并不会阻止人们探寻“美好”的脚步，也正是基于对这种“美好”的探寻，本书“冒险”地选择了“跨文化统合视域下教师互惠学习”这一研究主题。之所以说是“冒险”，是因为现有以“互惠学习”为核心概念的研究相对较少，研究场域主要限定于本国范围内，研究对象主要为教师与学生间的互惠，如何跳出现有的研究将教师互惠学习的场域扩大至国外，研究对象扩大至与教师交互的相关主体或团体来考察教师互惠学习的真实样态，这对研究者本人而言是较大的考验与挑战。通过对各章研究内容的梳理，其研究要点如下：

---

① 迈克尔·富兰.教育变革的新意义(第四版)[M].武云斐译.上海：华东师范大学出版社：2010：2.

② 黄菊.全球化视野下教师教育的叙事探究——专访加拿大迈克尔·康纳利教授[J].教师教育学报，2014，(1)：57.

首先，跨文化统合视域下观照教师的文化立场与专业发展态度是探析教师互惠学习的逻辑起点，借助情境交互理论、社会建构主义理论与互惠理论的核心思想，为教师互惠学习研究寻求理论依据与借鉴，并对教师互惠学习的内涵、类型进行了本体性探讨。在此基础上，以国外异质性文化学习场域与国内同质性文化学习场域交互中的互惠学习这一类型作为本书的关注点；有选择地吸收与借鉴克努兹·伊列雷斯关于学习的整体模型，并结合访谈数据、文本资料等质性分析构建起跨文化统合视域下教师互惠学习的“双子塔”模型。该模型主要由相互关联的四个维度构成，即教师互惠学习动力、学习内容、学习互动模式与学习影响。这四个维度分别回答了跨文化统合视域下教师互惠学习的四个问题：教师为什么参与互惠学习(学习动力)、教师互惠学习什么(学习内容)、教师如何进行互惠学习(学习互动模式)、教师互惠学习得怎样(学习影响)。该模型中，教师学习场域作为一种隐性的维度贯穿于四个维度中，场域的不同使教师互惠学习动力、学习内容、学习互动模式及学习影响有所不同。教师互惠学习的“双子塔”模型是本书的总体分析框架。

其次，以参与“中加互惠学习”项目的职前教师与在职教师为主要研究对象，综合运用深度访谈法、文本分析法、参与观察法等多种质性研究方法，对跨文化统合视域下教师互惠学习模型进行质性的解释性建构，主要从互惠学习动力、学习内容、学习互动模式及学习影响四个维度逐一进行深度剖析。第一，在教师互惠学习动力维度，持久的内在动力是教师开展互惠学习的“引擎”，但对于处于不同的专业发展阶段的职前教师与在职教师而言，学习动力源有所差异；就在职教师而言，不同职务教师的互惠学习需求各异。第二，在教师互惠学习内容维度，教师在不同学习场域有着各异的互惠学习内容，从不同学习场域下教师互惠学习内容的差异性表征可以看出，中加两国教师教育均有值得欣赏的优秀经验，这些优秀经验促进彼此间在共享基础上实现本土化改造。第三，在教师互惠学习互动模式维度，教师以观察者与学习者的双重身份进入国外异质性文化学习场域，同时进行着“台前”合作实践与“幕后”反思构建，是外部习得性互动与内部获得性建构的统一过程。第四，在教师互惠学习影响维度，跨文化互惠学习对教师所产生的影响是深远的与全景式的，教师跨文化互惠学习是“作为人的教师”和“作为教师的人”同时进行的，是统整性的人，两者间相互渗透、相互融合地对教师专业发展产生积极影响。同时，教师跨文化互惠学习可能对极少数教师造成不可预期的消极影响。

最后，在实证研究的基础上，从构建教师互惠学习优化运行的组织系统、保持教师内在持久的互惠学习动力、促发教师“台前”“幕后”生成互惠内容及促进主体改变的互惠学习影响四个方面提出跨文化统合视域下教师互惠学习的实现路径。构建教师互惠学习的优化运行的组织系统是教师互惠学习场域的宏观限定，以赋予教师互惠学习良性的组织保障；通过激发教师学习动机、评估教师专业基础，加强教师主动参与互惠学习的积极性与活力，以积极的情感体验，使教师保持内在持久的互惠学习动力；“台前”合作实践经由教师行动研究与“幕后”自我反思经由教育叙事汇总为教师的反思性实践，共同促发教师互惠学习内容的互动生成，推动教师专业成长；通过转变观念促动教师改变、采取措施推动学生改变及积极行动达成学校变革等途径促进互惠学习影响力的扩大。跨文化统合视域下教师互惠学习的实现路径是在实证研究基础上提出的有针对性方案，为教师跨文化互惠学习提供路径参考。

在对研究要点总结概括的基础上，本书得出如下结论：第一，虽然互惠学习与合作学习、学习共同体等具有一定的关联性，但从国际教育交流的跨文化统合视域来看，教师互惠学习更强调两国教师彼此间以文化平等的态度共享知识与经验，促进知识的流动，形成共同的知识基础。第二，跨文化统合视域下的教师互惠学习由于外力与内力的相互推动，使教师互惠学习内容表现出较大的自主选择性与个体差异性。第三，国际性的教师互惠学习加强了两国教师间的合作交流，使其以学习共同体等学习组织的形式开展活动，所开展的活动由最初的被动参加逐渐转变为自主参与，体现出教师互惠学习的主体性特征。第四，跨文化教师互惠学习对绝大多数职前教师及在职教师产生了积极的、正向的影响，但对极少数教师带来了不可预期的消极影响。第五，虽然互惠学习秉持文化平等的态度，但由于语言、文化、技术设备、时空等方面障碍，两国教师在相互合作交流的过程中仍表现出诸多信息不对称的现实状况，且这一状况就如同客观存在的诸多障碍一样，无法在短期内得以克服。

本书尝试综合运用质性研究、理论论证与实证考察相结合的相关方法对跨文化统合视域教师互惠学习进行深入探究，通过对质性数据的深度分析，得出了具有一定理论价值与实践意义的观点和结论。同时，由于各种主客观因素的局限，本书还存在诸多的不足。第一，研究数据来源于深度访谈、反思日志及参与观察，研究者本人作为质性研究的研究工具对研究数据的解释性理解与研究者的研究水平直接相关。由于本书是尝试进行质性研究的蹒跚学步之作，对质性研究的精髓把握还不十分精熟，在一定程度上影响着研究的效度。第二，本书主要借助参与“中加互惠学习”项目的职前教师与在职教师之“眼”了解教师跨文化互惠学习的真实样态，但由于中加两国参与互惠交换学习的人数特别是职前教师人数有较大差异，每个人在异国学习的关注点也有所不同，致使获得的数据在研究内容上存在多寡不一的状况。第三，跨文化统合视域下教师互惠学习理论模型是基于已有研究与质性研究数据构建起来的，虽然论证了各维度间的关系，但并未对此进行深入研究。这些不足之处将为深入开展后续研究提供方向与目标。

随着国际教育交流的日渐深入，参与跨文化互惠学习的教师将会越来越多，但由于不同的学习国家在教育体制、教师教育政策等方面均存在较大差异，无论多么先进的经验与做法均有其产生的文化土壤，具有一定的独特性与适用性。从全球化的语境来看，某一国的教育体制、文化传统并无好坏之分，只有适合与否。因此，教师应对本国教育有充分的文化自觉，并在文化自信中实现多元对话，达成国际理解，实现不同文化间的沟通、共享与互惠，以构建人类命运共同体。诚然，本书的研究结论并不一定能推广到每一位有跨文化互惠学习经历的教师身上，对这些教师的画像在科学实证主义者看来可能不具有代表性，也难以完全被重复[①]，但对这部分教师的原貌式“刻画”，或许能为国际化背景下提升教师的跨文化意识与国际理解能力、培养学生核心素养、深化学校体制改革的教育图景增添一抹亮色。

① 陈向明.优秀教师在教学中的思维和行动特征探究[J].教育研究，2014，(5)：137.

附　　录

附录一

职前教师互惠学习访谈提纲(中文版)

性别		年级	
专业		交换学习时间	
访谈时间		访谈地点	

1.您为什么参与中加互惠学习？

2.您之前是否参与过国际交流项目？

3.您期望在中加互惠学习中获得什么？

4.互惠学习中，您主要侧重于学习哪类知识？您通过何种途径锻炼专业能力？试举例说明。

5.您觉得跨文化互惠学习与国内学习有哪些不同？

6.您如何与他人进行合作学习？

7.您是否有记录或反思自己学习情况的习惯？您觉得这样的反思有用吗？为什么？

8.您以后的专业发展规划是什么？

9.跨文化互惠学习对您的专业发展产生哪些影响？

10.您打算如何有效地利用互惠学习的积极影响？

附录二

Interview Outline of Pre-service Teachers' Reciprocal Learning(English Version)

Gender		**Grade**	
Major		**Time if Exchange Learning**	
Time of Interview		**Place of Interview**	

1.Why did you participate in reciprocal learning between China and Canada?

2.Had you ever participated in international exchange programs before?

3.What do you expect to achieve in reciprocal learning between China and Canada?

4.What kind of knowledge do you focus on in your reciprocal learning? How do you train your professional skills? Would you like to use some examples to make further illustration?

5.What do you think are differences between cross-cultural and domestic learning?

6.How do you cooperate with others?

7.Do you have a habit of recording or reflecting on your learning? Do you think this is useful? Why?

8.Do you have any professional development plan? What's it?

9.What are effects of cross-cultural learning on your professional development?

10.Will you intend to make effective use of the positive effects of reciprocal learning? How?

附录三

在职教师互惠学习访谈提纲(中文版)

性别		学校	
任教学科		教龄	
职务		中加姊妹校建立时间	
访谈时间		访谈地点	

1.您为什么参与中加互惠学习？

2.您所在的学校有国际交流合作项目吗？是否与国外学校结成了姊妹学校？贵校教师出访学习的频率如何？

3.在跨文化互惠学习中，您倾向于学习哪方面的知识与能力？您又如何将自我的知识经验分享给同行？试举例说明。

4.您所在学校或地区是否为教师专业发展构建了专业发展共同体？您通过何种形式参与共同体的活动？

5.如果贵校建有国际性的姊妹校，双方的合作交流怎么持续开展？

6.您如何与姊妹校同行进行合作分享？如何解决共同面临的教学困惑？

7.您在日常教学中，有没有写教学日志的习惯？这种反思性的习惯对您的专业发展有无帮助？

8.您在跨文化互惠学习中是否获得专业提升？主要表现在哪些方面？

9.您所在的学校是否因为互惠学习得到显著发展？主要表现在哪些方面？

10.您觉得自己在互惠学习中还有哪些需要提升与改进的地方？

附录四

Interview Outline of Teachers' Reciprocal Learning (English Version)

Gender		**School**	
Subject		**Age of Teaching**	
Post		**The Time of Constructing Sister School between China and Canada**	
Time of Interview		**Place of Interview**	

1.Why did you participate in reciprocal learning between China and Canada?

2.Do your school have international exchange or cooperative programs? Is it a sister school with schools of abroad? How often do teachers of your school visit a foreign schools for leaning ?

3.What kind of knowledge and ability do you prefer to learn in cross-cultural learning? How do you share your knowledge and experience with your peers? Would you like to use some examples to make further illustration?

4.Does your school or district build a professional development community for teachers' professional development? How do you participate in community activities?

5.If your school has an international sister school, how do two school carry out cooperation and exchange?

6.How do you share with your sister school? How do you face the shared challenges through communication and cooperation?

7.Do you have the habit of keeping teaching diary based on your daily teaching? Does this reflective habit help your professional development?

8.Do you get a professional promotion in cross-cultural reciprocal learning? What are the main manifestations?

9.Does your school have a significant development for reciprocal learning? What are the main manifestations?

10.What do you think are the areas that need to be promoted and improved in future reciprocal learning?

附录五

反思日志

提要：该反思日志是PT6教师在加拿大交换学习期间于2014年10月28日所写。

我在P小学三年级见习时，因为之前我走错教室，在征得Mr.Neil同意后我到他的班上听课，他告诉我需要等5分钟。稍等片刻后我介绍自己来自中国，Mr.Neil首先向学生提出第一个问题："你们知道中国现在是几点吗？"没有学生能回答出来，我便告诉大家中国要比加拿大早12个小时。Mr.Neil马上就讲到了时差，让一个小女孩站起来当作太阳，拿地球仪进行解说，介绍了时区，还介绍了四季的产生和地球的自转和公转运动，还通过介绍地球和太阳的距离、光速，讲解了我们看到的光，是8分钟前太阳的光。接着Mr.Neil问了我第二个问题："从重庆到温莎有多远？"我说我不知道距离，但我可以告诉大家在路途中我总共花费了多长时间。Mr.Neil说学生正在学加法，想用一下这个例子。于是我在黑板上写上了路途所用的时间。Mr.Neil借此为学生讲解了两位数的加法，介绍了做加法的四个步骤(Line up Your Numbers；Add the Numbers in Ones Column；Regroup if Needed；Add the Numbers in Tens Column)讲得很清楚。最后通过让学生做数学题的方式对讲解的内容进行巩固。

这节课对我的触动很大。首先，老师能灵活地运用生活中的实例并巧妙地将其融入教学内容中，做到教学与生活的密切联系，这要求教师具备敏锐的捕捉信息的意识与融会贯通的能力，这是我以后教学中需要加强的方面；其次，教师不应只具备某一学科的知识，而应具备宽广的知识，如果Mr.Neil仅对数学知识或地理知识较为熟识，那么我想我不会看到这么精彩的一节课。

附录六

中国X小学—加拿大Y小学视频会议纪要

提要：中国 X 小学—加拿大 Y 小学两校间每隔一个月左右召开一次视频会议。本次视频会议召开于 2016 年 12 月 7 日，北京时间上午 7：30(加拿大时间下午 7：30)，中方地点为 X 小学会议室，会议的主题围绕校本课程开发展开。

一、低年级段校本课程

加拿大 Y 小学让学生根据自己的兴趣通过视频向中国 X 小学的师生提问，寻求具有中国元素的课程主题，诸如提出关于中国人口、中国旅游景点、中国货币、中国书法、中国学生玩具的制造地(加拿大很多玩具都是中国制造)、中国小朋友喜欢的节日、平时喜欢的体育活动及爱看的电视剧等问题。

中国 X 小学低年级段教师介绍了 1～3 年级的校本课程主要内容：一年级主要为学生介绍国籍、民族、爱好、学校一日活动(包含阅读、午餐、学习及其他活动)；二年级主要有教师节、喜欢的游戏、生日、我的班级(同学、老师、班规等)；三年级主要有校址、体育项目(跳绳等)、校运会、少先队员。

二、高年级段校本课程

加拿大 Y 小学 7～8 年级学生围绕中国的传统节日、医疗体制、健康保险、就业、特色美食、体育活动、多大年龄可以开车等问题向中方提问。同时，他们向中国 X 小学师生介绍加方的多元文化、圣诞节、医疗、美食、语言、法治、动物、汽车及季节等内容。

中国 X 小学高年级教师介绍高年级段校本课程的课程内容，计划将“教师节、国庆节、秋季、特色饮食、56 个民族、春节、桥、中国功夫、国画、科技馆、聚会、暑假等中国文化传统的内容与带有重庆地域文化特色融入校本课程中。

三、两校学生深切交流

由于北京时间 7：30 学生还未到校，随着视频会议的时间推移，部分学生已到校，X 小学教师找来了几名学生，与 Y 小学的学生进行了远隔重洋的亲密交流。

中国六年级学生即兴表演了中国功夫，引来现场与视频那头的加拿大 Y 小学师生的阵阵喝彩。接着，X 小学学生向 Y 小学学生提出了一系列问题，如加拿大的历史文化、货币、景点、有无武术表演等。

加拿大 Y 小学学生向中国 X 小学师生展示了他们精心准备的圣诞节艺术品，有圣诞帽、圣诞树、圣诞袜、房子等，并讲了关于圣诞老人的美好传说。

四、总结

双方小学校长对参与此次视频会议的教师、学生及家长表示感谢！X 小学校长预祝加拿大 Y 小学师生圣诞节快乐！双方一致认为彼此间有诸多相似处，值得相互欣赏、彼此共享。

附录七

职前教师互惠学习的主观理论结构

提要：职前教师主观理论主要指职前教师在学习过程中形成的一套关于教师职业、专业知识、专业能力等论证结构的认知系统。通过深度访谈、文本分析、参与观察等研究方法剖析职前教师跨文化统合视域下互惠学习的主观理论，依此勾画出职前教师互惠学习的主观理论结构图(附图 1 至附图 3)。此主观理论结构图是对质性研究数据经整理、编码、剖析的基础上形成的。

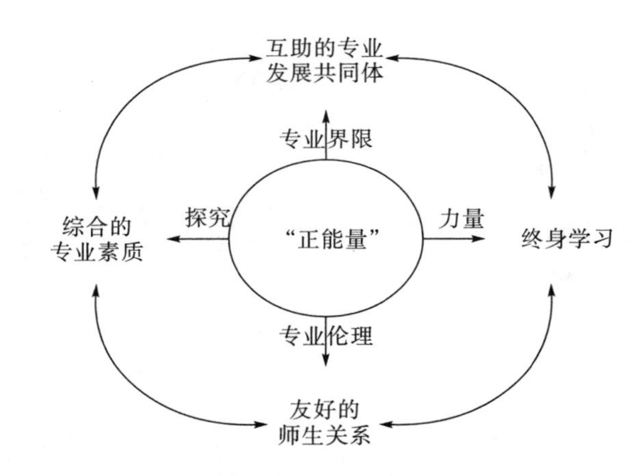

附图 1　职前教师对教师职业的主观理论结构

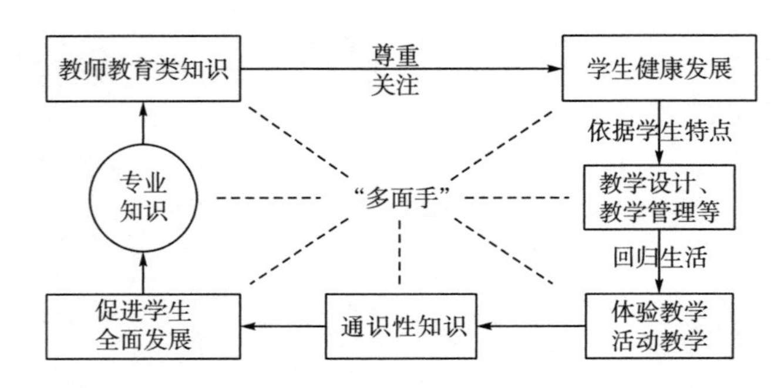

附图 2　职前教师专业知识的主观理论结构

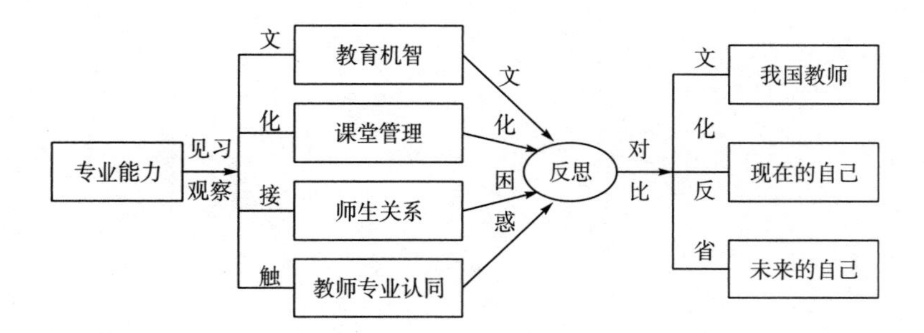

附图 3　职前教师专业能力的主观理论结构